De perfecte buren

www.boekerij.nl

Sean Doolittle

De perfecte buren

10. 05. 2010

ISBN 978-90-225-4858-5
NUR 305

Oorspronkelijke titel: *Safer* (Delacorte Press, Random House Inc., New York)
Vertaling: Ellis Post-Uiterweer
Omslagontwerp: HildenDesign, München
Omslagbeeld: Konstantin Sutyagin / Shutterstock
Zetter: Mat-Zet bv, Soest

Voor Jessica, steeds weer en voor altijd

In de Bijbel staat dat we onze naasten moeten liefhebben, evenals onze vijanden; waarschijnlijk omdat dat over het algemeen dezelfde lui zijn.

Gilbert K. Chesterton

Het is een troostrijke gedachte dat de buren hard op weg zijn naar de hel.

Aleister Crowley

Vrijdag 16 december, 21.25 uur

1

Tijdens een feestje voor de leden van de faculteit bij mijn vrouw Sara en mij thuis komt de politie van Clark Falls me in hechtenis nemen. Het is de laatste dag voor de kerstvakantie. Op het universiteitsterrein schijnt geen licht meer achter de ramen van de werkkamers, de laatste tentamens zijn afgelegd, de collegezalen zijn verlaten tot in het nieuwe jaar. De meeste van onze collega's, een paar ouderejaars en nog wat mensen zijn hier op onze uitnodiging gekomen om even uit de kou te zijn, en om zich moed in te drinken voor de feestdagen.

Het huis ruikt naar bisschopwijn en hapjes. In de open haard knappert een vuurtje van hickoryhout, en dat is de plek waar luchtig wordt gekout onder het genot van een glaasje. Ik sta bij de voet van de trap met Warren Giler, de echtgenoot van het hoofd van de universiteit. We hebben elkaar gevonden in een voorliefde voor Islay-whisky, de '04 Red Sox, en een gemeenschappelijke afkeer van dit soort faculteitsfeestjes. Dan worden de festiviteiten verstoord door een kille windvlaag.

'Pardon?' zegt mijn vrouw. Ze staat in haar jurk en op hoge hakken bij de voordeur te praten met een man in overjas. Achter die man zie ik twee geüniformeerde agenten op onze stoep. Hun adem komt als wolkjes uit hun mond. 'Waar gaat dit over?'

'O jee,' zegt Giler tegen mij. 'Die lui zien er bars uit.'

Hij heeft gelijk, ze zien er bars uit. 'Ik ga maar eens kijken wat ze willen,' zeg ik terug. 'Er staat toch geen prijs op je hoofd, hè?'

'Niet dat ik weet. Misschien staat de muziek te hard.'

Grinnikend excuseer ik me. Wanneer ik bij de voordeur kom staan, kijkt Sara me bezorgd aan. Ze ziet er geweldig uit met haar haar opgestoken.

'Goedenavond,' zeg ik met een lach. 'Koud, vanavond.'

'Bent u Paul Callaway?'

'Dat klopt.' Voor ons huis, op de inrit, staan twee patrouillewagens, en ook nog een gewone auto, achter het busje van de catering. 'Wat is er aan de hand?'

De man in de overjas haalt het insigne tevoorschijn dat hij Sara net heeft laten zien: een goudkleurig schild in een zwartleren mapje. Hij is van gemiddelde lengte, ziet er keurig en efficiënt uit, met netjes gekamd grijs haar. Rechercheur Bell heet hij volgens zijn identiteitsbewijs. 'Meneer Callaway, we komen u arresteren.'

'Pardon?'

Bell overhandigt me een stapel opgevouwen papier. 'U mag uw jas pakken.'

Sara pakt de stapel papier uit mijn hand. 'Laat mij eens kijken?'

'Jongens,' zeg ik, 'dit moet een vergissing zijn.'

'U mag uw jas pakken,' herhaalt Bell.

Onze gasten hebben gemerkt dat er iets aan de hand is. Hun gesprekken stokken. Sara bladert door wat eruitziet als een arrestatiebevel. Ze haalt diep adem en fluistert: 'Paul…'

'Ik heb niet eens parkeerboetes uitstaan! Waarvoor wilt u me arresteren?'

'U wordt verdacht van seksueel misbruik van een minderjarige,' antwoordt Bell. Hij praat harder dan strikt noodzakelijk is. Dan haalt hij nog meer papieren tevoorschijn. 'Dit is een bevel tot huiszoeking. Voor dit huis, en voor uw werkkamer op de universiteit.'

'Mijn werkkamer op de universiteit?' Ik heb daar niet eens een werkkamer. Ik heb een postvakje en een tafel waaraan ik graag werk in de docentenkamer. Op de achtergrond is het nu doodstil. De stilte is bijna tastbaar. Ik heb drie whisky's gedronken met Warren Giler, en ik maak me kwaad. 'Laat die penning nog eens zien?'

'Ik ben bevoegd u handboeien om te doen en u hier op de stoep van uw rechten in kennis te stellen, als u dat liever wilt.' Bell kijkt me recht in de ogen. 'Ik zie dat u een feestje geeft.'

'Ik merk dat u rechercheur bent.'

'Paul…' zegt Sara.

Ondanks de schrik weet ik precies wie hierachter zit. Toch snap ik het niet goed. Seksueel misbruik?' Ik doe mijn best me te verplaatsen in onze gasten, bijvoorbeeld in Warren Giler, de echtgenoot van het hoofd van de universiteit, en ik besef dat door te reageren zoals ieder normaal mens zou doen, ik alles alleen maar erger maak. Ik kan al zien aan de gespannen uitdrukking op de gezichten van de twee agenten aan weerskanten van rechercheur Bell dat ik op het punt sta getaserd te worden op mijn eigen stoep, als ik me niet inhoud.

'Dit is zeker een grap,' zeg ik.

'Meneer Callaway, u hebt het recht om te zwijgen.' Rechercheur Bell stapt opzij, en een van de agenten brengt zijn hand naar de handboeien aan zijn riem.

'Jezus...' Ik druk een kus op Sara's voorhoofd, laat haar los en steek mijn hand uit naar de garderobekast.

'Paul, hier staat...'

'Laat maar.' Ik maak een hoofdgebaar naar de woonkamer. 'Kijk maar of daar iemand is die een advocaat kent die het rechercheur Bell en zijn puberzoontjes hier zo onaangenaam mogelijk kan maken.'

'Voordat jullie weggaan, wil ik jullie nummer,' zegt Sara. 'Van jullie allemaal.' Ze heeft de toon aangeslagen van een leidinggevende, en dat stemt me dankbaar. Ik maak daaruit op dat ondanks wat we de afgelopen maanden hebben doorstaan, we nog een team zijn. Alsof ik daar bevestiging van moest hebben...

Voorlopig is dat voldoende om de gedachte aan deze grove onrechtvaardigheid even weg te drukken. Ik slik de honderden dingen die ik had willen zeggen in, en negeer deze waanzin op mijn stoep. Ik trek mijn jas aan en voeg me bij de twee agenten die wachten om met me mee te lopen naar de stoeprand.

De kille nachtlucht is als een klap die me alert maakt, maar tegelijkertijd ook als verdoofd. Ik ben me bewust van de handen van de agenten, die aan weerskanten mijn elleboog vasthouden. Ik ben me bewust van de trottoirtegels onder mijn schoenzolen. Ik ben me bewust van mijn ademhaling, van de haartjes in mijn neus die zowat bevriezen. En toch lijkt het allemaal heel onwerkelijk.

Bij de stoeprand aangekomen doet de agent aan mijn linkerkant me handboeien om en helpt me in te stappen achter in de voorste patrouillewagen, achter het traliewerk. De andere agent vertelt me nog eens dat ik het recht heb te zwijgen, voor het geval de boodschap de eerste keer niet was overgekomen. Ik blijk nog veel meer rechten te hebben, en daarvan brengt hij me op de hoogte. Heb ik het begrepen?

Nee.

Toch knik ik maar. Het portier wordt dichtgeslagen, en de geluiden van buiten buitengesloten.

De agent die me de handboeien om heeft gedaan, loopt terug naar onze voordeur, waar hij eerst iets tegen rechercheur Bell zegt, en vervolgens tegen Sara. Ik vermoed dat hij zijn nummer opgeeft, zoals ze had gevraagd. De stilte in de auto wordt af en toe verbroken door geruis uit de politieradio. Het ruikt hier naar pepermunt en zweet.

Na een poosje komt de agent terug en neemt plaats achter het stuur.

'Ik snap dat u gewoon uw werk doet,' zeg ik van achter het rooster, 'maar dit is je reinste kolder.'

Hij mompelt iets van dat hij ook maar doet wat hem wordt opgedragen. Hoe oud is dat joch helemaal? Afgezien van het uniform en bijbehorend pistool ziet hij eruit als een eerstejaars.

'Ik ben erg nieuwsgierig naar wie ik dan zou hebben misbruikt. Dat zou ik dolgraag willen weten.'

De agent zegt iets in de portofoon. Hij gebruikt zo veel codes dat ik er niets van snap. Vervolgens maakt hij de riemen vast en start de motor.

Als je het hofje in rijdt, met het veldje in het midden, is ons huis het eerste van links. Het is dus ook het laatste waar je langskomt wanneer je weer wegrijdt. De auto's van onze gasten staan allemaal dezelfde kant op gericht. Maar deze patrouillewagens zijn recht op ons huis af gereden, en moeten nu tegen de wijzers van de klok in terugrijden, langs alle buren. Door het beslagen raampje zie ik bij Pete en Melody Seward het buitenlicht uit floepen.

'Deze auto's kunnen zeker niet in hun achteruit,' zeg ik, nog te kwaad om me vernederd te voelen. We rijden langs het huis van Trish en Barry Firth, van Michael en Ben. Michael heb ik nog geen half uur geleden in onze keuken gezien, terwijl hij de cateraar aanwijzingen gaf. 'Waarom zijn jullie niet in de achteruit de inrit in gereden om daar te keren? O, wacht, ik snap het al, dan hadden jullie niet met me kunnen pronken tegenover de buren. Jullie hebben groot gelijk, dit is een heel stuk beter.'

14

'Wedstrijdje?' zegt het broekje van een agent. 'Wie het stilst kan zijn onderweg naar het bureau. Lijkt u dat wat?'

'Ik weet het niet, hoor.' Wat een neerbuigende rotzak! 'Wie beoordeelt dat?'

Sycamore Court is mooi versierd voor de feestdagen. Overal hangen witte lampjes, als ijspegels aan de dakkapellen en dakranden. Uit de schoorstenen komen slierten rook, en de bomen fonkelen in de kou. In het donker zie ik een vochtige glans als de agent zijn blik weer via de achteruitkijkspiegel op mij richt.

'Goed punt,' zegt hij. 'Dan is het uw woord tegenover het mijne.'

We hebben bijna het hele rondje gemaakt. Tussen de platte, stenen zuiltjes aan weerskanten van de ingang zie ik al het zwart van de onlangs geasfalteerde weg waarover we zullen wegrijden van de bomen, de heuvel af en naar Ponca Heights, de nieuwe wijk beneden.

Ik kijk nog eens goed naar het huis van mijn buurman Roger wanneer we daar langskomen. Het staat precies tegenover ons huis. De donkere ramen lijken naar ons te kijken. Het lijkt of die agent, die me via de achteruitkijkspiegel nog steeds aankijkt, wil zeggen: snap je het nou?

Voor de eerste keer krijg ik het helemaal koud vanbinnen, en dat heeft niets met het weer te maken. Ik snap het.

Daar gaan we.

2

Onze buren zeggen dat het ongelooflijk is dat Clark Falls zo groot is geworden. Ze vragen zich af waar al die mensen toch vandaan komen.

Sara en ik komen uit Boston, en voor ons is Clark Falls niets meer of minder dan het is: een plezierig universiteitsstadje bijna vijfentwintighonderd kilometer van Boston. Het plaatsje zelf is gelegen aan de voet van beboste heuvels die onverwacht oprijzen in het vlakke land van Iowa, langs de oostelijke oever van de Missouri. We weten nu dat deze heuvels bekendstaan als de Loess Hills, hetgeen de kreet verklaart die op de borden bij de stadsgrens staat: CLARK FALLS: LOESS IS MORE.

Er wonen hier vijfenveertigduizend mensen, en tijdens het academisch jaar zestigduizend. Volgens de plaquette bij het trapje naar het gerechtsgebouw is het plaatsje gesticht door bonthandelaren, en vernoemd naar de bescheiden bron die William Clark aanwees aan Meriwether Lewis toen ze tweehonderd jaar geleden hun beroemde tocht maakten naar de Stille Oceaan.

We lopen niet die treden voor het gerechtsgebouw op. In plaats daarvan word ik naar een beveiligde parkeerplaats aan de achterkant gereden en vervolgens naar het belendende perceel gebracht, waar de gevangenis van Clark Falls is gevestigd.

Ik had verwacht naar het politiebureau te worden gebracht. Ik weet hoe het er daar vanbinnen uitziet omdat Sara en ik daar in juli nog zijn geweest om door fotoboeken vol criminelen te bladeren. Omdat ik dus aan het politiebureau dacht en niet aan de gevangenis, dringt de ernst van de zaak nu pas echt tot me door.

De agent die achter het stuur zat – C. Mischnik, volgens het naamplaatje op zijn van een bontkraag voorziene uniformjasje – blijft staan in een koude lobby en bergt zijn pistool op in een van de rij kluisjes daar. Met het sleuteltje van het kluisje in de ene hand, duwt hij me met de andere hand aan mijn elleboog door de volgende deuren.

Ik moet lopen door een gang met zoemende tl-buizen, langs twee agenten die net weggaan, en een groezelig vertrek in om te worden ingeschreven. Een brigadier van middelbare leeftijd, met dikke aderen in zijn nek, zegt dat ik op een koud, plastic stoeltje moet gaan zitten. Vervolgens stelt hij allerlei vragen zonder me aan te kijken, en toetst moeizaam van alles in op het met plastic bedekte toetsenbord. Ik word ingevoerd in het systeem.

'Wanneer legt iemand me eens uit wat er aan de hand is?' Ik schuif heen en weer op mijn stoel. 'Waar is rechercheur Bell?'

'Adres,' zegt de brigadier.

Ik kan me alleen maar voorstellen wat de brigadier denkt. Zou een onschuldige niet veel eerder naar een verklaring hebben gevraagd?

Misschien maakt het de brigadier geen bal uit. Misschien wacht hij gewoon op mijn antwoord zodat hij de gegevens kan invullen op de juiste plek op het scherm.

Waarom heb ik toch niet de tijd genomen dat arrestatiebevel te lezen? Ik ben met opgeheven hoofd de deur uit gelopen, en nu weet ik niet waarvoor ik word aangeklaagd. Ik heb het gevoel alsof ik van een stevige steiger op een bevroren meer ben gesprongen, en overal om me heen barsten in het ijs zijn ontstaan.

De brigadier wacht.

'Ik wil graag iemand bellen,' zeg ik.

'Adres?'

Ik haal diep adem.

Eindelijk kijkt de brigadier me aan. Hij trekt zijn wenkbrauwen op.

'Sycamore Court 34,' antwoord ik, en zo laat ik de justitiële radertjes weer draaien.

Ik weet heus wel dat Clark Falls geen Boston is. Buiten is het min tien, en de cafés gaan pas over drie uur dicht. Ik weet er niet veel van, maar ik vermoed dat er deze vrijdag niet veel te doen is. Alleen de brigadier en ik zijn hier, verder is deze helder verlichte ruimte verlaten.

Op een tafeltje niet ver van ons vandaan staat op een vel rood cellofaan een bord met kruimels en gekleurde hageltjes. In de hoek staat een sprieterige kunstkerstboom. De gekleurde lichtjes knipperen, gaan dan om de beurt aan, in een wilde jacht langs de kale takken, en knipperen weer.

Ik luister naar het blikkerige geluid van stemmen via een radio achter een glazen ruit waar MELDKAMER op staat. Daar zit een jonge vrouw in een te grote trui met kerstmotiefje en met een koptelefoon op voor een schouderhoog bedieningspaneel te schuiven met de knopjes. In de gang hoor ik agent Mischnik grapjes maken met iemand. Even later zie ik hem verschijnen met een plastic bekertje waar damp af komt. Door het glas heen babbelt hij even flirterig met de jonge vrouw.

Terwijl ik daar zit, met mijn geboeide handen in mijn schoot en mechanisch antwoord gevend op de vragen over de alledaagse feitjes van mijn leven, dringt het opeens tot me door dat voor sommigen, die aan de goede kant staan, dit gewoon de werkplek is. Ze komen hiernaartoe, blijven een poos en gaan dan weer naar huis. In de tussentijd maken ze grapjes, eten ze koekjes en zorgen voor brood op de plank.

Deze stoel zit erg ongemakkelijk. De brigadier drukt toetsen in en gluurt naar het scherm. Het harde staal snijdt in mijn polsen. Toen ik uit huis liep, ben ik vergeten handschoenen aan te doen, en mijn handen zijn ijskoud.

Ik sta aan de verkeerde kant.

Dit gebeurt allemaal echt.

De agent die een lijst maakt van mijn persoonlijke bezittingen, heeft kortgeschoren grijs haar, en op zijn tanige onderarm heeft hij een vervaagde tatoeage van het Marine Corps. Hij zegt dat ik het me niet te gemakkelijk moet maken omdat ik hier misschien niet blijf.

Kennelijk zijn er in sommige gedeelten problemen met de verwarming. Het is een oud gebouw met twaalf slaapplaatsen en een cel om je roes in uit te slapen. Meestal zitten hier mensen vast die wachten totdat de borgsom is betaald, of die moeten ontnuchteren, of die voor de rechter moeten verschijnen. Als er iets mis is in het cellencomplex, word ik overgebracht naar de provinciale gevangenis ten noorden van de stad.

Ik zeg dat het me lastig lijkt het me hier gemakkelijk te maken. Ik weet niet of hij me wel heeft gehoord. Dat laat hij in elk geval niet merken.

Ze zeggen dat de tijd kruipt als je achter tralies zit. Ik zou daar niets over kunnen zeggen, want er zijn geen tralies in mijn cel. Er is een stalen deur met een vierkant raampje van onbreekbaar draadglas. Ongeveer ter hoogte van mijn middel zit een langwerpige gleuf in de deur met daaronder een blad van grijs metaal. Tegen de muur is een metalen bed geklonken, met een dun plastic matrasje dat naar een desinfecterend middel ruikt. Met bouten aan de vloer bevestigd is er nog een stalen wc'tje met een laagje blauwe vloeistof in de pot.

Wat mij betreft zou de tijd wel kunnen vliegen, want die agent op leeftijd met de tatoeage van het Marine Corps, heeft mijn horloge van me af genomen. En mijn portefeuille en mobieltje. Hij heeft ook een foto en vingerafdrukken van me genomen.

Het maakt me niet uit. Ik lig op mijn harde bed in mijn stille cel met mijn arm voor mijn ogen. Ik ruik het spul dat ze me hebben gegeven om de inkt van mijn vingers te krijgen. Echt, het kan me niet schelen hoe laat het is.

Op verzoek heb ik mijn arrestatiebevel mogen lezen, samen met een beëdigde verklaring over de aanklacht.

De aanklacht luidt dat ik twee keer kinderporno heb vervaardigd. Dat is een misdrijf waar maximaal tien jaar op staat. Ik word er ook van beschuldigd dat ik pornografische foto's van een kind heb verspreid, en daar staat maximaal vijf jaar op. Bij elkaar zou ik een boete moeten betalen van niet meer dan tweehonderdduizend dollar.

De computer in mijn werkkamer thuis is in beslag genomen. Er is beslag gelegd op mijn creditcard, mijn bankafschriften, mijn telefoongegevens en die van mijn internetprovider. Waarschijnlijk is het feestje bij ons thuis nu wel afgelopen.

Het kind dat in de aanklacht wordt genoemd, is Brittany Seward, de dochter van onze buren. De dertienjarige dochter van onze vriend Pete. De stiefdochter van onze vriendin Melody.

Ik wilde het gewoon weten.

Op een gegeven moment wordt er op de deur geklopt, en dan hoor ik gedempt sleutels rinkelen. De deur gaat van het slot, en de hulpsheriff, die nu het bewind voert over het cellencomplex, komt binnen. Hij is een stevig gebouwde jonge kerel met een maagje en korsterige rode vlekken op zijn handen. Ik weet niet meer hoe hij heet.

'Bezoek,' zegt hij.

Ik haal diep adem en ga langzaam zitten. Mijn gewrichten zijn verstijfd, mijn hoofd bonst. Heb ik geslapen? Ik zou het niet weten. 'Hoe laat is het?'

'Dat hangt ervan af waar je bent,' hoor ik een andere stem. 'Maar hier is het achttien minuten over elf. We hebben dus nog twaalf minuten voordat je bezoektijd is afgelopen.'

De man die mijn cel in stapt, ziet eruit alsof hij het wel gewend is uit bed te worden gehaald. Hij is kleiner dan de hulpsheriff, maar langer dan ik. Hij zal een jaar of vijftig zijn, en hij ziet er welvarend uit. Hij heeft een dure jas van suède aan, een trainingsbroek en sportschoenen. Zijn handen houdt hij in zijn jaszakken, en om zijn schouder hangt een bruinleren tas. 'Ben jij Paul?'

'Dat klopt. Hallo.' Ik weet niet goed wat ik moet doen, dus ga ik ook maar staan. 'Ja, ik ben Paul.'

'Douglas Bennett.' De man die zeker mijn advocaat moet voorstellen, steekt een gehandschoende hand naar me uit. 'Fijn je te leren kennen, Paul.'

Ik schud zijn hand. De handschoen is van zacht leer. 'Dank je wel dat je bent gekomen. Ik…'

Bennett laat me niet uitspreken. Hij knikt naar de hulpsheriff en zegt: 'Het is in orde. U kunt ons alleen laten.'

'Ik laat de deur openstaan,' zegt de hulpsheriff.

'Dat zal niet nodig zijn, dank u.'

'De deur moet openblijven.'

'Ben je helemaal belazerd?' Op de een of andere manier klinkt dat niet beledigend. 'Als de verhoorkamer niet een soort diepvries was, zou ik mijn cliënt daar kunnen spreken.'

'Ik kan het niet helpen dat de verwarming niet deugt, meneer Bennett.'

'Dat begrijp ik, Gaines. We zullen ons moeten behelpen. Nou, ik ben door het poortje van de metaaldetector gegaan, en u hebt mijn tas doorzocht, dus volgens mij is het wel in orde.'

Gaines lijkt niet goed te weten wat hij met de situatie aan moet. 'Ik ga even overleggen met de inspecteur.'

'Dat lijkt me een goed idee.' Bennett blijft maar collegiaal lachen. 'Er is vast wel een ontheffing of zo. Kijk maar eens onder de B van Ballenkraker.'

Gaines kijkt zuinig terwijl hij nadenkt, en dan zucht hij vermoeid. Hij stapt de cel uit, slaat de deur met een klap achter zich dicht en gaat voor het raampje staan.

Zodra we alleen zijn, richt Douglas Bennett zich tot mij. 'Warren Giler belde me thuis. Hij en ik hebben kinderen op het St. Vincent's, en ik heb alle drie zijn aanklachten wegens rijden onder invloed behandeld.'

Onder normale omstandigheden zou ik dat wel komisch hebben gevonden. Onder normale omstandigheden zou ik niet met Douglas Bennett hebben staan praten in een cel, een half uur voor middernacht, een week voor Kerstmis.

'Ik ben blij dat je er bent,' zeg ik oprecht gemeend. 'Dank je wel. Dit is... Ik weet niet wat ik moet zeggen.'

'Je hebt wel eens op een prettiger plek geslapen?'

'Dat kun je wel zeggen.'

Bennett grijnst meelevend. 'Ik heb Sara even aan de telefoon gehad. Hoe gaat het? Word je een beetje netjes behandeld?'

In vergelijking met wat? 'Ik geloof van wel.'

'Geen problemen?'

'Afgezien van die valse aanklacht?'

Hij grinnikt. 'Dus je hebt het niet gedaan.'

Ik moet denken aan het buitenlicht dat uitging toen ik langs het huis van Pete en Melody Seward werd gereden.

'Nee.'

'Geweldig. Dan is dat uit de weg.'

Bennett haalt zijn tas van zijn schouder en gebaart naar mijn bed. Verwachtingsvol ga ik zitten. Ik wil alles horen wat Douglas Bennett te zeggen heeft. Hij trekt zijn handschoenen uit, knoopt zijn jas los en neemt plaats op de rand van het bed dat vastzit aan de andere muur. Onder zijn jas draagt hij een trui van het Western Iowa University-hockeyteam. Ik wist niet eens dat we een hockeyelftal hadden.

'Om te beginnen moeten we je hier weg zien te krijgen,' zegt hij.

'Ja, graag.'

'En dan nu het slechte nieuws. Vannacht blijf je hier.'

Voordat hij is uitgesproken, voel ik dat mijn schouders gaan hangen.

'Ik weet dat je dat niet graag hoort. De rechter staat met zo'n aanklacht geen borg toe. Dat is onzin, maar daar hebben we het morgen wel over, wanneer je wordt voorgeleid.' Hij ritst de tas open, rommelt erin, en haalt dan een blocnote met gelig papier tevoorschijn, en een glimmende zwarte pen. Met zijn tanden haalt hij de dop van de pen en zet de dop neer op de platte kant. 'Zo. Een paar dingetjes. Sara zegt dat er geen eerdere aanklachten zijn geweest, dus dat is mooi.' Hij kijkt me aan. 'Klopt dat?'

'Ja, dat klopt. Ik heb die rechercheur ook al gezegd dat ik nog niet eens een parkeerbon heb gekregen.'

'En er is niets uit je jonge jaren? Je hebt niet de beest uitgehangen? Er is niets waar je vrouw misschien niet van weet?'

'Ik heb nooit de beest uitgehangen.'

'Dat kan.' Hij maakt een aantekening. 'En jullie samen?'

'Pardon?' Even denk ik dat hij mij en Brit Seward bedoelt. 'Hoe bedoel je?'

'Alles thuis in orde?'

Natuurlijk, hij vraagt naar mij en Sara. Ik zwijg, misschien net even te lang.

Eigenlijk waren de afgelopen weken niet de beste periode van onze negen jaar samen, maar Sara en ik hebben wel vaker moeilijke perioden doorstaan. We houden van elkaar. Ons huwelijk is goed. Douglas Bennett kijkt op van zijn blocnote en wacht totdat ik hem dat vertel.

Ik geef toe dat er de laatste tijd wat spanningen waren. Ik overweeg de redenen daarvoor te geven, maar die zijn behoorlijk triviaal. Of misschien besef ik dat de schuld bij mij ligt, en schaam ik me om dat toe te geven. Of misschien vind ik het niet fijn dat hij dat allemaal gaat opschrijven op zijn gelige blocnote. 'Och, de normale akkefietjes, geloof ik.'

'Zeg, ik weet alles van normale akkefietjes. Echt.'

'Sara weet dat ik nooit zoiets zou doen. Dat weet ze.'

'Dat gevoel kreeg ik ook toen ik haar sprak.' Het is bijna alsof Bennett aanvoelt dat ik dat wilde horen. Hij stapt over op een ander onderwerp. 'Koophuis?'

'In juli hebben we het gekocht, en toen zijn we hiernaartoe verhuisd.'

'Vanuit Boston.'

'Klopt.'

Onder 'geen eerdere aanklachten' schrijft hij: juli. 'Sara zei dat je onder contract staat van de universiteit om college te geven?'

'Ze heeft deze baan aangenomen om mij een jaartje vrijaf te gunnen.' Toen we naar Clark Falls verhuisden, had ik me eigenlijk verheugd op een jaartje zonder werk. Maar toen reed een wetenschappelijk medewerker begin september met haar auto in een doorlaat van het riool, waardoor ze een paar maanden een heupkorset moest dragen. Op het laatste moment werd ik gevraagd haar colleges creatief schrijven over te nemen, plus een serie lezingen over de Lost Generation, en dat is toevallig mijn specialiteit. 'In september boden ze me een contract aan.'

'En wanneer loopt dat af?'

'Nu net.'

'Het is niet verlengd?'

'Nee.'

Bennett maakt nog een aantekening en doet de dop weer op de pen.

'Oké,' zegt hij. 'Je hebt geen echt hechte banden met de gemeenschap hier. Maar daar kun jij niets aan doen. Ik weet nog niet met wat voor bewijzen de officier van justitie zal komen om de aanklacht te onderbouwen.' Even zwijgt hij, dan kijkt hij me kort aan en zegt: 'Als jij daar iets over kunt zeggen, hoor ik het graag.'

Zal komen, zei hij. Niet misschien zal komen of zoiets.

Het lijkt erop dat hij wil zeggen dat ze het op deze manier doen omdat ze iets hebben. Een onuitgesproken gevolgtrekking, maar ik weet niet wat ik moet antwoorden.

Bennett wacht niet op een reactie. 'Ten laatste komen we voor een rechter te staan die niet bepaald gebukt gaat onder een inschikkelijk karakter. Bovendien heeft ze zelf dochters van tienerleeftijd. Het is dus een "ze".' Hij maakt een wegwuivend gebaar. 'Maar maak je daar maar niet druk om, die borg lukt wel. Onze taak is je hier morgen weg krijgen tegen een schappelijk bedrag.'

'Wacht eens.' Het is net alsof de vloer onder mijn bed schuin staat. 'Bedoel je dat de kans bestaat dat ik niet op borgtocht vrijkom? Is dat... Bestaat die kans?'

'Alles is mogelijk, Paul. Maar het gebeurt niet.'

'En als het wel gebeurt, wat dan?'

'Dat zou betekenen dat je in een lichtblauwe overal wordt gehesen en dat je met de bus naar de provinciale gevangenis wordt gebracht totdat je

23

weer moet voorkomen. Maar zoals ik al zei, dat gebeurt niet.'

'Kun je dat laatste nog eens zeggen?'

'Wat moet ik zeggen?'

'Dat het niet gaat gebeuren.'

'Het gebeurt niet.'

Ik had het fout. Ik voel me niet prettiger als hij dat nog eens zegt. Bennett glimlacht. 'Ik snap dat de stoom zowat uit je oren komt, maar ik ben hier behoorlijk goed in, dus maak je geen zorgen. En denk eraan: stapje voor stapje. Oké?'

Ik haal diep adem, wrijf in mijn ogen en knik.

'Mooi zo. Morgen is het zaterdag. Zaterdag worden misdrijven en zware overtredingen behandeld, de misdrijven eerst. Dat betekent dat we precies om acht uur in de rechtbank aanwezig moeten zijn. Ik kom eerst hier langs om het een en ander te bespreken. Laten we dat maar stap 3 noemen.'

Ik hef mijn hoofd en kijk hem aan.

'Stap 1 nemen we nu.' Hij pakt zijn tas in en staat op. 'Sara zei dat je problemen had met de buren. Klopt dat?'

'Nee,' zeg ik, harder dan de bedoeling was. Maar eindelijk komen we bij het belangrijke gedeelte, en ik wil alles graag goed duidelijk maken. 'Met een van onze buren. Daar draait het allemaal om. Hij heet Roger Mallory, en hij beweert... Jezus, hij heeft Brit Seward de politie laten vertellen...'

'Ik heb de aanklacht ingezien,' zegt Bennett. 'En ik ken meneer Mallory.'

Hij doet geen moeite me te vertellen wat ik al weet. Dat Roger Mallory, die in het huis woont precies aan de overkant van het veldje, vroeger zelf bij de politie van Clark Falls heeft gewerkt, en nu met pensioen is. Dat hij nu educatieve cursussen regelt, in verschillende besturen zit, de buurtwacht heeft opgericht en ervoor heeft gezorgd dat Clark Falls landelijke publiciteit kreeg. Begrijpelijkerwijs wordt hij als lichtend voorbeeld van de samenleving beschouwd.

Bennett wijst er niet op dat ik een kinderloze academicus van de East Coast ben die hier nog maar pas is komen wonen. En hij zegt ook niet dat ik in huis niet de broek aanheb, wat inkomen betreft. Hij bevestigt niet wat ik ondanks alles vrees, namelijk dat ik erin ben geluisd.

'Hoor eens, er is heel veel wat niet in die aanklacht staat,' zeg ik. 'Ik...'

'Laten we eerst eens kijken naar wat er wel in staat. Dan behandelen we morgen wat er niet in staat.'

'Maar hoor eens...'

'Stapje voor stapje, weet je nog?' Bennett kijkt op zijn horloge, precies op het moment dat de bewaker op de deur bonkt. 'Onze twaalf minuten zijn om, en we zitten nog bij stap 1.'

Het kost moeite, maar ik doe mijn mond dicht en probeer goed te luisteren.

'Wanneer ik weg ben en jij hier zit duimen te draaien, moet je hier goed over nadenken.'

'Ik weet niet waar ik moet beginnen.'

'Als je raadsman geef ik je de raad bij het begin te beginnen,' zegt hij. 'Alle puzzelstukjes, elk detail, alles wat ertoe kan hebben geleid dat je je in deze situatie bevindt. Oké?'

Ik knik zeker, want Bennett knikt terug.

'Je bent hoogleraar Engels, dus je zou moeten weten wat ik wil. Helderheid, logica, structuur. Iets theatraals kan geen kwaad, maar dat kan altijd nog. Zorg dat je morgen aantekeningen voor me hebt gemaakt.'

Stap 1. Ik voel me draaierig. Ik zou niet weten hoe ik mijn gedachten op een rijtje moet krijgen.

Terwijl de man die ik nauwelijks ken, en die erin heeft toegestemd mijn verdediging op zich te nemen, zijn jas dichtknoopt en zijn handschoenen aantrekt, vraag ik ineens: 'Waar bestaat stap 2 eigenlijk uit?'

'Pardon?'

'Je zei dat morgen stap 3 aan de beurt komt, en dat dit stap 1 is. Wat is stap 2 dan?'

'O.' Een laatste knikje. 'Dat is een lastige. Maar ook heel belangrijk.'

'Oké.' Ik vind langzamerhand alles best.

'Doe je best de slaap te vatten,' zegt hij.

Terwijl ik daar zit en me afvraag of hij dat serieus meent, maakt Douglas Bennett het gebaar voor oké. Stapje voor stapje...

Vervolgens hangt hij zijn tas om zijn schouder en klopt op de deur om de bewaker te laten weten dat die de deur open moet doen.

3

De zegevierende krijgsman wint eerst en trekt dan ten strijde. Dat zei onze buurman Barry Firth. Ik herinner het me omdat ik er verschrikkelijk om moest lachen, afkomstig van hem. Althans, toen was het leuk. Dat was in september. Nog maar drie maanden geleden. Pete en Melody Seward hadden iedereen uitgenodigd die aan het hofje woonde voor een barbecue op zaterdag. Sara en mij, Trish en Barry Firth, Roger, Michael Sprague.

Ik weet nog dat ik mijn nieuwe maatje Brittany Seward die avond heb gezien. Ze moest passen op haar kleine stiefzusje en de tweeling van de Firths. Ik weet nog – een aangename herinnering, al klinkt dat nu misschien bizar – dat ze zat te lezen in het verfomfaaide exemplaar van de Cambridge-uitgave van *Gatsby* dat ze had geleend uit mijn bibliotheek, terwijl de kleintjes binnen zowat in coma lagen. Met een pakje sap voor Petes enorme tv keken ze naar iets met pratende dieren.

De ontwikkelde volwassenen bleven op het terras van de Sewards terwijl het daglicht verdween achter de bomen. We dronken margarita's en speelden risk, dat ouderwetse bordspel waarbij je legers opbouwt en je best doet de wereld te veroveren.

Nadat Barry Madagaskar en het Zuid-Afrikaanse schiereiland had veroverd, en op die manier de Callaways met hun armzalige legertje van het bord had gespeeld, knikte hij wijs, legde zijn handen tegen elkaar en plaatste toen die opmerking.

De zegevierende krijgsman wint eerst… Ik weet nog dat het flakkerende licht van een stuk of vijf citronellakaarsen dromerig over zijn gezicht speelde. En trekt dan ten strijde…

Arme Barry. De mollige, oprechte, aardige Barry Firth. We hadden hem gekwetst door te giechelen als aangeschoten tieners. Maar het was zo'n soort avond, en we hadden allemaal aangenomen dat hij ons aan het lachen wilde maken. Hoe kun je zoiets zeggen met zout van de margarita op je brillenglazen en een ernstig gezicht?

Pas twee of drie glazen later biechtte Trish de waarheid op, tot grote schrik van haar na al die glaasjes blozende echtgenoot: Roger had Barry vorig jaar met Kerstmis dit spel gegeven, samen met zo'n popi boek vol zakenwijsheden met de titel: *Pak Tzu, krijgskunst van slagveld tot vergaderzaal*. Volgens Trish had Barry sindsdien overal in huis van die memo's geplakt met handgeschreven citaten, ter inspiratie.

'En wie kreeg in mei de account van Flint?' zei hij verdedigend, en daardoor gingen we weer dubbel.

Het valt me nu op, iets wat toen niet het geval was, dat niet iedereen Barry uitlachte.

Onze vriend Roger Mallory deed niet mee. Roger grijnsde alleen maar, sloeg Barry op de rug en zei: 'Ga zo door, generaal.'

Nu ik erover nadenk, had Roger ook geen margarita's gedronken. Na een paar beurten had hij met een machtig invasieleger in z'n eentje heel Afrika veroverd. Nu ik erover nadenk, had hij ons allemaal van het bord gespeeld.

Ik voel me al verslagen. Hoe moet ik dit allemaal vertellen zodat een redelijk persoon het begrijpt?

Morgenochtend heeft Roger Mallory zijn kant van de zaak zo gladjes in elkaar gezet dat niemand er een speld tussen kan krijgen.

Wat zeg ik? Dat heeft hij al gedaan. De Roger die ik ken, had zijn pionnen al op de juiste plek staan nog voordat rechercheur Bell bij mij op de stoep stond.

Ik moet er goed aan denken dat als ik al ergens achter ben gekomen, het is dat ik mijn buurman Roger eigenlijk nauwelijks ken. Ik weet niet hoe hij dit offensief in gang heeft gezet. Ik weet niet hoe het hem is gelukt me hier te krijgen. Maar er is iets wat ik wel weet: Roger heeft in Clark Falls een onkreukbare reputatie. Zo onkreukbaar dat zelfs ik erop kan stuklopen.

En dat gaat gebeuren ook.

Het maakt niet uit hoe ik mijn verhaal vertel. Het maakt niet uit wat ik zeg. Douglas Bennett zou de Alan Dershowitz van Iowa kunnen zijn, en dat zou nog niets veranderen aan het simpele feit dat niemand binnen een straal van honderdvijftig kilometer van dit plaatsje ooit zou geloven dat Roger Mallory in staat is tot wat hij mij aandoet.

Mij.

En die arme Brit Seward dan? Terwijl ik hier in mijn eentje het verhaal doorneem dat ik mijn raadsman straks moet vertellen, vraag ik me af in wat voor nachtmerrie Brit Seward moet zijn beland.

Ik wil het bewijs zien aan de hand waarvan de politie het gerechtvaardigd vond op mijn stoep te verschijnen, me in beschuldiging te stellen voor deze misdrijven en me mee te nemen met handboeien om, zonder waarschuwing. Pornografische foto's van het brugklassertje dat naast ons woont? Daarvan wil ik graag het bewijs zien.

Wat zeg ik nou weer?

Natuurlijk wil ik dat niet zien.

Brit, meid, wat heb je nu weer gedaan?

Wat heb ik gedaan?

Een poosje geleden was er rumoer, toen er mensen uit de kroegen in de dronkenmanscel werden gegooid. Hier in mijn cel hoorde ik ze komen, ik hoorde het studentikoze lachen, en af en toe dronken gebral. Van wat ik ervan begrijp, kotste iemand ook nog over een ander heen. Later klonk het alsof er een gevecht was uitgebroken.

Maar nu is het al een poos rustig. De dronkaards zijn in slaap gevallen en ik ben nog wakker. Blijkbaar is het toch waar wat ze zeggen, dat achter tralies de tijd kruipt.

Zo is het wel genoeg.

Douglas Bennett wil niet weten van de warboel in mijn hoofd. Hij wil helderheid, logica, structuur.

En ironie dan?

Per slot van rekening is dit niet de eerste keer sinds we hier zijn dat ik in aanraking ben gekomen met de plaatselijke politie. Daar zal ik morgen mee beginnen. Douglas Bennett wil toch dat ik bij het begin begin? Dan begin ik maar met onze eerste dag in Clark Falls.

Die nacht kwam de politie ook bij ons langs. Een andere rechercheur, andere jongens in uniform. Ze schudden aan de struiken, op zoek naar antwoorden. Toen stonden we aan de goede kant.

Ik vraag me af of ze dat geval nu weer gaan oprakelen.

Indringer

4

Het is het persoonlijk dilemma van ieder onbeproefd man, zei mijn vriend Charlie na de inbraak. Het was echt iets voor Charlie, een onbeproefd man, om zoiets te zeggen. Hij noemde het: de laatste vraag vanuit de buik. Wat doe je als de wolf voor de deur staat? Volgens Charlie wist ik het antwoord al. Paul Callaway beschikt over dierlijke instincten. Hij liet zijn tanden zien en hield stand. De zegevierende krijgsman wint eerst, zou ik tegen hem hebben moeten zeggen. Maar ik kan ook realistisch zijn. Mijn vriend Charlie Bernard beschikt niet over dierlijke instincten. Net als ik is hij gepromoveerd op Engelse literatuur. De kerel die die nacht bij ons inbrak, had me de hersens kunnen inslaan, Sara kunnen verkrachten, míj kunnen verkrachten, en een boterhammetje kunnen smeren.

Ik zei tegen Charlie dat ik had geboft, of dat onze wolf misschien niet zo'n honger had.

Geheel onverwacht was er in januari, in de vakantie, een telefoontje gekomen van de universiteit. Het was een derderangs staatsinstelling met drie keer zoveel eerstejaars als Dixson College, waar Sara een leerstoel had, en waar mijn ambtsperiode zou worden verlengd.

'Wat vind je?' vroeg ze onderweg terug in het vliegtuig, na ons eerste bezoekje in februari.

'Ik vind het net Massachusetts,' antwoordde ik. 'Massachusetts met meer koeien, maar zonder zee.'

Hun masterstudie economie was volgens de landelijke publicaties erg veelbelovend. Dankzij een schenking konden ze de faculteit versterken en Sara een uitmuntend salaris aanbieden. Ze zou erop vooruitgaan. Vergeleken met Boston was het wonen in Clark Falls, Iowa, zo goedkoop dat het leek alsof het op een misverstand berustte. Hoewel Sara er voor dat telefoontje nooit iets over had gezegd, biechtte ze nu op dat ze wel een meer administratieve functie wilde dan een leerstoel. Dus gingen we in maart nog eens terug, weer op kosten van de universiteit.

Uiteindelijk, na een laatste, lang gesprek onder het genot van twee flessen zware rode wijn, belde Sara in april dat ze graag de baan accepteerde van buitengewoon faculteitsvoorzitter, en dat ze in de herfst zou beginnen.

Op 12 juli versliepen de buitengewoon faculteitsvoorzitter en ik ons in een Holiday Inn langs de snelweg, reden vervolgens zes uur lang door graanvelden, en zagen toen de verhuizers op ons wachten op de oprit voor ons huis.

Het was hoogzomer in de Midwest, zwoel en klam. Terwijl ik onze excuses aanbood aan de kerels die bij de verhuiswagen in de felle zon sigaretjes stonden te roken, wijdde Sara Sycamore Court 34 in door door de voordeur te stormen, rechtstreeks naar de badkamer te rennen en over te geven in de wasbak.

Het zou een lange dag worden.

'Paul?'

'Hiero!' Avond. Woonkamer. Grote zooi.

'Kijk eens?'

Het klonk alsof ze in de keuken was. Ik riep terug: 'Zeg maar of het iets goeds of iets slechts is.'

'Jodi heeft ons iets gegeven.'

Een stapel visitekaartjes? Het afgehakte hoofd van een concurrerende makelaar? Ik baande me een weg naar de keuken, tussen de rommelige speelgoedstad door van onuitgepakte dozen die de verhuizers niet al te zachtzinnig in het midden van de kamer hadden gezet.

Sara stond bij de koelkast, ze hield de deur open met haar heup. Ja, het moest dus een afgehakt hoofd zijn.

Op de verder lege bovenste plank lag een fles champagne met een rode strik om de hals.

'Huh,' zei ik.

Ze gaf me een kaartje waarop stond: 'Welkom thuis, Callaways! Bel maar als jullie iets nodig hebben. Jodi, Heartland makelaars. ☺'

Sara porde me in mijn ribbenkast. 'En jij mocht haar niet.'

'Ik heb nooit gezegd dat ik haar niet mocht.'

'Je zei dat je het benauwd kreeg van haar.'

Had ik dat gezegd? 'Oké. Een beetje benauwd maar.'

'Nou, volgens mij kunnen we het erover eens zijn dat dit een aardig gebaar is.'

'Of dat een van ons alcoholist is,' merkte ik op. 'Of mormoon.'

'Of zwanger.'

Ze keek me zo raar aan dat we allebei moesten lachen. Het leek nog maar een paar dagen geleden dat haar huisarts in Boston dit nieuwtje over het afscheidscadeautje had bevestigd. Hoewel er al drie weken voorbij waren gegaan, konden we het nog niet echt geloven.

Ik wist nog niet goed wat de grootste verrassing was: het blauwe streepje in het venstertje van de zwangerschapstest, of onze blijdschap met dat resultaat. Iedereen die ons kende – vrienden, familie, en wijzelf – zou de gedachte dat Sara en ik op onze leeftijd nog aan het ouderschap begonnen bijna net zo geloofwaardig vinden als de gedachte dat we zomaar onze biezen pakten en naar een streek verhuisden waar anderen alleen maar overheen vliegen.

En toch was het allemaal zo.

Ik wreef haar rug, en Sara ontspande zuchtend. De koelkastdeur sloeg met een plofje dicht.

'Ik ben bekaf,' zei ze. 'Breng me maar naar bed.'

Ik wist niet zeker waar ik dat bed had zien staan, maar toch pakte ik haar bij de hand.

Iemand van de universiteit had dit huis voor ons ontdekt. Het was een groot huis, opgetrokken uit baksteen en hout, in tudorstijl, en het stond op een bebost stuk land van tweeduizend vierkante meter. Het was de enige plek in het stadje dat ons aan thuis deed denken. Twee keer zoveel thuis als het thuis dat we hadden achtergelaten. Vier badkamers, drie badkuipen, twee open haarden. Plavuizen op de paadjes, houten vloeren. We hadden al besloten de grote slaapkamer boven als bibliotheek in te richten.

Terwijl ik bezig was in de grootste van de twee slaapkamers op de begane grond, duikelde Sara de doos met lakens op. Al puffend en blazend worstelde ik met het bed en het matras, toen ging ik op de rand zitten om even uit te rusten.

'Mm.' Ze strekte zich uit, ontspannen als een kat. 'Geloof jij in een gelukkige afloop?'

'Voordat we het daarover hebben, moeten we eerst de plaatselijke verordeningen doornemen.' Ik masseerde haar voeten. 'Je weet nooit tegen welke problemen je kunt oplopen in een oord als dit.'

'Wijsneus.' Ze sloot haar ogen. 'Ik ben trouwens toch te moe.'

En ze zag ook weer erg bleek. Ik zei dat ik in de buurt een supermarkt had gezien die dag en nacht open was. 'Zal ik gemberthee gaan halen?'

'Het punt van gemberthee ben ik al voorbij.'

'Iets anders dan?'

'Ik wil alleen nog maar slapen,' zei ze, al half in slaap. 'Kom je ook naar bed?'

Het had toen in me moeten zijn opgekomen dat Sara meer aan haar hoofd had dan misselijkheid. Die kwam en ging de hele dag door.

Het komt zelden voor dat ik ga slapen op dezelfde dag dat ik wakker word. Zij blijft niet vaak later op dan tien uur. Ik had moeten onderkennen dat ze dit niet zou hebben gevraagd als ze geen onkarakteristieke behoefte aan gezelschap zou hebben gehad. Dat ze zich net zo voelde als ik: ontheemd, niet in haar element. Waarschijnlijk vroeg ze zich af of het wel een goed besluit was geweest om hier te gaan werken. Waarschijnlijk vroeg ze zich af of we geen fout hadden gemaakt.

Maar ik snapte het niet. Het was moeilijk om te ontspannen met ons hele bestaan in die dozen, en mijn geest dwaalde al af. Ik vond dat ik best een paar boeken kon uitpakken.

Het duurde tien minuten om naar de SaveMore aan Belmont te rijden, te betalen voor een sixpack Goose Island, en terug te rijden naar huis. Tien minuten, hooguit een kwartier. Minder dan de tijd die het me had gekost de TiVo te installeren. Nauwelijks genoeg tijd om me het gevoel te geven dat ik ergens was geweest.

Ik herinner het me als volgt: ik zette de auto weg in de garage en kwam de keuken binnen via de tussendeur. Ik weet nog dat ik het bier in de koelkast legde, en de autosleuteltjes op het blad van het keukeneiland, want daar lagen ze later, toen de politie kwam.

Sara vertelde later dat ik haar had geroepen, maar dat herinner ik me niet meer. Ik herinner me niet dat ik iets heb gehoord of gezien. Ik herinner me niet waarom ik onderweg van de keuken naar de slaapkamer een golfclub trok uit de tas die ik bijna had achtergelaten in Newton, en die ik in jaren niet meer had aangeraakt.

Ik herinner me wel dat ik het stom vond om te doen. Ik herinner me dat ik vond dat de muren zo kaal waren. Niets in dit huis leek eigen. Ik herinner me dat ik dacht: ik vind die gordijnen maar niks.

Toen gilde Sara. Althans, dat probeerde ze.

De man die haar vasthield op bed had zijn ene hand op haar mond gelegd. Ik herinner me de dikke ader op zijn pols. Ik herinner me de wanhoop in de gesmoorde stem van mijn vrouw. De wilde angst in haar ogen.

De academicus in mij wil graag verklaren dat ik een indringer opmerkte, punt uit. Ik zou graag willen zeggen dat in de hitte van het moment zijn etnische achtergrond een detail was dat ik niet opmerkte.

Maar dat kan ik niet zeggen. Ik zag wat Charlie Bernard later noemde: het stiekeme spookbeeld van iedere ruimdenkende, blanke man. Ik zag een ruwe, zwarte hand op de blanke huid van mijn vrouw, ik zag een zwarte vuist waarmee haar broekband naar beneden werd getrokken. Zijn ogen waren bloeddoorlopen. Zijn tanden waren gelig. In de deuropening kon ik zijn zweet ruiken. Tenminste, zo herinner ik het me.

Achteraf gezien kan ik me daar niet echt zien staan. Het is een ongelooflijke gedachte dat ik gemakkelijk had kunnen uithalen met die golfclub en Sara per ongeluk in het gezicht had kunnen raken. Of dat Sara's overweldiger die langer, zwaarder en een stuk sterker was dan ik, die golfclub uit mijn handen had kunnen rukken om mij ermee van langs te geven.

Dat is ongeveer wat hij deed. Maar pas nadat het me was gelukt de eerste klap uit te delen.

Ik kan me niet meer herinneren dat ik een swing maakte, maar ik herinner me wel de doffe klap toen de golfclub neerkwam ergens tussen zijn schouderbladen. Mijn armspieren waren verslapt van de angst en de adrenaline, en ik kon maar weinig kracht zetten. Toch kreunde de kerel en welfde zijn rug. Hij stond op en klauwde naar zijn rug, alsof ik hem aan het mes had geregen.

Toen draaide hij zich naar me om.

'Klootzak!' zei hij.

Voordat ik mijn evenwicht had hervonden, sprong hij met fonkelende ogen over het bed. Toen hij tegen me aan knalde, knikten mijn knieën en struikelde ik over mijn voeten.

Samen sloegen we tegen de grond. Ik kwam op mijn rug terecht, met zijn zware lichaam boven op me. Ik voelde zijn warme adem in mijn gezicht.

De lucht werd uit mijn longen geperst. Mijn hoofd smakte tegen de grond, ik zag sterretjes en daarna niets meer.

Er gebeurde een wonder. Het zware gewicht kwam van mijn borstkas af.

Alleen was het geen wonder. Toen ik weer iets kon zien, keek ik op en zag meteen hoe dit zou aflopen.

De indringer stond over me heen gebogen met vertrokken gezicht, en mijn golfclub hoog geheven. Zijn brede borst ging op en neer. Tussen zijn lippen hadden zich sliertjes speeksel gevormd.

'Heb je me met een fokking golfclub geraakt, man?'

Sara's volgende gil deed de ramen trillen. Ze schoot op hem af voordat hij me kon afmaken. Met haar benen verward in de lakens kroop ze over het matras. Ik zag dat de kerel zijn greep veranderde, zodat hij kon uithalen naar ieder van ons.

Ik dacht: niet haar, niet haar, toe, niet haar...

'Dit kun je fokking krijgen, man!'

De golfclub kwam met een smak en gekletter op de grond terecht.

De man sprong over me heen, op weg naar de deur.

Misschien had hij niet op zo veel verzet gerekend. Of misschien vond hij ons de moeite niet waard. In elk geval wist ik dat we veilig waren. Zomaar ineens had onze wolf besloten te vluchten naar het bos.

Om de een of andere belachelijke reden stak ik toch mijn hand uit en greep zijn voet vast. De kerel struikelde, viel bijna, hield zich vast aan de deurpost en trok zijn been los. Daarbij trapte hij me zo hard in mijn oog dat ik spijt had zijn voet te hebben gegrepen.

En toen was hij weg.

Sara pakte de golfclub nog op en zette de achtervolging in. Haar voeten bonsden over de houten vloer terwijl zijn veel zwaardere voetstappen al wegstierven aan de achterkant van het huis. Ik riep haar naam en deed mijn best overeind te krabbelen, maar ik was erg duizelig. Ik hoorde de achterdeur openzwaaien, en ergens ver weg hoorde ik de golfclub nogmaals hard neerkomen op de vloer.

Tegen de tijd dat ik op handen en knieën was gaan zitten, was Sara alweer terug in de slaapkamer, met fladderend haar en haar hand tegen haar oor gedrukt.

'Sara en Paul Callaway,' bracht ze hijgend uit in het mobieltje, gevolgd door ons nieuwe adres.

5

'Trouwens,' zei de rechercheur, 'ik denk niet dat die kerel het doelbewust op Sara had gemunt.'

Hij heette Harmon. Hij was vriendelijk en beleefd, en had een onderzoekende blik in de ogen. We waren in de woonkamer. Rechercheur Harmon zat in de stoel waarin ik graag lees, en Sara en ik zaten op de bank. Om ons heen stonden de onuitgepakte verhuisdozen. Sara sloeg haar armen over elkaar en deed haar best te glimlachen.

'Schrale troost,' zei hij. 'Dat snap ik.'

'Hij zag er anders heel doelbewust uit,' merkte ik op.

'O, sorry. Wat ik wilde zeggen, is dat jullie je geen zorgen hoeven te maken. Hij komt niet terug.' Harmon knikte vriendelijk. 'Tenminste, zo denk ik erover.'

Iets in de manier waarop hij op mijn opmerking reageerde, overtuigde me ervan dat hij niet bezig was het voorval te relativeren. Hij bagatelliseerde onze angst niet. Hij deed gewoon zijn best vooral Sara gerust te stellen door woorden te vermijden als insluiper of verkrachter.

In mijn hals druppelde koud water. Een van de agenten had het plastic tasje van SaveMore, waarin het bier had gezeten, gevuld met ijsblokjes uit de automaat in de koelkastdeur, en het me overhandigd.

Terwijl ik het tasje met gedeeltelijk gesmolten ijsblokjes van de pijnlijke plek op mijn gezicht haalde, legde rechercheur Harmon uit dat hij onderzoek had gedaan naar dergelijke voorvallen in andere gedeelten van het plaatsje. 'Ouderwetse inbraken, alleen betrof het bijna altijd nieuwkomers.'

'Nieuwkomers?'

'Alles is ingepakt in verhuisdozen. Klaar om naar buiten te worden gedragen.' Harmon keek ons veelbetekenend aan, zo van: tja, mensen… als ik daarover een boekje opendoe… 'De eerste avond in het nieuwe huis komt bijna iedereen erachter dat ze iets vergeten zijn wat ze dringend nodig hebben. Toiletpapier, iets voor het ontbijt van morgen, zulk soort dingen.'

Ik herinner me dat ik dacht aan dat niet echt nodige sixpack, en me schaamde. Uiteraard gaf niemand me ergens de schuld van. Een volwassen Amerikaan hoeft zich niet schuldig te voelen over een koud biertje op de dag dat hij verhuist. Toch?

'Onze theorie is dat iemand zich ophoudt bij het huis terwijl zijn medeplichtige in de buurt rondjes rijdt,' legde Harmon uit. 'Wanneer de gelegenheid zich voordoet, gaat de kerel bij het huis naar binnen door de achterdeur of zo, en zoekt naar een verhuisdoos waarop staat: oma's tafelzilver. Iets wat hij gauw kan meegraaien.' Hij gebaarde naar de dozen met onze spullen erin. 'Dan seint hij de ander met zijn mobieltje in, die rijdt voor, en even later zijn ze vertrokken met de buit.'

'Leuk, hoor,' zei ik. Ik dacht: iemand die zich ophoudt bij het huis. Ik dacht aan kerels die zich verscholen houden in het bos achter ons huis, die zitten te loeren en te wachten. Ik vroeg me af waar de man die Sara had aangevallen, zich verborgen had gehouden toen ik dat boodschapje ging doen. Zou ik zomaar langs hem heen zijn gelopen? Bij die gedachte gingen de haartjes in mijn nek overeind staan.

Harmon haalde zijn schouders op. 'Zoals ik al zei, het is maar een theorie.'

Sara bleef stilletjes zitten tijdens dit gesprek. Ik zei: 'Ik wil niet moeilijk doen, maar deze gozer was niet uit op tafelzilver.'

'Om heel eerlijk te zijn is dat wat me zorgen baart.' Harmon sloeg zijn notitieboekje dicht. 'Deze inbrekers hebben een paar keer succes gehad, totdat we een beschrijving van hun voertuig kregen en daar iets over op het nieuws is geweest. Sindsdien is het rustig gebleven.' Schouderophalend keek hij ons aan. 'Misschien zijn ze weer begonnen, of misschien heeft iemand anders hun idee gepikt. In elk geval, dit was de eerste keer dat er een poging tot aanranding was. Dat verandert alles. En flink ook.'

Ik voelde Sara naast me verstarren. Ik legde mijn hand op haar knie, en even vertrok ze haar gezicht. Toen strengelde ze haar vingers door de mijne en kneep in mijn hand.

'De afloop in aanmerking genomen, denk ik toch dat in jullie geval de insluiper een fout beging. Hij ging er vast van uit dat er niemand thuis was.' Harmon sloeg het notitieboekje weer open. 'Mevrouw Callaway, eh, Sara... Je zei dat toen je de insluiper hoorde binnenkomen, je aannam dat het Paul was en iets naar hem riep?'

'Ik... Ja, dat klopt.'

'Volgens mij ging de verdachte naar binnen met een bepaald doel voor ogen, en helaas kwam er toen een andere gedachte in hem op.' De rest konden we wel raden: als die gedachte de overhand had gekregen, dan...

Een potige agent kwam binnen, met krakende pistoolriem. Hij knikte ons beleefd toe toen hij langsliep. Aan zijn handen had hij latex handschoenen, en hij hield mijn golfclub met twee vingers vast bij de grip.

'Het goede nieuws is dat er waarschijnlijk wel vingerafdrukken zullen worden aangetroffen op je golfclub,' zei Harmon. 'En hopelijk elders ook. Jullie zijn de eersten die die kerel kunnen beschrijven. Goed gedaan.'

Ik keek de agent in uniform na, die alweer bijna door de voordeur was verdwenen met het bewijsstuk. Vanwaar ik zat kon ik zien dat de golfclub die ik uit de tas had gegrist, een Chi Chi Rodriguez-sand wedge was, nog van het setje dat ik op mijn twaalfde gebruikte. Een kindermodelletje. Plotseling leek deze hele situatie erg absurd.

'Als ik het kon overdoen,' zei ik, 'zou ik mijn driver gebruiken.'

Rechercheur Harmon grinnikte. Sara kneep in mijn hand. Even voelde ik me een held, maar dat ging snel voorbij.

Een fors kalkstenen blok bij de ingang van de doodlopende weg geeft aan dat dit Sycamore Court is. Volgens Jodi, onze makelaar, bestond wat oogt als een uitloper van de grotere wijk onder aan de heuvel, al voor de rest, een bossige enclave aan de noordwestelijke rand van een plaatsje dat daar langzaam naartoe is gegroeid.

Er waren vier andere huizen in het hofje. Als ze in een vergelijkbare buurt hadden gestaan, in bijna elk plaatsje in New England van een dergelijk formaat, zouden we een dubbel zo hoge hypotheek hebben moeten ophoesten dan voor het huis in Clark Falls.

Terwijl ik met Sara op de stoep stond, en het nog flink warm was, keek ik naar het uitdijende effect van dit voorval. Agenten gingen van het ene huis naar het andere, ze liepen stoepjes op en klopten op deuren. In het bos schoten lichtbundels van zaklampen heen en weer, en voor de huizen praatten agenten in uniform met mensen in ochtendjas.

Aller ogen werden gericht op de nieuwkomers hier. Ik vroeg me af wat iedereen morgenochtend over de heg over ons te zeggen zou hebben. Toen schoot me te binnen dat het me in Newton nooit had kunnen schelen wat de buren over ons zeiden, en elders ook niet. Sara zegt dat ik me overal buiten houd.

Toen we in mei voor de eerste keer naar dit huis gingen kijken, viel het ons op dat het ronde veldje in het midden een soort gemeenschapsgebied was geworden. Er stonden metalen bankjes, er was verlichting, er stonden een schommel, een wipkip en een jungleklimrek van houten stammetjes. Jodi de makelaar vertelde ons dat alles was bekostigd en gebouwd door de bewoners van Sycamore Court.

Bij het jungleklimrek zag ik een man in t-shirt en pyjamabroek met een van de agenten praten. Na een paar minuten schudden ze elkaar de hand. De man sloeg de agent op zijn rug en liep vervolgens op sloffen naar ons toe.

Zo leerden we Roger Mallory kennen.

'Geen prettig welkom,' zei hij toen hij de stoep had bereikt. Ik schatte hem jaren ouder dan wij, maar nog van middelbare leeftijd. Hij was ongeveer net zo lang als ik, gezetter, en met een verweerd gezicht en een vriendelijke uitstraling die me deed denken aan mijn maatje Charlie Bernard van thuis. 'Gaat het?'

'Een beetje van slag,' zei ik. 'Maar verder oké.' Ik sloeg mijn ene arm om Sara heen en stak mijn hand uit. 'Paul Callaway. En dit is mijn vrouw Sara.'

'Roger Mallory. Ik woon precies aan de overkant.' Terwijl we elkaar de hand schudden, maakte hij een hoofdgebaar naar mijn oog. 'Dat doet zeker wel pijn.'

Dat deed het zeker. 'Och, het stelt niks voor.'

'Ik hoor dat je een leuk boogballetje kunt slaan.'

'Het zou handiger zijn geweest als we een rottweiler hadden gehad.'

Roger Mallory glimlachte zuur en vroeg toen: 'Sara, gaat het een beetje? Kan ik iets voor je doen?'

'Met mij gaat het prima, Roger, dank je wel. Het spijt ons van al dit gedoe.'

'Allemachtig, daar hoef je je toch niet voor te verontschuldigen?' Roger Mallory, gekleed in pyjama, leek het zich persoonlijk aan te trekken dat we helemaal naar dit uithoekje van de Midwest hadden moeten verkassen om een inbraak en poging tot verkrachting te ervaren, allemaal in één nacht. 'Ik weet niet wat ik moet zeggen. Normaal gesproken gebeuren dit soort dingen hier niet.'

Ik wist ook niet wat ik moest zeggen. 'Och, zoiets kan je overal overkomen.'

'Ja, dat zal wel.'

Aan de andere kant van het veldje stapten twee mannen weg bij de agent die ik eerder met Mallory had zien praten. Ze liepen naar ons toe, allebei met een groen hesje met reflecterende strepen aan, en met een zaklamp en een portofoon aan hun riem. Ik veronderstelde dat ze van de politie waren, totdat ze dichterbij waren gekomen en ik de logo's op hun hesjes kon zien. Daarboven stond: PONCA HEIGHTS, en eronder: BUURTWACHT.

Terwijl ze op ons af liepen, knipoogde Roger naar ons en zei: 'Nou, jullie doen je werk wel erg goed, zeg.'

'Niet te geloven dat we niks hebben gezien,' zei de kleinste van de twee. 'Verdorie. We kwamen net de heuvel op. Hij moet pal langs ons heen...'

Roger snoerde hem de mond met een schouderklopje. 'Ik plaag je maar, Barry. Jullie kunnen niet overal tegelijk zijn.'

'Toch snap ik niet dat we niets hebben gezien.'

'Paul, Sara, dit is Barry Firth.'

'Van twee huizen verder,' zei Barry Firth. Hij gebaarde naar het huis in koloniale stijl, met de puntgevel, de klimop tegen de schoorsteen, en de grote coniferen in de voortuin. Schaapachtig keek hij ons aan. 'Goh, dit is echt gênant.'

De langere man stapte met een geërgerde blik naar voren. Hij had brede schouders en schudde mijn hand stevig. Dit bleek Pete Seward te zijn, onze naaste buurman. 'Wat Firth wil zeggen, is of alles met jullie in orde is.'

'Ja, hoor, niets aan de hand,' zei Sara. Haar stem klonk gewoon, maar toen ze even over mijn rug wreef, voelde ik dat haar vingers nog trilden.

'Dank je. Het spijt ons dat we onder deze omstandigheden moeten kennismaken.'

'O, maak je daar maar niet druk om,' zei Roger. 'We heten jullie wel echt goed welkom wanneer jullie een beetje op adem zijn gekomen.' Hij knikte naar Pete en Barry. 'Nou, nu weten jullie wie we zijn. Als jullie iets nodig hebben, Sara, Paul, geef je maar een gil.'

'Doen we,' zei ik.

Sara haalde diep adem en knikte toen. 'Dank jullie wel,' zei ze.

Roger Mallory gaf ons allebei een schouderklopje, toen draaide hij zich om en liep terug over het veldje om zich bij de agenten te voegen die op dat moment aan de overkant de huizen langsgingen. Barry Firth kwam achter hem aan. Pete Seward slaakte een zucht, schudde zijn hoofd om nogmaals zijn medeleven te betuigen en ging er toen ook achteraan.

Terwijl ze over het veldje liepen, zag ik dat Pete zijn zaklamp uit zijn riem haalde en de lichtbundel over de grond liet spelen, vlak voor Barry Firths voeten, alsof hij hem wilde laten struikelen. Ik dacht dat ik Barry Firth hoorde zeggen dat hij daarmee moest ophouden.

Toen ze buiten gehoorsafstand waren, zei ik: 'Goh, ik voel me een stuk veiliger. Jij ook?'

'Wees eens een beetje aardiger,' reageerde Sara.

Maar ze lachte erbij. Die lach stelde niet veel voor, en duurde niet lang, maar iets is beter dan niets.

Ik trok haar tegen me aan, en zij liet haar hoofd tegen mijn schouder rusten. Het viel me op dat ik onbewust mijn vrije hand op haar buik had gelegd. Ze plaatste haar hand over de mijne.

Terwijl we daar zo stonden te kijken naar de bedrijvigheid om ons heen, en luisterden naar de cicades die in de bomen hun merkwaardig gezoem lieten horen, stelde ik me de kleine Callaway voor, spelend op dat veldje. Het was een grappige gedachte dat toen we hier in het voorjaar waren, we dat veldje met speeltoestellen maar niks hadden gevonden. Nu zag alles er heel anders uit.

Meestal slaap ik 's nachts als een blok. Die nacht lag ik te staren in het donker, nog lang nadat de politie was vertrokken. Sara veranderde in een roerloos hoopje bijna zodra we eindelijk in bed kropen. Daar was ik dankbaar voor, voor haar.

Ik weet niet hoe laat het was toen ik het maar opgaf. We hadden trouwens nog geen klok uitgepakt.

Maar in de koelkast lag nog dat onaangeroerde sixpack bier, dus kroop ik uit bed zonder Sara wakker te maken, trok een blikje open en nam het mee naar de stoel waarin rechercheur Harmon eerder die avond had gezeten.

Daar zocht ik afleiding voor mijn op hol geslagen hersenen door een pocketboek te lezen dat iemand had achtergelaten in de hotelkamer waar we de nacht daarvoor hadden geslapen.

Het bier werkte. Het volgende blikje werkte nog beter. Tegen de tijd dat de ochtendschemering de gordijnen deed oplichten, en Sara zich nog niet had bewogen, had ik het bier er bijna doorheen gejaagd, evenals het grootste deel van het boek.

De hoofdpersoon was een gozer die van stad naar stad trok om iets aan de problemen van de mensen daar te doen. Het was een spannend verhaal, en ik kon niet ophouden met lezen. Toen ik bij de laatste hoofdstukken kwam, had de held vier mannen vermoord, het kind gered, hartstochtelijk de liefde bedreven met de weduwe, en voor dag en dauw een lift de stad uit gekregen. Nergens in het hele verhaal was hij in het gezicht getrapt door een insluiper.

Ik herinner me niet dat ik mijn ogen sloot of dat ik uiteindelijk in slaap viel, maar ik weet nog wel dat ik droomde dat ik van stad naar stad trok en tweedehands golfclubs verkocht uit de kofferbak van een auto.

Het waren moeilijke tijden. Een onbekende werd gewantrouwd. Overal kon wel iets gebeuren, en met al die toestanden op de wereld was het lastig voor een eerlijk man om op de ouderwetse manier vooruit te komen. Golfclubs boden geen zekerheid meer.

6

De volgende dag, een zaterdag, riep de Ponca Heights buurtvereniging op tot een spoedvergadering om de inbraak in Sycamore Court 34 te bespreken. Sara en ik hoorden van de bijeenkomst, en van de Ponca Heights buurtvereniging, toen Roger Mallory, de voorzitter, langskwam om ons uit te nodigen.

'Dit lijkt me een moment om de huifkarren in een kring op te stellen,' grapte hij. Hij vertelde dat iedereen al wel twee keer had gehoord wat ons was overkomen, en dat mensen zich graag zorgen maken. 'Allemachtig, jullie hebben nog niet eens uitgepakt. Ik verwacht niet dat jullie komen, maar ik wilde jullie even laten weten dat jullie welkom zijn. Hoe gaat het, Sara?'

'Prima, Roger. Kom binnen.'

'Jullie hebben al genoeg te doen,' zei hij. 'En bovendien moet ik nog bij een paar mensen langs. Maar de volgende keer dat je me uitnodigt, kom ik zeker. Hoe gaat het met je oog, Paul?'

'Valt het dan erg op?' vroeg ik.

'Niet als je bokser zou zijn.'

'Een niet zo heel erg goeie.'

Daar moest Roger om grinniken, en hij klopte me op de rug op een bijna trotse manier. Het was een veel te kameraadschappelijk gebaar, want we hadden bij elkaar nog niet langer dan tien minuten gepraat, en ik vond het maar mal dat het mijn ego zo veel goed deed. Vanaf het begin was het moeilijk Roger Mallory niet aardig te vinden.

'We moeten maar gaan,' zei Sara toen hij weg was.

Ik dacht dat ze een grapje maakte, maar dat was niet zo. Ik plaatste nog

47

een leuke opmerking over dat we maar een gerecht onder een geruite doek moesten meenemen, en terwijl ik dat deed, besefte ik dat ik fout zat. 'Ja hoor, grapjas, ik snap het al.' Ze boog door haar knieën, pakte een verhuisdoos op en zette koers naar de gangkast. 'Je wilt niet.' 'Niet echt,' reageerde ik. 'Het verrast me dat jij wel wilt gaan. Hé, die draag ik wel!'

'Het gaat over ons.' Sara legde onze oude handdoeken op hun nieuwe plank en gaf me de lege doos. 'We kunnen ten minste ons gezicht laten zien.'

'Hoe kan het nou over ons gaan? We wonen hier nog maar pas.' Ik vouwde de doos plat en legde die op de dichtstbijzijnde stapel. 'Niemand kent ons.'

'Konden we maar een manier verzinnen om ons aan iedereen voor te stellen...'

Dit gesprek leidde tot nog meer nodeloos sarcastische opmerkingen van mijn kant, gevolgd door een koppige stilte. Dat was niet de eerste keer die middag. Na de lunch was ik niet echt in vorm. Dat wist ik, maar die wetenschap veranderde er niets aan.

Voordat mensen gaan trouwen, zei mijn vader altijd, zouden ze eerst maar eens samen een kamer moeten verven. Veertig jaar als reparateur bij Honeywell had hem tot iemand gemaakt die goed een diagnose kon stellen en dingen redelijk inschatten, en hij meende dat eenvoudige klusjes in huis mensen tot het kookpunt konden brengen. Ooit vertelde ik dat aan Charlie Bernard, en die zei dat academici, die toch al niet normaal zijn, maar beter niet met elkaar in het huwelijk kunnen treden.

Mensen die te ver hebben doorgeleerd, menen dat ze intellectueel boven zulke kinderachtige ruzietjes staan, zei Charlie. Daardoor is er minder gelegenheid om je uit te leven in algemene onzekerheden en eenvoudige kleingeestigheid, en dat leidt op den duur tot venijn, diepe minachting en bloedvergieten.

Zelfs toen al wees ik erop dat Charlies langst durende huwelijk – met Sara – slechts tien maanden had geduurd. Ik wees erop dat uitgerekend híj ons aan elkaar had gekoppeld.

Waar het op neerkomt: Sara en ik zijn geen groentjes. We zijn geen amateurs. Toen we elkaar leerden kennen, waren we al bijna dertig en hadden allebei al een huwelijk achter de rug. We kunnen kibbelen als kleuters. We weten hoe we samen een kamer moeten verven.

Soms gaat het erom dat je niet weet hoe je een kamer moet verven, of lekker vals ruziemaken. Soms gaat het erom dat je elkaar zo goed vertrouwt dat je de ander verdomme een poos met rust kunt laten, en dat lukte me dus van geen kanten die zaterdag.

Ik wilde dat Sara het gewoon vijf minuutjes rustig aan deed. Ik wilde dat ze er even haar gemak van nam. Er was iets verschrikkelijks gebeurd, en daar wilde ik het over hebben.

Zij wilde bezig blijven. Zij was nog niet klaar voor een gesprek. Zo eenvoudig lag het.

Vertrouw op een academicus en een kater om het allemaal ingewikkeld te maken.

We losten de zaak van de spoedvergadering van de Ponca Heights buurtvereniging op door het er verder die dag niet meer over te hebben. Toen het tijd werd om te gaan, wilde Sara er nog steeds naartoe, en dus deed ze dat. Ik wilde nog steeds niet, dus bleef ik thuis. Ik voelde me een rotzak, maar toch bleef ik thuis, verontwaardigd omdat ik me een rotzak voelde.

Ter verdediging kan ik aanvoeren dat ik niets had gemist wat ik later op het nieuws van tien uur niet had kunnen zien.

7

'Meneer Callaway?'

'Ja?'

'Ik ben Maya Lamb,' zei de jonge vrouw die voor de deur stond. 'Hebt u een paar minuutjes?'

Het was net acht uur geweest, het was nog licht, en de schaduwen van de bomen lengden. De jonge vrouw stond op onze stoep gekleed in een zakelijk beige broekpak, en een kleurige blouse waarvan de kraag openstond. Ze had mooie donkere ogen, een oogverblindende lach, en ze liet een microfoon langs haar zij hangen alsof het een gummiknuppel was.

'Sorry,' zei ik, 'maar wie zei u dat u was?'

'Maya Lamb, van Channel Five Clark Falls. Sorry als ik u overval, maar Sara zei dat u thuis was.'

'Heeft Sara dat gezegd?'

'Schikt het niet?'

Eindelijk keek ik langs haar heen, en toen zag ik een kerel in een gebleekte spijkerbroek en een t-shirt van Channel Five onder aan de stoep staan. Hij had een enorme camera op zijn schouder, en op zijn hoofd stond achterstevoren een Channel Five-honkbalpet. Voorlopig hield hij de bazookalens naar beneden gericht. Toen we elkaar aankeken, hief hij zijn kin met het sikje en zei: 'Hoi.'

'Hoi,' zei ik terug. En dan nu weer naar Maya Lamb. 'Wanneer heb je Sara gesproken?'

'We komen net van de bijeenkomst in de school.'

'De bijeenkomst?'

'Van de buurtvereniging. We doen er een item over.'

'Waarover?'

'Over de inbraak bij u.'

'Je méént het!'

'Zou u er iets over willen vertellen?' vroeg ze. 'Hebt u een paar minuutjes?'

'Eh... nee.' Ik had zat minuutjes, maar die wilde ik voor mezelf. Ik was bezweet en moe. Ik had een pesthumeur. Tegen die tijd had ik me over de ergernis ten opzichte van de buitengewoon faculteitsvoorzitter gezet, en het afgelopen uur had ik me een verschrikkelijk uilskuiken gevoeld. Het speet me dat ik haar niet had gesteund, het speet me dat ik het er die dag op alle fronten niet beter van af had gebracht. Het speet me dat ik de afgelopen nacht al het bier had opgedronken. Ik stond op het punt een nieuwe voorraad in te slaan toen Maya Lamb aanbelde. 'Eigenlijk was ik van plan weg te gaan.'

'Het duurt niet lang. Beloofd.'

'Ik zei toch: nee? Sorry.'

De stralende tv-lach stierf een beetje weg. 'Ik snap het. Hier hebt u totaal geen behoefte aan, hè? Ik zou ook niets tegen iemand als ik willen zeggen.' Ze keek achterom naar de cameraman, toen bracht ze haar gezicht dicht bij het mijne en fluisterde samenzweerderig: 'Hoor eens, ik zal open kaart met u spelen. Ik heb via via gehoord dat er een baantje vrijkomt bij een zender in Chicago. Ik doe mijn best goed materiaal te verzamelen voor mijn cv. Weet u waar ik nu eigenlijk zou moeten zijn?'

'Mevrouw Lamb...'

'Ik moet een reportage maken over de tentoonstelling van het Kiwanis-tuincentrum.'

'Ik weet niet hoe ik dit...'

'Een insluiper in Roger Mallory's buurt zou een geweldig nieuwtje zijn, en dat blauwe oog van u zou het goed doen op tv. Als ik bij u binnen het uur geen opnamen mag maken, krijg ik geweldig op mijn kop van de redacteur. Vijf minuutjes maar? Wilt u me echt niet helpen?'

'Ga weg, mevrouw Lamb.'

Ze keek teleurgesteld, maar ik had geen medelijden. Waarom was een insluiper in Roger Mallory's buurt zo'n geweldig nieuwtje? Op dat moment kon het me eigenlijk niet schelen, en ik vroeg er dan ook niet naar. Ze had gezegd dat Sara haar had gestuurd, en dat betwijfelde ik ten zeerste.

Een poosje bleef Maya Lamb staan, alsof ze een andere benadering overwoog. Uiteindelijk zuchtte ze eens en knikte. 'Zal ik doen. Het spijt me dat ik u heb lastiggevallen.'

'Geeft niet. Goedenavond.'

'Ik bedoel, in de eerste nacht dat jullie hier zijn breekt er iemand in, gewapend met een mes...'

'Pardon?'

'Ik wil alleen maar zeggen dat ik het snap. Jullie eerste nacht in een ander plaatsje, en dan komt er een inbreker...'

Ik viel haar in de rede. 'Niemand had een mes.'

'Nee?'

'Nee. Wie heeft u dat allemaal verteld?'

'Ik dacht... Wacht, zei u dat hij geen mes had?'

'Ja.'

Eerst kon ik niet goed uitmaken wat ze teleurstellender vond: dat ik niet bereid was tot een vraaggesprek, of dat er in haar nieuwsitem geen maniak met een mes zou zitten. Om de een of andere reden nam ik ondanks alles de tijd om het een en ander uit te leggen.

Ik merkte nauwelijks dat Maya Lamb de cameraman een subtiel teken gaf door de microfoon subtiel te heffen. Ik was net bezig dat gerucht over een mes te ontkrachten toen ik me ervan bewust werd dat zowel de microfoon als de camera op me gericht stonden.

'Toch moet u doodsbang zijn geweest,' zei ze. 'Wat ging er door u heen toen u terugkwam van een boodschapje in de dichtstbijzijnde supermarkt en u uw vrouw Sara aantrof, worstelend met die man?'

Ik was er zo gemakkelijk ingeluisd dat het beschamend was. Maya Lamb knipoogde zelfs, zo van: jouw beurt. Achter haar stelde de cameraman de lens in en wachtte op wat ik zou doen.

Nu ik erop terugkijk, had ik moeten opspelen, of de deur dichtgooien, of nog iets anders. Aan de andere kant, zelfs een kind zou het kunnen zien aankomen. En ik had mijn trots.

Om de waarheid te zeggen, toen ik daar zo stond, met mijn ogen tot spleetjes geknepen tegen het felle licht van de camera dat recht in mijn ogen scheen, kon ik de energie niet opbrengen om me kwaad te maken. Het was een lange, niet erg geweldige dag geweest, en het feit dat een piepjonge verslaggever van de plaatselijke tv-zender me te slim af was geweest, leek toestemming te zijn om de zaak te verhelderen. Ik moest toegeven dat ze goed was.

'Het gebeurde allemaal erg snel,' zei ik. 'Het ene moment ben je gewoon bezig met je eigen zaken, en het volgende word je overvallen in je eigen huis.'

'Bijna onvoorstelbaar,' zei Maya Lamb.

Het plaatselijk nieuws van News Five Clark Falls opende met ons verhaal. Sara en ik keken ernaar vanuit ons bed. Toen ze me mijn televisiedebuut zag maken, als een eenogige wasbeer, gevangen in het licht van de koplampen van een aanstormende auto, lachte ze een beetje. Vervolgens wreef ze door de deken heen over mijn been en zei: 'Sorry. Ik was nog kwaad op je.'

'Ik had nog wel gedacht dat ik beter wel naar die bijeenkomst had kunnen gaan.'

'Maar dan was je niet op tv geweest.'

We hadden geen ruzie meer. Tegen die tijd waren we erachter gekomen waarom het geweldig nieuws was dat er een inbraak was geweest in Roger Mallory's buurt.

Roger Mallory bleek niet alleen de voorzitter te zijn van de Ponca Heights buurtvereniging. Hij stond ook aan het hoofd van de Organisatie voor een Veiliger Leefomgeving, een breed samenwerkingsverband tussen de buurtwachten van verschillende steden. Die organisatie had hij tien jaar geleden zelf opgericht.

In haar verslag tipte Maya Lamb dat aan. Sara was teruggekomen van de bijeenkomst met meer details, de meeste aangeleverd door Melody Seward en Trish Firth, met wier echtgenoten we de avond tevoren hadden kennisgemaakt, met hun hesjes van de buurtwacht aan.

Tien jaar geleden – toen Sara en ik nog bezig waren elkaar in Boston te leren kennen – woonde Roger Mallory al hier aan Sycamore Court. Hij had een echtgenote die Clair heette, een zoon met de naam Brandon, en was brigadier bij de politie van Clark Falls. Op een frisse herfstmiddag, een woensdag in november, was de twaalfjarige Brandon Mallory uitgestapt uit de schoolbus op de hoek van Belmont, zes minuten lopen van huis. Daar is hij nooit aangekomen.

Toen Brandon niet op tijd voor het eten thuis was, pakte Clair Mallory de telefoon. Tegen tien uur die avond waren Rogers collega's van de politie, de meesten ook vrienden van hem, bezig met een buurtonderzoek. Ze hadden met Brandons vrienden en hun ouders gesproken. Ze hadden de leraren op school gesproken. Ze hadden gesproken met alle kinderen die op die dag met Brandon in de bus hadden gezeten, en ook met iedere bewoner van de uitdijende wijk Ponca Heights die maar beschikbaar was.

Binnen een week was de verdwijning op klaarlichte dag van Brandon Mallory groot nieuws geworden in de staat. Over land en door de lucht werden reddingsteams naar de omringende bossen gebracht. Die bossen bestonden uit meer dan achthonderd hectare natuurgebied dat toen, en nu nog, begon achter de tuinen van de huizen aan Sycamore Court, en die zich in westelijke richting uitstrekten tot de rivier, en in noordelijke richting tot de kliffen.

Op de eerste dag van de georganiseerde zoektocht werd Brandons rugzak gevonden onder een enorm hoge, oude moeraseik net binnen het natuurgebied.

Alleen de rugzak, meer niet. Niemand had iets gezien. Niemand kon helpen. Het was alsof Roger en Clair Mallory's enige zoon in de boom was geklommen en verdwenen in de lucht.

Op Thanksgiving kwam de eerste sneeuwstorm van die lange, koude winter, en werd Clark Falls bedekt onder een laag sneeuw van wel dertig centimeter. Dat maakte het onmogelijk nog te zoeken.

Vijf maanden later, nadat in het voorjaar de dooi had ingezet, ontdekten wandelaars een ondiep graf in het natuurgebied; dezelfde bossen waar Sara's aanrander een etmaal geleden waarschijnlijk naartoe was gevlucht na zijn ontsnapping uit onze slaapkamer. Het graf, diep in de bossen, was opgegraven door dieren, en bevatte het grotendeels tot ontbinding overgegane stoffelijk overschot van een jong persoon van het mannelijk geslacht.

Op de dag dat de politie van Clark Falls hierover officieel rapport uitbracht aan de media, had Clair Mallory al het bad laten vollopen met warm water, was ze erin gestapt, had de een paar weken opgespaarde antidepressiva geslikt die haar waren voorgeschreven, en haar polsen doorgesneden met een keukenmes. Tegen de tijd dat Roger kwam kijken waar ze bleef, was het water in de badkuip al koud.

'Terwijl ze me dat vertelden,' zei Sara, 'dacht ik steeds: jezus, wat verschrikkelijk. En het werd alleen maar erger.'

Ik zei niets. Verschrikkelijk was geen woord te veel gezegd. 'Arme Roger. Ik kan me niet voorstellen hoe het is om in je eentje in hetzelfde huis te blijven wonen. Jij?'

'Niet echt.' Even rees er een beeld op voor mijn geestesoog, en ik wilde alleen maar dat dat niet was gebeurd. 'Nee.'

'Melody Seward zei dat wanneer het mooi weer is, Roger elke dag in die bossen gaat wandelen.'

Ik dacht aan ons gesprek van de vorige avond. Ik had gezegd dat zulke dingen overal konden gebeuren. En ik dacht aan Roger, die dat had beaamd.

'Wauw,' zei ik. 'Ik snap niet hoe iemand dat kan verdragen.'

Dat wist ik ook niet, maar denkend aan het klompje cellen dat in Sara's buik groeide, kon ik me ook niet veel voorstellen.

Ik kon me niet voorstellen hoe het zou zijn wanneer dit als een verrassing gekomen leventje zich bij ons zou voegen. Op mijn zevenendertigste was ik net begonnen mezelf voor te stellen als vader. Ik kon mezelf onmogelijk voorstellen hoe het zou zijn om aan het graf van mijn vermoorde kind te staan.

Terwijl het sportnieuws werd onderbroken door reclame, keek ik om de een of andere reden op naar de tv. Meteen drong tot me door wat mijn aandacht had getrokken: de stem van onze nieuwe buurman.

'Voordat u met uw gezin weggaat om van een vakantie te genieten,' zei Roger Mallory, 'moet u niet vergeten aan de buren te vragen uw post naar binnen te halen.'

Roger stond op de stoep van een knus huis, uit baksteen opgetrokken, met aan zijn ene kant een plantenbak, en aan de andere een brievenbus waar de reclamefolders en enveloppen uit puilden. Hij zag er goed uit op tv: op zijn gemak, achteloos en toch gezag uitstralend.

'Of u kunt vragen of uw post wordt vastgehouden op het postkantoor. Een steeds groter wordende berg post kan inbrekers op het spoor brengen van een makkelijke klus.' Hij wees in de camera. 'Voor meer zomertips, kijk op www.veiligerleefomgeving.com.'

Op het scherm verscheen het logo van de buurtwacht dat bijna iedereen kent – een waarschuwingsbord met daarin het silhouet van een inbreker – maar dan net iets anders. Er was een voice-over bij: 'Deze boodschap werd mede mogelijk gemaakt door de Organisatie voor een Veiliger Leefomgeving.'

Met een zucht sloot Sara haar ogen. Ze zag eruit zoals ik me voelde: uitgeput, verpletterd. Ik merkte dat er iets was veranderd aan haar houding, dat ze gespannen was. Toen ik in haar hand kneep, zei ze: 'Er is niks.'

'Kan ik iets doen?'

Ze schudde haar hoofd, maar niet als reactie op mijn vraag. Het was hetzelfde gebaar, als in een reflex, dat ik daarnet had gemaakt toen ik dacht aan Clair Mallory, en aan het beeld dat in me opkwam van Sara, slapjes liggend in een badkuip vol bloederig water.

'Echt,' zei ze terwijl ze naar me toe schoof, 'elke keer dat ik eventjes niets doe, ruik ik de adem van die vent weer.'

Afgezien van op dat moment dicht bij me te willen zijn, had ze die dag slechts één ding van me verlangd. En dat was niet eens iets belangrijks. We maakten er al geen ruzie meer over.

Toch speet het me dat ik niet met haar naar de bijeenkomst was gegaan.

8

In de loop van de volgende paar weken, terwijl we aan het acclimatiseren waren, plek vonden om alles in het nieuwe huis neer te zetten, een huisarts voor Sara vonden, en onze weg in het plaatsje vonden, leerden we onze nieuwe buren van Sycamore Court kennen.

Pete en Melody Seward hadden in juni hun achtste trouwdag gevierd. Net zoals wij hadden ze allebei een scheiding achter de rug. Ooit had Pete in het footballteam van Iowa State gespeeld. Nu was hij vicepresident van de plaatselijke kabelmaatschappij. Hoewel we hem op het hart drukten dat we weinig tv-keken, regelde hij toch een uitgebreid pakket voor ons, als welkomstcadeautje. Melody werkte bij personeelszaken op de First State Bank van Clark Falls. Ze introduceerde Sara bij haar yogaleraar.

Trish en Barry Firth werkten allebei in de zaak van haar vader, een glazeniersbedrijf, Trish bij personeelszaken, Barry in de verkoop. Ze hadden een tweeling van peuterleeftijd: een meisje dat Jordan heette, en een jongetje met de naam Jacob. Toen ze erachter kwamen dat we in verwachting waren – iets wat Trish raadde, lang voordat we het zelf bekend hadden willen maken – leverde Barry in het donker vier plastic opbergdozen af, vol geslachtsneutrale babykleertjes. Hij knipoogde naar Sara, gaf mij een klap op mijn rug en zei: 'Gefeliciteerd! Nou moe, ik zwijg voor twee.'

Michael Sprague woonde in het grote, in craftsman-stijl gebouwde huis tussen de Firths en Roger Mallory. Hij was ooit weggetrokken uit Clarks Falls om te studeren aan het Culinary Institute in Hyde Park, in de staat New York. Vijf jaar geleden was hij teruggekomen om voor zijn bejaarde en ziekelijke moeder te zorgen. Hier had hij zijn partner Ben leren kennen, en nu zwaaide hij de scepter in de keuken van The Flatiron, het chique restaurant aan de rivier.

We hadden gehoord dat Ben bedrijfstrainingen gaf, en dat hij onlangs een tijdelijke baan had aangenomen in Seattle. Meer wisten we niet.

Michael had de achtertuin omgetoverd in een weelderige moestuin. De hele zomer kon hij verse producten oogsten, en in het najaar pompoenen in verschillende kleuren. Op een avond kwam hij bij ons langs, omhelsde ons en bedankte ons dat we hiernaartoe waren verhuisd.

'Begrijp me goed,' zei hij. 'Er wonen hier geweldige mensen. Het zal jullie hier goed bevallen. Ik wil alleen maar zeggen dat als we nog verder naar rechts waren gaan overhellen, mijn huis zomaar had kunnen omvallen.'

Sara nodigde Roger Mallory uit om te komen eten, als bedankje voor ons nieuwe alarmsysteem dat we hadden gekregen van Sentinel One Incorporated, een plaatselijk beveiligingsbedrijf. Eén telefoontje van Roger, en daar stonden de kerels met kabels en drilboren voor de deur. Ze lieten ons achter met voldoende bedrading om een legerpost mee te beveiligen, en de hele installatie kostte ons geen cent.

'Jullie hoeven me niet te bedanken,' zei hij terwijl hij de laatste kebab naar binnen werkte. 'De eigenaar en ik zijn oud-collega's van de politie. Ik breng veel klanten aan. Bovendien mag hij van mij gratis adverteren in het krantje van de Kamer van Koophandel. Hij staat bij me in het krijt.'

Op elke willekeurige avond kon je naar buiten lopen en iemand bij iemand op bezoek zien gaan. Je kon de tweeling van de Firths op het veldje zien spelen met Sofia, de vierjarige dochter van Pete en Melody Seward. Je kon altijd een babbeltje maken met Roger, die de leiding leek te hebben over wat er zoal gebeurde aan Sycamore Court, als een soort lievelingsoom van allemaal.

Wij deden ook mee, en het duurde niet lang of we voelden ons er thuis.

De moestuin van Michael Sprague doet er niet toe. Wat de buren voor werk hebben, doet er niet toe, en ook niet hoeveel tv-zenders we kunnen ontvangen. Dat Sara en ik in augustus een kindje verloren, doet er niet toe.

Wat er vanaf nu toe doet, is hoe dat zat met Brit Seward en mij.

'Zitten al die dozen vol boeken?'

Dat was de eerste vraag die ze me stelde, de maandagochtend na de spoedvergadering van de Ponca Heights buurtvereniging. Melody, die op maandag niet werkte, had Brit naar ons gestuurd om een dvd met handgeschreven label af te geven van de nieuwsuitzending. Pete had die op de een of andere manier gekregen van de kabelaar. Sara was naar de universiteit voor een afspraak met de faculteitsvoorzitter, en ik was thuis, nog steeds aan het uitpakken. Ik had Brittany alleen maar binnen gevraagd omdat de mannen van Sentinel One bezig waren met de voordeur.

'Allemaal boeken,' antwoordde ik.

'Al die dozen?'

'Dat zeiden de verhuizers ook al.'

Ze zette haar handen in de zij en keek naar de borstwering van dozen, die vier op elkaar langs de hele eetkamermuur stonden opgestapeld. 'Jezus!'

De tieners in Iowa spraken dezelfde taal als die in Boston. 'Tof,' zei ik.

Ze lachte. 'Cool.'

'Dát zeiden de verhuizers nou weer niet.'

'Ik ben dol op lezen. Wat is jouw lievelingsboek?'

'Van al mijn lievelingsboeken?'

'Toen ik klein was, las ik graag de boeken over Harry Potter. Nu lees ik van alles en nog wat.'

'O ja? Wat is het laatste boek dat je hebt gelezen?'

Daar dacht ze even over na. 'Ik heb *Bridge to Terabithia* net uit. Dat was best goed. Alleen heb ik twee jaar geleden de film gezien, dus wist ik hoe het afliep. Het boek was beter. Heb je de *Da Vinci Code* gelezen?'

Dat was niet het geval.

'Ik ook niet. Ik lees nu een boek uit de bibliotheek. De titel deed me denken aan Ponca Heights.'

'*Wuthering Heights*?'

'Ja! Heb jij dat ooit gelezen?'

'Een paar keer.'

'Het is best moeilijk.'

'En een beetje verdrietig,' zei ik. 'Lees toch maar door. Het is best goed.'

'Over verdrietig gesproken, ik heb de hele week huisarrest. Dat is pas verdrietig.'

Ik vond het best om over boeken te praten, maar hier wist ik niets op te zeggen. Gelukkig kwam de voorman van de Sentinel One-ploeg naar binnen en wenkte me. Ik excuseerde me en ging naar hem toe om zijn vraag te beantwoorden over waar het bedieningspaneel in de gang moest komen. Ik zei dat hij dat beter kon beoordelen dan ik. Dat was hij met me eens.

Eenmaal terug in de eetkamer zag ik Brittany Seward in een open verhuisdoos gluren. Met schuingehouden hoofd las ze de titels op de ruggen.

'Nou,' zei ik, 'leuk even met je gepraat te hebben, Brittany. Laat het me maar weten wanneer je klaar bent met Heathcliff en Catherine.'

Als ze me al had gehoord, liet ze dat niet merken.

'En bedank je moeder voor de dvd, oké?'   .

Nog steeds niets. Ze leek helemaal van de wereld te zijn. Ik mocht haar nu al. Maar wat moest ik met haar?

Ik keek weer naar de ontmoedigende grote berg verhuisdozen langs de muur en dacht voor misschien wel de honderdste keer dat het geen fijn vooruitzicht was die allemaal naar boven te moeten sjouwen, uit te pakken en alles op volgorde te zetten. Ik had de boeken namelijk niet op volgorde ingepakt. En toen kreeg ik ineens een idee.

Roger Mallory was die ochtend vroeg langsgekomen om te kijken of de mannen van Sentinel One er wel waren. Hij had een exemplaar gebracht van de Ponca Heights buurtgids, die bestond uit een paar dubbelgevouwen, in het midden aan elkaar geniete bladzijden vol telefoonnummers. Op de voorkant stonden de nummers van de plaatselijke brandweer en de politie, en van andere hulpdiensten. Op de achterkant was het logo van Veiliger Leefomgeving afgedrukt. 'We kunnen een recentere versie hiervan maken als Sara en jij jullie telefoonnummer erbij willen,' had hij gezegd.

Ik zocht het nummer van de Sewards op. Sara had me de vorige ochtend aan Pete en Melody voorgesteld. Ze was voor dag en dauw met Melody gaan joggen, en had hen later uitgenodigd voor een kopje koffie. We leken het allemaal goed met elkaar te kunnen vinden, zeker goed genoeg om hun nummer te achterhalen en te bellen.

'Hallo?'

'Melody, met Paul Callaway,' zei ik.

'O, hoi Paul. Ik heb Brit naar jullie gestuurd. Is ze er nog niet?'

'Jawel, ze is veilig aangekomen,' antwoordde ik. 'Bedankt voor de dvd.'

'We dachten dat je die wel zou willen hebben.'

Dat wilde ik helemaal niet, en Sara waarschijnlijk ook niet, maar het was een aardig gebaar. 'We stellen het zeer op prijs. Breng je Pete alsjeblieft mijn dank over?'

'Doe ik.' Op de achtergrond hoorde ik jengelen. Het duurde een poosje voordat Melody weer iets zei. 'Sorry, zoals gewoonlijk is het hier een gekkenhuis. Zeg Paul, wanneer is Brit weggegaan bij jullie?'

'Ze is hier nog.'

'Echt waar? Nog steeds?'

'Daarom bel ik.' Ik liep een eindje de keuken in, zodat ik vanuit de eetkamer niet kon worden gezien, en vertelde in het kort over het gesprekje over *Wuthering Heights*. 'Ze leest veel?'

Aan de andere kant van de lijn hoorde ik Melody gniffelen. 'In de zomervakantie zijn we naar de Grand Canyon gegaan, maar ik denk niet dat ze je kan vertellen hoe die eruitziet. Ze zat aldoor met haar neus in de boeken.'

Het was alsof ze het over mij had toen ik nog een tiener was. 'Zeg, over boeken gesproken,' zei ik, 'ik heb hier een paar duizend staan die nog moeten worden uitgepakt.'

'Zei je: "duizend"?'

'Een paar duizend, ja.'

'Wauw.'

'Ze zit al een kwartier te neuzen.'

'Paul, het spijt me. Ze is niet bepaald verlegen. Zeg maar dat ik wil dat ze naar huis komt, oké?'

'O, maar het stoort me niet, hoor. Ik wilde alleen vragen of ze al een vakantiebaantje heeft.'

''s Ochtends past ze op haar zusje,' antwoordde Melody. 'En wanneer het haar wordt gevraagd, past ze op de tweeling van Trish en Barry. Hoezo?'

'Nou, ik zou er wel iets voor over hebben als ze zou willen helpen deze zooi op de planken te krijgen. Als Pete en jij dat goedvinden.'

'Echt?'

'Ze heeft vast wel iets leukers te doen in de vakantie.'

'Deze week niet. Ze heeft huisarrest.'

'Dat heb ik gehoord. Misschien is het geen goed idee?'

'Ik vind het een geweldig idee, Paul. Hier vliegen we elkaar alleen maar in de haren. Ik zou er zelf wel iets voor over hebben als ze bij jullie aan de slag kan.'

Nadat ik had opgehangen, legde ik het voor aan Brittany, die zei: 'Krijg ik daar dan geld voor?'

'Natuurlijk,' zei ik.

'Hoeveel?'

'Wat is je tarief?'

Daar moest ze even over nadenken. 'Twintig dollar per uur.'

'Ik dacht eerder aan vijf.'

Brittany kneep haar ogen tot spleetjes. 'Vijf dollar per uur, en ik mag elk boek lenen dat ik maar wil.'

'Afgesproken.'

Ze had een leuke lach. 'Cool.'

Toen ze wegging, zei ik: 'Zeg Brittany, heb je er bezwaar tegen als ik je een persoonlijke vraag stel?'

'Brit,' zei ze. 'Wat wilde je vragen?'

'Waarom heb je eigenlijk huisarrest?'

Ze maakte een wegwuivend gebaar, alsof het te saai voor woorden was. 'Ik had van mijn zakgeld een bikini gekocht. Melody en pap zeiden dat ik hem moest terugbrengen, maar dat heb ik niet gedaan. Melody betrapte me ermee in het zwembad.'

Melody, dacht ik. Niet: mam. 'O,' zei ik.

'Ja. Wat is daar nou erg aan?'

Ik wist ook niet wat daar nou zo erg aan was, maar dat zei ik maar niet.

'Melody zegt dat ik pas op mijn zestiende een bikini mag. Het was nog wel een hele leuke. Ze zijn erg streng.'

Daar stond ik even bij stil. Toen zei ik: 'Mag ik je nog een vraag stellen?'

'Tuurlijk.'

'Wanneer word je zestien?'

'Over heel erg lang,' antwoordde ze. 'In januari word ik veertien.'

Ik weet nog dat ik dacht: jezus, die arme Pete.

Mijn moeder zou van Brit Seward hebben gezegd dat ze er vroeg bij was. Het was me al opgevallen dat de kerels van Sentinel One elkaar grijnzend hadden aangekeken toen Brit hier kwam, met haar zongebleekte haar in een staartje. Die dag had ze zich gekleed op warm weer, met een afgeknipte spijkerbroek, teenslippertjes, en een strak mouwloos topje dat alleen maar problemen kon geven. Het was me ook opgevallen dat de werklui steeds stiekem even naar haar keken.

Had ikzelf misschien ook steeds even stiekem gekeken?

'Doe me een lol,' zei ik.

'Tuurlijk. Misschien.'

'Koop geen zwemkledij van het geld dat ik je betaal.'

Ze lachte. 'Meen je dat nou?'

'Je vader lijkt me iemand met wie je geen ruzie moet krijgen.'

Ze trok een gezicht. 'Maar hij doet geen vlieg kwaad, hoor.'

'Dat moet ik dan maar geloven.'

'Met Melody moet je geen ruzie krijgen.'

'Ik wil met geen van beiden ruzie krijgen.'

'Oké,' zei ze. 'Ik beloof dat ik alleen maar drugs ga kopen van het geld dat ik hier verdien.'

'Geweldig,' zei ik.

'En condooms, als ze allemaal op zijn.'

'Dat stel ik op prijs.'

Ze grijnsde. Ik grijnsde. We leken elkaar te begrijpen. Brittany ging naar huis, en ik ging weer aan de slag.

Tegen de tijd dat Sara terugkwam van haar afspraak op de universiteit, was Sentinel One klaar met de installatie van het nieuwe alarmsysteem. Er zaten magnetische strips op de ramen, deurcontacten, en een bedieningspaneel met directe toegang tot de Sentinel One-meldkamer. Rondom het huis was buitenverlichting geplaatst die aanfloepte wanneer er iets bewoog. We waren het erover eens dat ons huis nu veel veiliger leek dan eerst.

Zaterdag 17 december, 7.05 uur

9

In paniek word ik wakker, gedesoriënteerd, niet goed wetend waar ik ben. Ik ben geschrokken van een geluid, maar ik weet niet wat het is.

Even blijf ik zitten, als verlamd door het vage doch dringende gevoel van persoonlijke bedreiging. Wanneer ik pijn op de borst krijg, besef ik dat ik mijn adem inhoud.

Zodra ik uitadem, verdwijnt de nevel uit mijn hoofd. Beetje bij beetje klopt mijn hart minder wild, en wanneer mijn omgeving langzaamaan duidelijk wordt, word ik me bewust van de harde, metalen zijkant van het bed in mijn knieholte. Ik ben wakker. Ik erken – mijn gevoel voor ironie ben ik dus nog niet kwijt – dat wat persoonlijk gevaar betreft, ik op geen veiliger plek zou kunnen zijn.

Mijn cel ziet er precies zo uit als ik me hem herinner. Eigenlijk is dat niet helemaal waar. Er is een storting gedaan. Daar ben ik natuurlijk van wakker geworden: het lawaai van het luikje in de deur, boven het plankje, is opengegaan en weer dichtgevallen. Op het plankje zie ik een plastic dienblad staan.

Ik voel me alsof ik op straat heb geslapen. Ik heb een pijnlijk stijve nek, een slapende heup, en er zit een knoop in mijn rugspieren. Mijn blaas staat op knappen, maar ik ruik ook eten. Het mikken in de stalen toiletpot voelt een beetje als pissen aan de ontbijttafel. Ik heb sinds de lunch van de vorige dag niets meer gegeten, en zelfs boven de geur van de schuimende urine uit rammelt mijn maag bij het opsnuiven van etenslucht.

Het ontbijt blijkt te bestaan uit een boterham met gebakken ei, verpakt in een vetvrij zakje van Petrow's, een ouderwetse *diner* als een treinwagon in de stijl van de jaren dertig die aan het plein staat, tegenover het gerechtsgebouw.

Dat vind ik amusant, en ik word er een stuk vrolijker van. Wat zouden ze voor het ontbijt serveren in de grote gevangenis ten noorden van dit plaatsje? Even stel ik me bezwete cipiers voor die metalen mokken langs de tralies laten rammelen. Ik stel me mannen met vermoeide ogen voor, gekleed in spijkerhemden, die 's ochtends vroeg schuifelend in de rij gaan staan. Het doet er niet toe dat ik me iets verbeeld wat rechtstreeks uit *Cool Hand Luke* komt. Het gaat erom dat ze hier niet eens over een keuken beschikken. Hier zetten ze de echte gevangenen niet vast. Ik zit in een gevangenis waar mensen tijdelijk worden opgesloten.

Ik kan me niet herinneren dat een broodje ei me ooit zo goed heeft gesmaakt als dit. Onder in het zakje zit nog een aardappelkoekje in de vorm van een bal. Tegen de tijd dat ik daaraan toekom, is het koud en een beetje muf. Ik zou er nog wel vier van op kunnen.

Naast het zakje staat een kartonnen beker met lauw sinaasappelsap, met nog schuim erop. Na het toiletgebruik laat ik dat sap maar. Ik heb behoefte aan zwarte koffie, liters koffie.

In elk geval ziet alles er beter uit.

Het is ochtend. Een nieuwe dag. Ik heb een echte pitbull als raadsman, en die is onderweg hiernaartoe om me hieruit te halen. Straks zie ik Sara weer. Dit lossen we wel op.

Omdat er een verbinding bestaat tussen de plaatselijke gevangenis en het gerechtsgebouw, moet ik voor de voorgeleiding een ingewikkelde wandeling maken door een langzaam veranderend decor. Een geüniformeerde bewaker gaat me voor door een met ruwe steen bedekte gang, dan een betonnen trap op, door een stalen deur, en vervolgens door eentje van oud, donker hout met een moderne kaartlezer erop.

Omdat het gerechtsgebouw in een historisch pand is gevestigd dat het historische stadsplein domineert, ben ik lichtelijk verbaasd dat de rechtszaal is verbouwd tot een soort moderne vergaderzaal met kamerbreed tapijt. Omdat het zaterdag is – hetgeen zoals Douglas Bennett me heeft uitgelegd betekent dat er tijdens dezelfde zitting misdrijven en overtredingen worden behandeld – ben ik de enige in het vertrek met handboeien om en een gewapende bewaker aan mijn zij.

Ik tel een stuk of tien mensen, verspreid zittend op de rijtjes stoelen voor het publiek, gescheiden van het gedeelte waar het gebeurt door middel van een heuphoog hekje. Wanneer ik binnenkom, kijkt iedereen naar me. Het is net zo gemakkelijk voor te stellen dat ik binnenkom om een ochtendcollege te geven, als dat ik Hannibal Lector ben die wordt binnengereden in een rolstoel.

Ik zie Sara meteen, ze zit op de voorste rij, net achter het hekje. De uitdrukking op haar gezicht wanneer ze me ziet – ongeschoren, met handboeien om, meegenomen aan de arm – zal ik niet gauw vergeten. Bijna net zo snel krijgt ze een duistere blik in de ogen, gevolgd door een nietbegrijpende.

Ik probeer op de een of andere manier met haar te communiceren, maar ik kan niets bedenken. Ik ben een beetje afwezig wanneer ik de parketwachter mijn naam hoor roepen. De bewaker brengt me naar het tafeltje het dichtst bij de rechterstoel. Ik zie aan het andere tafeltje een man in een bruin pak wachten, met dossiers voor hem liggend. Terwijl dit allemaal gebeurt, word ik steeds wanhopiger.

Een uur gelegen stond ik te popelen om hier te zijn. En nu ben ik hier. Waar is verdomme mijn raadsman?

De rechter kijkt naar het register dat voor haar ligt, en dan naar mij. Net zoals deze rechtzaal is ze niet wat ik verwachtte, voor zover ik me al iets had voorgesteld. Ze is blond, zeker al van middelbare leeftijd, en aantrekkelijk. Hoewel ze een leesbril op haar neus heeft, kijkt ze me eroverheen aan, en heeft de bril een modieus montuur, waardoor ze er zelf eerder elegant dan streng uitziet. Ze zou inderdaad heel goed de moeder van tienerdochters kunnen zijn, zoals Douglas Bennett me heeft verteld, maar ze maakt niet de indruk van iemand die bepaald niet gebukt gaat onder een inschikkelijk karakter.

'Goedemorgen, meneer Callaway. Moet ik aannemen dat u niet vertegenwoordigd wordt?'

'Nee,' zeg ik. Het flapt eruit als een jammerkreet. 'Ik bedoel: nee, edelachtbare. Ik heb een raadsman.'

Ze kijkt de bewaker naast me aan. Ze kijkt de man in het pak aan die achter het andere tafeltje zit, en die zeker de openbaar aanklager is. Dan kijkt ze mij weer aan en trekt haar wenkbrauwen op. 'Is uw raadsman aanwezig?'

Ik heb het niet meer. Ik verrek mijn nek bijna als ik achteromkijk, alsof mijn raadsman zich heeft verstopt achter de ficus achteraan. 'Ik zie hem niet.'

'Dat vat ik dan maar op als: nee.'

'Hij zei dat hij er zou zijn.' Zelfs mij klinkt dat zwakjes in de oren.

Hij zei dat hij vroeg zou komen, zou ik willen zeggen. We zouden samen alles doornemen en een koers bepalen. Nu heb ik geen koers. Er staat een bewaker uit de gevangenis naast me, niet mijn pitbull van een raadsman. Ik ben hier niet op voorbereid. 'Bestaat de mogelijkheid van een pauze?'

De rechter zucht op de manier die ze waarschijnlijk bewaart voor mensen die te veel series over rechtszaken op tv hebben gezien. 'Als dit een rechtszaak of een basisschool was,' zegt ze, 'zou ik een pauze kunnen overwegen. Maar omdat u slechts wordt voorgeleid, zal ik de openbaar aanklager vragen of hij bezwaar heeft tegen een informele opschorting tot de overtredingen zijn behandeld. Misschien geeft dat uw raadsman de tijd om zijn band te verwisselen, of uit de badkamer te komen, of wat het ook is dat hem ophoudt.'

Wanneer ze 'openbaar' zegt, denk ik aan het publiek achter me.

Dan zegt de openbaar aanklager achter de andere tafel: 'Geen bezwaar, edelachtbare.'

'Goed zo. Meneer Callaway, we geven uw raadsman de tijd. Als hij niet hier is wanneer deze zitting is afgelopen, blijft u in hechtenis en wordt u maandagochtend opnieuw voorgeleid. Hebt u nog vragen?'

Ik heb zo veel vragen dat ik niet weet met welke ik moet beginnen. Dan gaan de deuren achter in de rechtszaal open. Mijn hart springt op van opluchting als ik Douglas Bennett met snelle stap door het gangpad zie lopen, met zijn leren tas in de hand. Zijn overjas fladdert achter hem aan als een cape.

'Neem me niet kwalijk, edelachtbare,' zegt hij. 'Goedemorgen.'

'U ook goedemorgen, meneer Bennett.' De rechter werpt een blik op de grote, ronde klok aan de muur, precies boven het hoofd van de parketwacht. 'Op het nippertje, hè?'

De bewaker maakt plaats voor Douglas Bennett, die naast me aan de tafel gaat zitten. 'Ja, edelachtbare. Het was niet mijn bedoeling zo laat te komen.'

'Alles in orde?'

'Ja, dank u. Gewoon een beetje winterse probleempjes met de motor.'

'Het is koud.'

'Nogmaals, het spijt me. We zijn klaar.'

Wie, 'we'? Hoe kunnen we nou klaar zijn? Ik heb hem wel honderd dingen te vertellen, en we hebben nog geen woord gewisseld. Douglas Bennett heeft me zelfs nog niet aangekeken. Ik kijk strak naar zijn profiel, zowat smekend om oogcontact. Ik wil hem weer dat gebaar voor 'oké' zien maken, zoals hij dat gisteravond deed toen hij wegging uit mijn cel.

'Goed.' De rechter vouwt haar handen. 'Laten we dan maar beginnen.'

'Dank u. We zijn klaar.'

'Dat zei u al.'

Bennett glimlacht een beetje bezorgd, zet dan zijn tas op tafel en frunnikt aan de gespen. Het valt me op dat hij er zo verfomfaaid uitziet. Toen ik wakker werd, had ik het gevoel dat ik op straat had geslapen, maar hij ziet eruit alsof hij de nacht heeft doorgebracht in een portiek. Zijn ogen zijn rood, met wallen eronder, en verder heeft hij overal rode vlekken in zijn gezicht.

'Zoals u weet, ben ik Douglas Bennett, en ik vertegenwoordig Tom Callaway, gerespecteerd hoogleraar Engelse letterkunde aan de…'

'Paul,' fluister ik, waardoor ik hem van zijn toch al haperende à propos breng.

Eindelijk kijkt Bennett mijn kant op. Hij buigt zich naar me toe en vraagt zacht: 'Wat?'

'Ik heet Paul.'

'Wat?'

Jezus. Terwijl ik me naar hem toe buig, zinkt de moed me in de schoenen. Om mijn raadsman heen hangt een wolk van alcoholdampen. Het is niet te verhullen. Het is onmiskenbaar. Het is twaalf minuten over acht, en Douglas Bennett stinkt als een tennissok die in de whisky heeft liggen weken.

'Je zei: "Tom",' zeg ik nog steeds op fluistertoon. Maar wat heeft het voor zin? Het optimisme dat ik ontwikkelde na drie uur slaap en een broodje ei is weggelopen als afwaswater. 'Ik heet Paul.'

'Paul Callaway.' Bennett corrigeert zich. Hij gaat rechtop zitten en

71

schraapt zijn keel. 'Zoals ik al zei, de heer Callaway is een gerespecteerd hoogleraar aan de universiteit. Hij is ingezetene van de eh, de wijk Ponca, waar hij en zijn echtgenote... De wijk Ponca Heights, waar hij en zijn echtgenote Brenda een huis bezitten.'

Ik sluit mijn ogen en dwing mezelf wakker te worden. Ik lig vast nog in mijn cel en onderga een vreselijke nachtmerrie. Waar is die advocaat met pit die ik een paar uur geleden heb gesproken? De kerel die gearchiveerd stond onder de B van Ballenkraker? Wie is deze verlopen, stamelende alcoholist in de dure, suède overjas?

Ik hoor een ritselend geluid. Wanneer ik mijn ogen open, zie ik Douglas Bennett buigen om een dossiermap en een heleboel velletjes papier van het tapijt op te rapen.

'Op dit moment,' zegt Bennett terwijl hij worstelt om overeind te komen met wat wel de documenten betreffende mijn zaak moeten zijn, 'wil de verdediging graag het voorlezen van de aanklacht opschorten en we respecteren... Ik bedoel, we verzoeken...'

'Meneer Bennett,' zegt de rechter op scherpe toon. Met tot spleetjes geknepen ogen buigt ze zich voorover. 'Hebt u gedronken?'

'Pardon, edelachtbare?'

'Ik stel u een vraag. Hebt u gedronken?'

Achter me klinkt geroezemoes. Er wordt gefluisterd en gegrinnikt. Ik kan het nauwelijks geloven. Het wordt steeds erger.

Douglas Bennett zwijgt een poosje, alsof hij het ook nauwelijks kan geloven. Hij plakt een uitdrukking op zijn gezicht die lijkt aan te geven dat hij de vraag heeft gehoord, en dat hij daarvan is geschrokken. Of misschien is hij uit evenwicht gebracht door het oprapen van mijn dossier. In elk geval, hij staat zichtbaar te zwaaien op zijn benen.

'De rechtbank stemt in met uw verzoek,' zegt de rechter. 'En u hebt geen antwoord op mijn vraag gegeven.'

'Ik dacht dat het wel duidelijk was...'

'Raadsman, bent u hier in de rechtszaal onder invloed van alcohol? Ja of nee?'

'Absoluut niet, edelachtbare.'

Op dat moment laat de openbaar aanklager aan de andere tafel van zich horen. 'Edelachtbare, ik kan de raadsman hier ruiken.'

De rechter werpt een waarschuwende blik naar het publiek, dat besmuikt zit te lachen. Zodra het weer wat rustiger is, zegt ze: 'De rechtbank stelt het verslag van de veldwerker op prijs, maar ik had u niet het woord gegeven.'

'Het spijt me, edelachtbare. Ik trek die opmerking terug.'

Meer gelach, en ook harder.

'Zo is het wel genoeg.' Met een klap laat de rechter haar hamer neerkomen. Ze wacht op stilte en zegt dan: 'Meneer Bennett, komt u nader.'

'Edelachtbare, met uw permissie, ik kan de rechtbank ervan verzekeren dat…'

'Meneer Bennett, met uw permissie, maar u bent straalbezopen.'

'Edelachtbare…'

'En u hebt tegen me gelogen.'

'Edelachtbare, ik heb echt niet…'

'Raadsman, hou op een kuil voor uzelf te graven. Die kuil is nu wel diep genoeg.'

Terwijl ik daar sta met mijn handboeien om, kijkend naar de puinhoop die ontstaat, spijt het me dat ik geen kuil heb die groot genoeg is. Een kuil en een spade. Ik zou zo in de kuil kruipen, op de bodem gaan liggen, de spade aan de bewaker overhandigen en hem vragen de kuil dicht te gooien. Of misschien zou ik alleen Douglas Bennett begraven.

'Meneer Bennett,' gaat de rechter verder, 'ik hoef u er niet op te wijzen dat uw cliënt wordt aangeklaagd wegens verontrustende misdrijven. Maar ik wil er wel op wijzen dat als zijn raadsman hier onder de invloed aanwezig is, de rechtbank tot de conclusie kan komen dat voornoemde aanklacht niet ernstig wordt opgevat. De rechtbank zou dergelijk gedrag zelfs kunnen opvatten als minachting voor de rechtbank.'

'Edelachtbare, ik ben al twintig jaar een gerespecteerd advocaat, met een goede naam bij de rechtbank…'

'We zijn in hetzelfde jaar toegetreden, raadsman. Ik hoef geen achtergrondinformatie.'

'Nou, maar volgens mij…'

Ze steekt haar hand op, zo van: hou maar op. Na een poosje zet ze haar bril af en legt die op tafel voor haar.

'Doug, ik wil je niet aan de schandpaal nagelen. Ik wil geen deuk maken in je reputatie, of dit naar ik aanneem eenmalig geval van verkeerd beoordelingsvermogen verschrikkelijk opblazen. Maar ik wil ook niet net doen alsof ik niet merk dat je met dubbele tong spreekt.' Ze leunt naar achteren, zet haar bril op en vouwt haar handen weer. 'Je kunt naar me toe komen zodat ik zelf kan ruiken of je adem naar alcohol stinkt, of je kunt een blaastest ondergaan, als je dat liever doet. In elk geval ga ik pas verder met het behandelen van deze zaak als ik zeker weet dat je in staat bent je cliënt te vertegenwoordigen.'

Douglas Bennett overweegt de mogelijkheden in stilte. Zijn blik is op de tafel gericht. Hij blijft zo lang zwijgen dat als ik niet zou kunnen zien dat zijn ogen open zijn, ik zou vermoeden dat hij in slaap is gesukkeld.

Uiteindelijk haalt hij diep adem, heft zijn hoofd en zegt: 'Dat zal niet nodig zijn.'

De rechter knikt. 'Goed dan. Maandagmorgen wordt meneer wederom voorgeleid, om acht uur. Agent, u mag meneer Callaway meenemen...'

'Edelachtbare,' flap ik eruit, zonder erbij na te denken. Dat is niet waar, ik denk: nee, nee, nee. 'Dit is zeker geen... Mag ik mezelf vertegenwoordigen?'

De rechter kijkt de openbaar aanklager aan, en die haalt zijn schouders op. 'U mag uzelf vertegenwoordigen, meneer Callaway. Maar ik kan het u niet aanraden.'

'Ik wil mezelf graag vertegenwoordigen.'

'Ik neem aan dat u de mop kent over de advocaat die een stomkop van een cliënt had?'

Ik kende de mop over de advocaat die een stomkop van een cliënt had. Bestaat er ook eentje over de cliënt die een stomkop van een advocaat had? Ik weet alleen maar dat ik naar huis wil, niet naar de gewone gevangenis.

'Ik wil mezelf graag vertegenwoordigen.'

'Goed. De rechtbank zal een aantekening maken dat de beklaagde ervoor kiest zich niet te laten vertegenwoordigen door een raadsman.' Ze kijkt me aan alsof ze wil zeggen: ik heb mijn best gedaan. 'Gaat uw gang, meneer Callaway.'

Mijn hart bonkt. Ik voel me alsof ik een op me neer komende bijl heb ontweken, maar het blad hangt nog een paar centimeter boven mijn nek. Ik haal diep adem om mijn zenuwen tot rust te brengen. Het werkt niet.

Dit is wat ik weet: wanneer de politie naar je huis komt om je te arresteren zoals de politie naar mijn huis kwam om mij te arresteren, moet je kalm blijven, je hoofd erbij houden en de tijd nemen om je arrestatiebevel door te nemen. Daarin staat precies waarvoor je wordt gearresteerd, en welke bewijzen de politie tegen je heeft verzameld.

Ik weet niet hoe een typisch arrestatiebevel eruitziet. Het mijne is het eerste dat ik ooit heb gezien. Het beslaat tweeënhalve bladzij, is geschreven in min of meer duidelijke taal, en is min of meer netjes getikt.

Degene die het arrestatiebevel heeft voorbereid, is rechercheur William C. Bell, van de afdeling zedendelicten van de politie van Clark Falls. Het slachtoffer is Brittany Lynn Seward, dertien jaar oud, woonachtig op Sycamore Court 36. De verdachte, woonachtig op Sycamore Court 34, wordt volgend jaar mei achtendertig.

Volgens het document werd rechercheur Bell op de avond van 14 december thuis gebeld door een vroegere collega, de gepensioneerde brigadier bij de politie van Clark Falls, Roger A. Mallory. Na dit telefoontje vervoegde Bell zich op het huisadres van Mallory, alwaar hij Mallory en het slachtoffer ondervroeg in het bijzijn van de vader van het slachtoffer.

Tijdens de ondervraging kwam aan het licht dat het slachtoffer eerder die dag een e-mail had ontvangen. De e-mail bestond uit een kort bericht en was niet ondertekend. Het bericht luidde: wanneer mag ik mijn kerstcadeautje openmaken? Het werd gevolgd door een link naar een site waar afbeeldingen konden worden bewaard en bekeken.

Hier ontdekte het slachtoffer foto's van zichzelf, 'in seksueel uitdagende poses, en op elke afbeelding was de geportretteerde verder ontkleed'. De e-mail was verstuurd vanaf een computer in een cafeetje op het universiteitsterrein. De e-mail bevatte geen informatie over de afzender, maar was afkomstig van een internetaccount op naam van de verdachte. Ook op mijn naam stond de creditcard waarmee voor de account op die site was betaald.

Het ontvangstadres was van een gratis, online e-mailaccount dat het slachtoffer zelf had aangemaakt om de kindveilige software te omzeilen die haar ouders thuis hadden geïnstalleerd om te controleren wat hun dochter op internet uitspookte.

Volgens het verslag was het zien van haar eigen peepshow op internet voor het slachtoffer aanleiding vraagtekens te zetten bij eerdere handelingen met Callaway, hoewel die met wederzijds goedvinden hadden plaatsgevonden. Bang voor de reactie van haar ouders als de foto's door anderen zouden worden gezien, wendde het slachtoffer zich om raad tot Mallory, een buurman en goede vriend.

Aan Mallory biechtte het slachtoffer de aard van haar relatie met de verdachte op. De verdachte was hoogleraar Engelse letterkunde en woonde sinds vijf maanden in Clark Falls. Voornoemde relatie begon toen het slachtoffer boeken van verdachte ging lenen en veranderde op voorstel van de verdachte in een mentoraat op leesgebied, en vervolgens in seksuele intimiteit. Volgens het slachtoffer behelsde deze fase van de relatie fotosessies die resulteerden in de gewraakte opnamen.

Alles wat ik weet, weet de rechter ook al. Háár handtekening staat op het arrestatiebevel. Alles na 'gaat uw gang, meneer Callaway' is nu al wazig. Ik herinner me dat ik van alles tegen de rechter zei, maar nu al weet ik niet meer hoe ik mezelf verdedigde. Ik herinner me dat de openbaar aanklager van alles tegen de rechter zei, maar mijn hersens weigerden dienst na: 'dat kunnen we staven met bewijs'.

Ik moet overtuigend zijn overgekomen. Of keek de rechter eens goed naar me en vond ze me zo bedroevend dat ze me niet beschouwde als iemand die de benen zou nemen? Had de openbaar aanklager het verpest? In elk geval hoef ik niet tot maandagochtend in hechtenis te blijven.

Mijn borg is vastgesteld op tweehonderdduizend dollar, de boete die ik zou moeten betalen als ik word veroordeeld. Omdat ik naast het slachtoffer woon, moet ik voor één uur vanmiddag het pand hebben verlaten. Er is me verteld dat als ik voor het verhoor van volgende week maandag binnen een straal van honderdvijftig meter van Brittany Seward kom, ik weer in hechtenis zal worden genomen, en er dan geen mogelijkheid meer zal zijn om op borgtocht vrij te komen.

Omdat mijn raadsman aangeschoten is komen opdagen, wordt hem minachting voor de rechtbank ten laste gelegd. Hij krijgt een boete opgelegd, en hij wordt gewaarschuwd dat hij bij herhaling verplicht een afkickprogramma naar keuze moet volgen.

En dan zie ik Roger Mallory stilletjes achter in de rechtszaal staan.

Sara is zo geconcentreerd op wat ze moet doen dat ze langs hem heen loopt zonder hem te zien. Hij houdt haar niet staande. Hij doet geen poging haar aandacht te trekken. Hij heeft zijn handen in zijn jaszakken gestoken, en zijn gezicht is uitdrukkingsloos.

Maar ik zie hem wel. En hij ziet mij ook. We kijken elkaar wat een hele poos lijkt aan, en dan doet de bewaker de deur achter me dicht.

In de gang komt Douglas Bennett links van me lopen. Hij houdt zijn blik afgewend. 'Tom, ik moet je mijn verontschuldigingen aanbieden.'

'Verdomme, ik heet Paul.'

'Sorry, Paul.'

'Je bent ontslagen, Doug.'

Als Bennett een staart zou hebben, zat die nu tussen zijn benen. Hij knikt, nog steeds zonder me aan te kijken.

Wanneer ik hem nakijk terwijl hij met die tas over een hangende schouder wegschuifelt door de gang, dringt het tot me door dat daar een man loopt die gebukt gaat onder zijn eigen problemen. Even krijg ik bijna medelijden met hem. En dan herinner ik me weer dat ík degene ben met de handboeien om.

Ik vraag de bewaker: 'Kent u een goede advocaat?'

De bewaker kijkt me ook niet aan. Eerst was hij best vriendelijk, onderweg naar de rechtszaal. Maar nu ik pornografie maak en pedofiel ben, lijkt hij te verlangen naar een andere klus.

Bijna heb ik ook medelijden met hem.

10

Het is een kleurloze ochtend buiten. De straten zijn ongebruikelijk verlaten voor een zaterdag. Rijp bedekt als een broze schors de vlaggenmasten op het plein voor het gerechtsgebouw. De lucht is als een gewelf van een donkere steensoort.

Twee agenten in uniform brengen me thuis zoals ik er twaalf uur geleden ben weggegaan: achter in een patrouillewagen. We komen langs het filiaal van de First State Bank van Clark Falls, waar Melody Seward op weekdagen werkt. Het bord waarop de tijd en de temperatuur wordt aangegeven, is versierd met een guirlande van blijvend groen en veel te grote plukken plastic hulstblaadjes. Het is pas half elf, volgens het bord. En min drie.

Bij het stoplicht voor de kruising van Armstrong en Belmont worden we gepasseerd door een wit busje van Channel Five Clark Falls. Het rijdt voor ons uit in een wolk uitlaatgassen en verdwijnt dan achter de heuvel. Tegen de tijd dat we Sycamore Court in rijden, staat het busje langs het trottoir voor mijn huis op ons te wachten. Ik zie een vertrouwde gestalte in een slank afkledende winterjas met ceintuur. Met de microfoon in de hand is ze blijkbaar met de cameraman aan het controleren of het geluid het goed doet.

'Gefeliciteerd,' zegt de agent aan het stuur achterom. 'Je bent beroemd.'
'Een echte beroemdheid,' zegt de ander.
'Wij boffen maar, hè?'

Ze lijken het leuk te vinden het achterportier open te zetten en te wachten totdat ik uitstap. Wanneer ik in de ijskoude lucht kom, geeft Maya Lamb de cameraman een teken en loopt ze snel over de stoep naar ons toe.

'Meneer Callaway,' zegt ze, 'hebt u nog commentaar op...'

'Nee,' zeg ik.

Ze zwenkt af en neemt positie in een meter of zo bij me vandaan. De cameraman volgt haar, ondertussen druk bezig met het instellen van de lens. De agenten voeren een showtje op wanneer ze met me mee naar het huis lopen.

'Vanochtend bent u aangeklaagd wegens een seksueel misdrijf waarvan uw twaalfjarig buurmeisje het slachtoffer was,' zegt Maya Lamb in de microfoon. 'Wat voor relatie hebt u met het vermeende slachtoffer, meneer Callaway?'

Zonder erbij na te denken flap ik er bijna uit: ze is dertien. Zodra die woorden zich vormen, besef ik dat dit weer hetzelfde trucje is als waarmee Maya Lamb me aan het praten kreeg toen ík het vermeende slachtoffer was.

Ik besef ook dat de feiten er niet meer toe doen. Het is nu Maya Lambs verhaal, niet het mijne. Ik oefen er geen invloed meer op uit.

Sara, die even voor ons is aangekomen, heeft haar auto al weggezet in de garage. Ze komt ons tegemoet op de inrit, stapt tussen mij en de agent links van me in en pakt mijn hand. Haar ogen zijn droog, en afgezien van haar door de kou rood geworden wangen, ziet ze erg bleek. Ze oogt krachtig en zelfbewust. Maar ik kan aan haar zien dat ze heeft gehuild.

'Doctor Callaway,' zegt Maya Lamb, maar dan lijkt ze te beseffen dat ze duidelijker moet zijn. 'Mevrouw Callaway, denkt u dat uw echtgenoot onschuldig is?'

Sara neemt mijn hand tussen de hare en kijkt de agent rechts van me aan. 'Kunt u ze hier weg krijgen, alstublieft?'

Terwijl de agent de ploeg van Channel Five verder over het trottoir stuurt, zie ik een felblauw cijfer 8, omringd door pauwenveren, door de kale bomen op de heuvels schieten. Even later rijdt een tweede busje met satellietschotel het hofje in. Deze is van het aan NBC gelieerde Channel Eight. Daarna komt er nog een zwarte BMW.

Wat is er toch met dit plaatsje? Heeft niemand sinds gisteravond of vanmorgen zijn auto in de poeier gereden, een slijterij overvallen, of is met zijn auto een slijterij in gereden? Is er niets in Clark Falls gebeurd wat voor nieuws kan doorgaan? Wie denken die lui wel dat ik ben? De Boston Strangler of zo?

Nee. Natuurlijk niet. Ik ben de werkloze hoogleraar die tegenover Roger Mallory woont, dat ben ik. Misschien heeft Roger vanochtend in alle vroegte wel zelf een persbericht gefaxt. Op papier met het logo van Veiliger Leefomgeving erop.

De ene agent blijft achter om het verkeer te regelen. Zijn maatje loopt met ons mee over de inrit, en dan om het huis heen naar de zijdeur, uit het zicht van de media.

Op de treetjes draait Sara zich naar hem om en vraagt: 'Waar gaat u heen?'

'Ik ga met u mee naar binnen, mevrouw.'

'Geen sprake van.'

'Zodra uw man een paar spulletjes heeft ingepakt, vertrekken we.'

'Wacht dan maar buiten terwijl hij inpakt.'

De agent doet zijn best beleefd te blijven. Het lijkt een hele uitdaging te zijn, maar hij is een profi. 'Mevrouw Callaway, voor mijn eigen veiligheid en voor die van mijn collega moet ik...'

'Staat mijn man onder arrest?'

Hij recht zijn rug.

'Nou?'

'Nee,' antwoordt de agent. 'Uw man staat niet onder arrest. Maar hij is nog onze...'

'Wacht dan maar buiten,' hoor ik een andere stem.

Iedereen draait zich om om te kijken, maar ik herken die stem zodra ik hem hoor. Wanneer Douglas Bennett naast ons komt staan, kijk ik naar de straat en besef dat de BMW die daar nu staat geparkeerd, van hem moet zijn. Ik vraag me al af of hij misschien iets heeft met theatrale entrees. Hij ziet er nog steeds erg verfomfaaid uit, maar zijn ogen lijken helderder te staan dan twee uur geleden in de rechtszaal. En hij heeft zijn haar gekamd.

De agent vraagt: 'En wie mag u dan wel zijn?'

'Ik ben de raadsman van meneer Callaway.' Bennett laat zijn visitekaartje zien. 'En ik wil u er graag aan herinneren, of u vertellen als u het nog niet wist, dat het gerechtelijk bevel om mijn cliënt hiernaartoe te brengen, niet inhoudt dat u toestemming heeft dit pand te betreden.'

'U meent het.' De agent werpt een blik op het kaartje en krijgt dan pretogen. 'Dus u bent Bennett.'

'Dat klopt.'

'Goh, ik heb net het een en ander over u gehoord.'

'Geweldig. Dan hoef ik me verder niet voor te stellen.' Bennett gaat op de tree pal achter me staan en wuift Sara naar binnen. 'Ik begeleid mijn cliënt verder wel. Zodra hij klaar is, mag u binnenkomen om u zich ervan te vergewissen dat zijn scheerspullen en voorraadje schoon ondergoed geen bedreiging vormen voor uzelf of voor uw collega.'

De agent kijkt Bennett eens aan. Hij glimlacht zuinig. Dan werpt hij een blik op de BMW en vraagt: 'Is dat uw auto?'

'Jawel.'

'Bent u daarin hiernaartoe gereden?'

'Volgens mij hebt u me nog gezien.'

'Mijn patrouillewagen staat daar.' De agent wijst ernaar. 'Als we daar eens naartoe zouden lopen en een beetje zochten, zouden we denk ik wel blaastestapparatuur kunnen opsnorren.'

'Volgens de reglementen zou u die bij zich moeten hebben, dus dat zou me niet verbazen.'

'Zou u even met me mee willen komen om te blazen?'

'Dat zou ik niet fijn vinden.'

'Nee, dat snap ik.'

'Maar uiteraard wil ik aan uw verzoek voldoen, zodra meneer Calla-way heeft gepakt,' zegt Bennett. 'Tenzij u me liever nu wilt laten blazen, terwijl mevrouw Callaway en mijn cliënt binnen bezig zijn.'

De agent glimlacht. 'O, ik kan wel wachten.'

'Excuseer ons dan, alstublieft.'

We gaan de treden op. Eenmaal binnen, uit de kou, laat Sara mijn hand los en loopt rechtstreeks af op het keukeneiland. Daar blijft ze een poos staan met haar rug naar mij en Bennett toe. Uiteindelijk zet ze haar tasje op de aanrecht en trekt haar jas uit.

Ik kijk Bennett aan. 'Had ik jou niet ontslagen?'

'Ja.' Hij haalt zijn schouders op. 'Maar ik stuur geen rekening. Sara, leuk je te leren kennen. Mooi huis hebben jullie.'

Eindelijk draait Sara zich om en zegt: 'Ik weet niet of ik je moet bedan-ken of je het huis uit schoppen, naar al die anderen buiten.'

Bennett knikt alsof hij het begrijpt. 'Ik ben me ervan bewust dat er weinig is wat ik als verdediging voor mezelf kan zeggen.'

'Precies.'

'Toch wil ik graag al het mogelijke doen om jullie de ochtend door te krijgen. In elk geval totdat we geen last meer van de politie hebben. Gezien de omstandigheden sta ik erop.'

'Met uw welnemen, meneer Bennett, ik geloof niet dat u de juiste persoon bent om...'

'Gezien welke omstandigheden?' Ik heb het gevoel dat hij het over iets heel anders heeft dan over het fiasco in de rechtszaal.

Bennett bevestigt met een blik dat hij mijn vraag heeft gehoord, maar gaat er niet op in. 'Zodra Paul ergens is ondergebracht, kan ik jullie doorverwijzen naar een andere advocaat, als jullie dat willen. Ik kan het jullie uiteraard niet kwalijk nemen.'

Tijdens dit gesprek heeft Sara me geen enkele keer aangekeken. Uiteindelijk laat ik Bennett bij de deur staan en loop op haar toe. Ze vertrekt haar gezicht wanneer ik mijn hand tegen haar rug leg. Wanneer ik dichter bij haar kom staan, verstart ze en kijkt met over elkaar geslagen armen naar de aanrecht.

'Sara.'

Zonder een woord te zeggen draait ze zich om en beent de keuken uit, zodat ik achterblijf in de keuken, met mijn hand nog uitgestoken.

Ik luister naar haar voetstappen op de houten vloer. In de verte hoor ik de badkamerdeur zachtjes dichtgaan. Na een poosje laat ik mijn hand zakken.

Zacht schraapt Douglas Bennett zijn keel. 'Volgens het gerechtelijk bevel mag je een kwartier in dit huis zijn.' Hij kijkt alsof het hem spijt dat hij me dat moet vertellen.

Een kwartier.

Sara heeft alles van onze spaarrekening gehaald om de borgsom te betalen waardoor ik hier kan zijn. Voor al dat geld krijg ik een kwartier.

'Het spijt me, Paul.'

Deze keer heeft hij eindelijk mijn naam goed.

Het huis voelt merkwaardig. Vertrouwd en vreemd tegelijk.

Er liggen zwartgeblakerde houtblokken in de open haard, en die ruiken naar as. Her en der op de grond liggen een servetje, een cocktailprikker en kruimeltjes. De overblijfselen van het feestje van gisteren zorgen voor een merkwaardige, eenzame sfeer. Het is bijna alsof het feestelijke geroezemoes nog in de stilte hangt.

Boven ziet mijn werkkamer eruit als een leeggeroofde winkel in kantoorbenodigdheden. Losse kabels hangen van mijn bureau, waar de computer stond. De laden zijn uitgetrokken, de inhoud door elkaar gehaald. Archiefkasten staan open, de inhoud eruit gehaald. De inhoud van de boekenplanken is gedecimeerd. Zelfs de telefoon is verdwenen.

Ik dwing mezelf gevoelens van vernedering te onderdrukken, het gevoel dat ik ben aangerand. Op dit moment wil ik maar één ding weten.

Ik neem even de tijd om door de rommel in de middelste bureaula te zoeken, die al is doorzocht door de politie. Ik ben op zoek naar de creditcard die ik gebruik om spullen op internet te bestellen: boeken, cadeautjes voor Sara, af en toe een doos sigaren. Ik verwacht niet die te vinden, en het verbaast me dan ook niet dat hij er niet is.

Pas wanneer dit vermoeden is bevestigd, besef ik dat er niets is bevestigd. Uiteraard heeft de politie de creditcard meegenomen als bewijs. Ik weet niet eens of mijn MasterCard-account het account is waarover in mijn arrestatiebevel werd gesproken. Dat account zou ik hebben gebruikt om te betalen voor het computergebruik in het cafeetje, en voor de fotosite waar Brit Seward de ster van is. Terwijl ik daar sta in mijn overhoopgehaalde werkkamer, dringt het tot me door dat ik hier niets meer te weten zal komen dan in mijn cel.

Ik haal een koffertje uit de bergruimte in de alkoof en neem dat mee naar beneden. Schone kleren. Tandenborstel. Wekker. Scheerapparaat. Ik heb nog tijd ter waarde van ongeveer tienduizend dollar over.

Sara is in de slaapkamer, ze zit op de rand van het bed. Wanneer ik binnenkom, kijkt ze op. Haar ogen zijn vochtig, en ze zegt: 'Het spijt me zo verschrikkelijk.'

'Sara...'

'Ik geloofde je niet,' zegt ze. Haar stem breekt. 'Je deed je best het me te vertellen. En ik geloofde je niet.'

Ik ga naast haar zitten. Ze verbergt haar gezicht in mijn hals en zegt weer: 'Ik geloofde je niet.'

Negen minuten. Acht.

'Als je me wel gelooft,' zeg ik uiteindelijk, 'weet je dat dit gelogen is. Dat weet je toch, hè?'

Ik voel dat ze knikt. Maar ze zegt niets.

Mevrouw Callaway, gelooft u in de onschuld van uw man...

'Sara, kijk me eens aan?'

Ze kijkt me aan. Haar ogen zijn rood en staan vol tranen.

'Er is niets gebeurd. Die foto's waarover ze het hebben... Die zijn niet echt. Zeg alsjeblieft dat je dat weet.'

'Natuurlijk zijn ze niet echt.' Weer sluit ze haar ogen. 'Natuurlijk niet.'

'Er is niets gebeurd.'

'Maar waarom dan?' Ze staat op en loopt een paar stappen. 'Waarom zegt ze dat dan?'

'Het ligt aan Roger, godverdomme.' Nog vijfduizend dollar. Ik prop zo veel mogelijk kleren in het koffertje, en zorg dat er genoeg plaats overblijft voor het stapeltje gedeeltelijk gelezen boeken op het nachtkastje. 'Die gestoorde rotzak zit erachter.'

'Maar Paul, waarom?' vraagt ze. 'Om je terug te pakken voor iets? Denk je dat het zo in elkaar steekt?'

Ik denk aan de oplader van mijn mobieltje, en herinner me dan dat mijn mobieltje ook als bewijsstuk in beslag is genomen.

'Maar dat was allemaal weken geleden,' zegt Sara.

Iets meer dan veertien dagen geleden, eigenlijk. Meer niet. Ik doe geen moeite dat recht te zetten.

'Je hebt je excuses aangeboden,' zegt ze. 'Waarom zou hij dan nu nog zoiets doen?'

Er zijn dingen die ik Sara niet heb verteld. Ik besef dat ik haar die nu wel moet vertellen. Bij die gedachte word ik onpasselijk.

'Het doet er niet toe waarom hij het doet,' zegt ze. 'Het gaat erom hoe hij het heeft gedaan. Paul, ik snap er niks van.'

Ik rits het koffertje dicht. Een nieuwe tandenborstel en een nieuw scheerapparaat kan ik best kopen.

'We moeten gaan,' zeg ik. 'Voordat ze traangasgranaten door de ramen gooien of zoiets.'

Douglas Bennett wacht op ons in de keuken. Hij zit waar ik hem had achtergelaten: aan het keukeneiland, met een pot koffie binnen handbereik, en voor hem een mok van Dixson College met een barst erin. Een kwartier geleden was de koffiepot nog halfvol. Nu is die leeg. Rondom de mok liggen wat eruitzien als snoeppapiertjes.

'Goed getimed,' zegt Bennett, die iets kapotbijt. 'Ik zal agent Blaastest zeggen dat we klaar zijn.'

Ik kijk naar hem terwijl hij opstaat, de papiertjes pakt en ze verfrommelt. 'Een beetje te laat voor pepermunt, vind je niet?' zeg ik.

'Veel te laat.' Hij glimlacht. 'Daarom ben ik even langs de drogist gereden om deze actieve kooltabletten te halen.'

In de loop der jaren heb ik studenten al veel dubieus klinkende recepten horen uitwisselen om een blaastest te slim af te zijn, maar dit hoor ik voor het eerst. 'Werkt dat?'

'Ik heb geen flauw idee.' Bennett overhandigt Sara een visitekaartje, net zo een als die hij aan de agent buiten heeft gegeven, alleen staat hier op de achterkant iets in zwarte inkt gekrabbeld. 'Sara, stel dat ze me in hechtenis nemen, wil je dan het nummer bellen dat hier staat, en vertellen wat er is gebeurd?'

'Oké.'

Bennett bedankt haar en knoopt zijn jas dicht. 'Paul, ik heb mijn kantoor opdracht gegeven een kamer met keukenblok te reserveren in de Residence Inn. Zolang het gerechtelijk bevel van kracht blijft, draait de firma voor de onkosten op. Als je dat niet erg vindt.'

Ik weet niet goed wat ik moet zeggen. Vind ik dat erg? Eigenlijk wil ik liever weten wat hij bedoelde met de 'omstandigheden' waarover hij het daarnet had.

'Dat is aardig van je,' zegt Sara.

'Och...' Bennett neemt nog een actieve kooltablet en stopt het papiertje in zijn zak, bij de andere. Met zijn andere hand gebaart hij naar de deur. 'Zullen we dan maar?'

De agent buiten heft net zijn hand om aan te kloppen wanneer Bennett de deur opendoet. Met een lachje zegt Bennett: 'Kom maar binnen, hoor.'

Het afgelopen kwartier is Sycamore Court in een circus veranderd.

Roger Mallory lijkt aan de overkant van het veldje een eigen persconferentie te houden. Omdat de andere grote zenders vanuit Sioux City opereren, vertegenwoordigen Channel Five en Channel Eight alle nieuwszenders in Clark Falls. Ik ben een primeur.

Samen met de televisiebusjes is er nog een patrouillewagen gekomen.

Nog een uniform op de plaats delict. Twee huizen verder zie ik Barry Firth op de veranda staan kijken. Aan de overkant staat Michael Sprague op zijn inrit. Zelfs van deze afstand ziet hij er lichamelijk gekweld uit.

Volgens het gerechtelijk bevel moet ik door de politie van hier worden gebracht naar de hotelkamer waarover Bennett het had. Dus wederom de kou in en naar de patrouillewagen. Deze keer trek ik het koffertje op wielen achter me aan, en loopt Sara aan mijn ene kant en de agent aan mijn andere. Douglas Bennett vormt weer de achterhoede.

Wanneer we halverwege de inrit zijn gekomen, roepen Maya Lamb en haar rivaal van Channel Eight vragen in mijn richting. Klopt het dat ik golf speel met de vader van het slachtoffer? Hoeveel heb ik het slachtoffer betaald om bij mij thuis te werken? Wanneer heeft de universiteit besloten mijn contract niet te verlengen? Waarom heb ik bedankt voor de vrijwillige buurtwacht?

Plotseling roept Sara boven de vragen uit: 'Hé!'

Haar hand glipt uit de mijne. Wanneer ik opkijk, zie ik dat de agent haar bij de schouders heeft gepakt. Hij heeft haar al een heel eind verder geduwd, terug naar het huis.

Ik hoor een van de agenten aan het eind van de inrit zeggen: 'Meneer!' Eerst denk ik dat hij het tegen mij heeft. 'Meneer, blijf daar staan!'

En dan zie ik Pete.

Hij is uit zijn huis gekomen en heeft bijna het mijne bereikt. Hij beent met grote passen over het gazon tussen onze huizen, met gebogen hoofd en gespannen schouders.

'Meneer.' De agent heft zijn hand. 'Gaat u maar weer terug, oké?'

Een paar meter van onze inrit vandaan gaat Pete rennen. Zijn ogen zijn bloeddoorlopen. Zijn adem komt in wolkjes uit zijn neus en zijn mond. Hij ziet eruit als een stier die klaar is om de aanval in te zetten.

Onze agent blijft bij Sara in de buurt. De nieuwe blijft bij de pers. De overgebleven agent, degene die ons hiernaartoe heeft gereden, loopt in snelle pas onze inrit op. Met zijn ene hand geeft hij Pete het stopteken, zijn andere hand brengt hij naar de gummistok aan zijn riem. 'Meneer.'

'Pete! Hou op!' Dat is Melody, die vlak achter haar man aan rent, met haar armen om zichzelf heen geslagen.

Ik hoor nog een stem. 'Pete, effe dimmen.' Dat is Roger, die met zijn handen in zijn jaszakken via het veldje onze richting uit komt. Hij schijnt geen haast te hebben.

Pete negeert hen allebei. Of misschien hoort hij hen niet. Hij maakt een schijnbeweging naar links en gaat naar rechts, en daar heeft de agent niet van terug.

'Al die tijd?' Hij is vier stappen van me verwijderd wanneer hij dat zegt, en ik zie zijn ogen vuur schieten. 'Al die tijd?'

Nee, wil ik zeggen. Jezus, Pete, nee. Maar hij staat al voor me voordat ik de kans krijg.

Het volgende wat ik zie, is de grauwe hemel. En dan het trottoir.

Ik weet nauwelijks wat wat is. Het lijkt alsof mijn organen zijn ontploft, ik voel me alsof ik ben aangereden door een auto. Ooit zat Pete in het footballteam van Iowa State. Vleugelverdediger, als ik het me goed herinner. Nu duwt hij met zijn onderarm de zijkant van mijn gezicht zowat in mijn eigen inrit.

'Al die tijd?' Spetters warm speeksel raken me in mijn gezicht. Pete heft zijn arm, en eerst denk ik dat hij me overeind wil trekken. In plaats daarvan laat hij zijn elleboog neerkomen, en zie ik sterretjes als mijn hoofd tegen het beton knalt. 'Al die tijd, verdomme?'

Ergens heel ver weg schreeuwt Melody dat hij moet ophouden. Sara schreeuwt naar de agenten. Pete schreeuwt tegen mij.

Ik zie schoenen. Ik hoor gekreun en gevloek. Ik voel dat de agenten Pete van me af trekken. Wanneer ik mijn ogen open, zie ik eerst niet bijster veel. Mijn ogen lijken niet goed samen te werken.

Ik vang een wazige glimp op van Sara, die zich langs de agent die haar vasthoudt probeert te wringen. Ik zie steeds helderder. Ik zie Douglas Bennett. Hij heeft ergens een videocamera vandaan gehaald en hij neemt dit allemaal op, samen met elke nieuwszender in Clark Falls. Ik zie Roger, die zich afzijdig houdt en kalm de commotie in ogenschouw neemt.

Het laatste wat ik zie, is Pete, zijn gezicht verwrongen van een pure haat die hem is verhinderd te uiten. Hij maakt een schoppende beweging met zijn voet wanneer ze hem wegsleuren.

Vijf maanden na mijn ervaring met de wolf, in de nacht dat we hier kwamen wonen, heb ik nog een verdikkinkje op mijn jukbeen. Dat zie je niet, je kunt het alleen voelen. Het is nog kleiner dan een erwt, maar het doet flink pijn als je erop duwt.

Pete boft dat hij me met de neus van zijn schoen precies op dat plekje raakt. De kans dat dat gebeurt, is belachelijk klein. Als hij het echt had geprobeerd, was het hem waarschijnlijk niet gelukt. Zelfs door de als een bliksemflits door me heen schietende pijn heen, voel ik me vagelijk beschaamd. Het is vernederend om tegen de grond te worden gewerkt en te worden geschopt als een hond.

Maar wat heb ik voor keus? Zelfs als ik de wilskracht kon opbrengen om me tegen mijn vriend Pete te verzetten, ben ik geen vechtersbaas. Wanneer ik zijn in een sportschoen gestoken voet op me af zie komen, ben ik zo sullig om niet weg te rollen.

Ik ben niet zo'n gozer uit de thrillers waarop ik gesteld ben geraakt. En ik ben al helemaal niet de gewone man uit de buitenwijk die de insluiper die zijn vrouw overviel met een golfclub het huis uit sloeg, zoals Maya Lamb me portretteerde de vorige keer dat ik op het nieuws was. Niet echt.

Ik ben academicus. Een nerderige tiener, altijd met zijn neus in de boeken, die nu gevangenzit in het lichaam van een volwassen man. Voordat ik een voet in Clark Falls zette, was de enige keer in mijn volwassen leven dat ik bijna bij een gevecht werd betrokken toen ik Charlie Bernard uit een bar in een buurt in de South Bronx laveerde, en we hadden niet zo stom moeten zijn daar naar binnen te gaan.

In vijf maanden tijd ben ik twee keer in mijn gezicht getrapt. Door twee verschillende personen. Beide keren in hetzelfde oog. En in eigen huis en tuin, nog wel.

Omdat ik academicus ben, valt het me op dat er een eenheid van plaats is voordat ik in een donker gat lijk te vallen.

11

Toen ik begin twintig was, trouwde ik met een danseres. Ze heette Elinor en was vernoemd naar haar grootmoeder van vaderskant, maar iedereen noemde haar Ellie, wat beter bij haar paste. We leerden elkaar kennen via een ingewikkeld netwerk van huisgenoten dat zich uitstrekte van het appartement in de East Village waar ik met vier andere jongens woonde, tot het herenhuis aan de Upper West Side dat Ellies ouders voor hun enige dochter hadden gehuurd, en waar ze woonde met twee vriendinnen van haar vroegere middelbare school in Connecticut.

Ik was toen net bezig met mijn promotieonderzoek aan NYU. Zij had net de rol gekregen van The Sister in een heropvoering van *The Catherine Wheel* in een off-Broadway-productie. Ze had geweldige kuiten en een onthutsende lach. Ik maakte grapjes waar ze om moest lachen.

Ellie en ik maakten elkaar bijna zeven maanden het hof. In die periode vond een typisch voorbeeld van natuurlijke selectie in Manhattan plaats: alle zes leden van het huisgenotennetwerk verdwenen om de een of andere reden uit beeld, zoals personages in een boek van Agatha Christie.

Ze stelde voor dat ik bij haar zou intrekken, en iets anders kon ik me financieel niet veroorloven. Toen Marshall Lockhart, een van de Bridgeport Lockharts, er lucht van kreeg dat zijn kleine meid met een kerel hokte, dreigde hij de huursubsidie stop te zetten tot er iets was geregeld.

Bijna bij wijze van grap vroeg ik haar ten huwelijk. Bijna op dezelfde manier zei ze ja. Onze bruidstaart was versierd met een fonteintje, maar aan onze scheiding kwamen nauwelijks fonteinen van tranen te pas. Aan het eind van ons huwelijk kwamen we vermoeid tot de conclusie dat het nog een wonder was dat we het twee jaar hadden volgehouden.

Toen ik na verloop van tijd in Boston universitair hoofddocent in de Amerikaanse letterkunde werd, was ik achter in de twintig en al vijf jaar gescheiden. Op mijn leeftijd was Sara al hoogleraar in de economie en sinds drie jaar gescheiden.

Als je het Sara zelf zou vragen, zou ze zeggen dat ze als jonge twintiger te hard van stapel liep, en haar huwelijk met Charlie Bernard was daar het bewijs van. Ze zou zeggen: we leerden elkaar kennen tijdens het interfacultaire softbaltoernooi. We waren allebei bezweet en zaten onder het vastgeplakt stof. Economie had Letterkunde verslagen met 12-2. Nadat ik een zeer aangeschoten Charlie Bernard naar huis had gereden, belandden we samen onder de douche.

Zelfs mijn moeder snapt niet dat ik dikke maatjes ben gebleven met de ex van mijn vrouw. Ik heb mijn best gedaan uit te leggen dat ik al maatjes was met Charlie nog voordat ik Sara had leren kennen. Eigenlijk had Charlie in zijn merkwaardige wijsheid ons aan elkaar gekoppeld. Maar dat kunnen mensen zoals mijn moeder niet begrijpen, dus doe ik geen moeite meer het uit te leggen. De waarheid zit heel eenvoudig in elkaar: we waren volwassen toen we elkaar leerden kennen, Sara en ik. We hadden een verleden. En we waren stapeldol op elkaar.

Lang. Intelligent. Ongeduldig. Aardig. Hartelijk. Vastberaden. Vegetariër. Al die woorden zijn op Sara van toepassing, en er zijn er nog veel meer. Deze zich steeds verdiepende concordantie van ons gezamenlijke leven is vanaf het begin mijn lievelingsboek. Ik geniet nog steeds van haar op een manier zoals je wel aantreft in liefdesromannetjes.

En nu moet ik beginnen aan het gedeelte van het verhaal waardoor ik hier ben beland, in dit van een donkere lambrisering voorziene kantoor van een alcoholische advocaat in de Midwest, waar we in bij elkaar horende leren stoelen zitten, gescheiden door een tafeltje met een lamp erop.

We zijn hiernaartoe gegaan rechtstreeks vanaf mijn tijdelijk thuis, de kamer met keukenblok in de Residence Inn. Ik weigerde naar de eerstehulppost te gaan om me te laten checken op een hersenschudding of zoiets. Douglas Bennett is het gelukt om onder arrestatie uit te komen, en heeft iets aangetoond door dat risico te nemen. Wat hij precies heeft aangetoond, weet ik nog niet goed, maar voorlopig vinden Sara en ik het allebei best om hem als raadsman aan te houden. Eigenlijk zou ik nog wel bewusteloos op het trottoir willen liggen.

'Een paar weken geleden beschuldigde Paul Roger ervan dat hij ons bespioneerde,' zegt Sara. 'Daar draait dit allemaal om. Dat weet ik zeker.'

'Bespioneren,' zegt hij. 'Hoe deed hij dat dan?'

'Ik betrapte hem erop dat hij ons vuilnis doorzocht.'

'Je hebt Roger Mallory jullie vuilnis zien doorzoeken?' Bennett kijkt me nauwlettend aan. 'Wanneer?'

'Eigenlijk heb ik hem dat niet zien doen,' antwoord ik. 'Maar ik zag bij hem binnen een van de afschriften van onze creditcard. Ik verscheur die altijd. Hij had hem uit onze vuilnisbak gehaald en aan elkaar geplakt.'

'Roger beweerde dat hij de snippers op vuilnisophaaldag in zijn tuin had aangetroffen,' zegt Sara.

'En ze aan elkaar heeft geplakt.'

Bennett legt een voet op het leistenen blad van de salontafel. 'En jij hebt hem daarop aangesproken, Paul?'

'Dat zou je kunnen zeggen.'

'Wat gebeurde er dan?'

'Ik heb de politie gebeld,' zeg ik. 'Die is gekomen, en ze hebben naar ons allebei geluisterd, en hem toen gevraagd of híj een aanklacht tegen míj wilde indienen.'

'Hij vertelt niet alles,' voegt Sara er gauw aan toe. 'Er waren nog andere dingen, afgezien van dat afschrift. Daarom belde Paul de politie.'

Douglas Bennett vraagt: 'Wat voor dingen?'

'Roger Mallory is verdomme zo gek als een huis.' Ik laat het verkoelende gelpack zakken dat Bennett me gaf toen we hier aankwamen. Waarom heeft een advocaat ijskompressen in zijn kantoor? Waarom heb ik die voortdurend nodig? 'Die kerel heeft videocamera's gericht staan op alle huizen. Hij heeft archiefkasten vol troep.'

'Wat bedoel je precies met "troep"?'

'Geheime informatie over de buren. Over ons.' Ik smijt het gelpack op tafel, waar het met een doffe klap op neerkomt. 'Hij heeft onze achtergrond nagetrokken, hij heeft de gegevens van ons telefoongebruik, hij heeft foto's. Hij heeft videobanden vol. Alles gerubriceerd onder het adres. Iedereen in het hofje heeft een eigen dossier. We staan daar verdomme onder toezicht.'

De uitdrukking op Sara's gezicht terwijl ik aan het woord ben, is er eentje van bezorgdheid, vermengd met iets van schaamte. Alsof ze beseft hoe dit moet klinken. Alsof ze verwacht dat Douglas Bennett net zo zal reageren als de politie. Een reactie die je van vrijwel iedereen zou kunnen verwachten.

Maar Bennett luistert slechts. Hij neemt het in zich op. Na een poosje houdt hij zijn hoofd schuin. 'Even terugspoelen.'

'Tot waar?'

'Tot het moment dat je dat afschrift van je creditcard vond.' Hij leunt naar achteren op de bank, en het donkerbruine leer kraakt. 'Hoe kwam het dat je dat afschrift in het huis van Roger aantrof?'

'Die vraag had ik mezelf moeten stellen voordat ik de politie belde.'

'We weten dat het raar klinkt,' zegt Sara. 'Roger zorgde ervoor dat Paul werd aangezien...'

'Voor een halvegare idioot?' zegt Bennett.

'Voor een stomme klootzak,' zeg ik. 'Roger zorgde ervoor dat Paul werd beschouwd als een aan achtervolgingswaanzin lijdende klootzak.'

'Paul,' zegt Sara, 'dat is niet wat ik wilde zeggen...'

'Rancuneus ook nog. Een rancuneuze, aan achtervolgingswaanzin lijdende klootzak.' Ik kijk haar aan en weet een flauwe glimlach op te brengen. Dat is niet veel, dus steek ik mijn hand over het tafeltje met de lamp naar haar uit. Sara pakt mijn hand. Zo zitten we daar, behoorlijk ongemakkelijk met onze ellebogen gehaakt en onze vingers verstrengeld.

Ze kijkt Bennett aan en zucht eens diep. 'We beseffen dat het mal klinkt.'

Maar we zijn nog niet bij het waanzinnige gedeelte aangeland. Zelfs Sara moet dat beseffen.

Hoe kan ik haar dit aandoen?

Bennett zit daar heel rustig, zijn blik lijkt gevestigd te zijn op iets in de verte.

Na een lange stilte staat hij op en loopt door het kantoor. In een nis met boekenplanken tot aan het plafond staat een groot, notenhouten bureau. Daar blijft Bennett staan en steekt zijn hand uit naar een paar ingelijste foto's op de hoek. Hij kiest een van de foto's uit, draait het lijstje om en om en kijkt er een poosje naar. Dan komt hij terug naar de zithoek.

'Mijn zoon,' zegt hij wanneer hij de ingelijste foto aan Sara overhandigt. 'Eric.'

Sara neemt de foto aan.

Bennett gaat weer zitten. 'Het is een oude foto. Daar is hij iets van dertien of veertien. Waarschijnlijk net iets ouder dan Brit Seward.'

'Knappe jongen,' zegt Sara.

'Mijn vrouw zegt dat hij op mij lijkt. Misschien is er daarom altijd wel wat met hem, sinds die foto is genomen.' Bennett kijkt terwijl Sara me de foto laat zien, en hem daarna voorzichtig op de tafel legt, het portret naar boven. 'Drugs.'

'Dat moet heel naar voor je zijn,' zegt ze.

'De afgelopen vijf maanden zit hij in een heropvoedingskamp in Colorado. In Erics geval is dat zijn laatste kans, de volgende keer wordt het de gevangenis. Binnenkort wordt hij achttien, ik kan niet veel meer voor hem doen. En echt, ik heb alles gedaan wat ik kon.'

Sara kijkt me aan, maar ik houd mijn blik gevestigd op Douglas Bennett. Ik vraag me af waarom hij dit moment heeft gekozen om ons over zijn zoon te vertellen.

'Bikkelhard,' zegt Bennett. 'Dat kamp waar we hem naartoe hebben gestuurd. Wekenlang heeft hij ons boze brieven gestuurd.'

Sara knikt beleefd. 'Het kan niet fijn zijn geweest die te lezen.'

Bennett knikt bevestigend op die meelevende opmerking van Sara. 'Cheryl heeft twee maanden lang aan één stuk door gehuild. Maar dat ligt nu achter ons. De laatste drie maanden… We zijn in september op bezoek geweest. Hij leek aardig opgeknapt. Hij durfde ons in de ogen te kijken. De instructeurs zeiden dat hij goed zijn best deed op het leerwerk, en dat hij zich aanbiedt als vrijwilliger wanneer er iets moet worden gedaan. Dat hij het heeft gehad over een vervolgopleiding wanneer hij naar huis mag. Ik weet het niet, hoor.' Hij kijkt weer naar de foto van het joch met een beugel. 'Misschien waren we nog net op tijd.'

Ik ben oprecht blij voor Eric Bennett. Ik vind het niet vervelend om naar dit verhaal over hem te luisteren. Het klinkt of nu de wat opgewektere hoofdstukken aan bod komen. Maar ik wacht nog steeds af.

'Hoewel ik misschien op ontelbare manieren als vader heb gefaald,' zegt Bennett, 'en ondanks de indruk die jullie vanmorgen in de rechtszaal misschien van me hebben gekregen, is het toch zo dat ik een van de twee of drie bestbetaalde advocaten van Clark Falls ben.'

Sara zegt: 'Meneer Bennett...'

Hij steekt zijn hand op. 'Doug. Vergis je niet, ik wil mezelf geen lof toezwaaien. Ik zet alles alleen even in context.'

Op dat moment lijkt de foto op tafel hem te storen. Hij zet hem terug waar hij hoort, op de hoek van zijn bureau. Vervolgens komt hij terug en gaat weer zitten.

'In een plaatsje van dit formaat weet bijna iedereen die iets met justitie te maken heeft van de problemen van Eric, de zoon van een van de bestbetaalde advocaten van Clark Falls, zoals jullie je vast wel kunnen voorstellen. De kinderen van de tandarts hebben de meeste gaatjes, zoiets.'

'Ik wil niet gevoelloos overkomen,' zeg ik uiteindelijk. 'Maar waarom vertel je ons dit?'

'Twintig jaar geleden, nog voordat Eric werd geboren, heb ik met succes een cliënt verdedigd. De details van de zaak doen er niet toe, maar tijdens dat proces was een agent die Van Stockman heette de kroongetuige. Helaas voor de openbaar aanklager kon ik mijn cliënt vrij krijgen vanwege de vormfouten die Stockman tijdens de arrestatie had gemaakt.' Hij maakt een wegwuivend gebaar. 'Ik vertel jullie dit alleen maar om uit te leggen hoe ik Van Stockman leerde kennen. En hoe ik weet dat Van Stockmans toenmalige mentor...'

'Roger Mallory was.'

Bennett lijkt onder de indruk te zijn wanneer ik dat zeg.

Sara lijkt geschokt. Ze kijkt me aan, zo van: hoe weet jíj dat nou?

Ik krijg kippenvel wanneer ik aan Roger denk in zijn vroegere bestaan, gehuld in uniform, net zoals de jonge agent die me gisteren voor mijn huis handboeien omdeed.

'Ik ken hem,' zeg ik.

'Hoe dan?'

Dat laat ik voorlopig in het midden. Ik leg alleen maar uit dat Clair Mallory's meisjesnaam Stockman was. Dat Roger was getrouwd met de oudere zuster van zijn collega op de patrouillewagen, hetgeen Van Stockman niet alleen tot zijn ondergeschikte maakte, maar ook tot zijn zwager. En natuurlijk tot de oom van Brandon.

'Dat klopt,' zegt Bennett.

'Maar wat heeft Stockman te maken met...'

'Nadat ik je gisteravond had gesproken in je cel, werd ik tot op een afstand van anderhalve kilometer van mijn huis gevolgd door een patrouillewagen van de politie van Clark Falls.'

'Gevolgd?'

'Op een gegeven moment moest ik mijn auto aan de kant zetten. Aan de North River Road, waar geen straatverlichting is, en op dat tijdstip nauwelijks enig verkeer. De agent die naast mijn raampje kwam staan, scheen met een zaklamp in mijn ogen en vroeg naar mijn rijbewijs en autopapieren.'

'Je werd gevolgd.'

'Nadat hij mijn rijbewijs had gezien, verontschuldigde hij zich voor het ongemak. Hij liet merken dat hij me herkende. Hij veronderstelde dat ik misschien terugkwam na een late afspraak met een cliënt. Hij zei dat ik maar voorzichtig naar huis moest rijden.' Bennett leunt achterover. 'Toen ik het raampje weer omhoog draaide, vroeg hij naar mijn zoon.'

Sara trekt haar hand terug en gaat rechtop zitten.

'Hij klikte de zaklamp uit, en toen herkende ik hem pas. Hij is nu brigadier Van Stockman. Twintig jaar ouder en twintig kilo zwaarder. Blijkbaar is hij die twintig jaar nooit uit die patrouillewagen gekomen, maar ik herkende hem toch. En volgens mij was dat ook de bedoeling.'

'Jezus...'

'Hij zei dat hij had gehoord dat Eric binnenkort zou thuiskomen. Hij zei: "Ik hoop maar dat hij zich gedeisd houdt."'

'Jezus...'

'Hij zei dat het schandalig zou zijn als een kinderverkrachter – zo zei hij dat – vrij zou mogen rondlopen terwijl een jongeman als Eric in de gevangenis zou terechtkomen.' Bennett legt zijn gevouwen handen in zijn schoot. 'Toen wenste hij me een prettige avond, en slenterde terug naar zijn patrouillewagen.'

'Jezus!' Ik kijk Sara aan. De kleur is uit haar gezicht verdwenen. 'Je was zeker wel...'

'Eerst was ik kwaad. Nee, razend.'

'Wat gebeurde er toen je een klacht indiende?'

'Een klacht?'

Meent hij dat nou? 'Jezus, Bennett, je laat hem daar toch niet mee…'

'Mag ik je iets vragen?' zegt Bennett tegen mij. 'Wat gebeurde er toen je de politie belde nadat je persoonlijke documenten had aangetroffen in het huis van Roger Mallory?'

Ik geef niet eens antwoord op die vraag. Bennett kent het antwoord toch al.

'Dus we zijn het daarover eens,' zegt hij, 'dat hoewel we allebei iets anders hebben gestudeerd, we weten hoe het er in de wereld aan toegaat.'

Dit is ongelooflijk. 'Je wilt toch niet zeggen dat…'

'Ik wil zeggen dat ik al in twee jaar geen druppel meer heb gedronken,' zegt Bennett. 'Twee jaar en zevenentwintig dagen, om precies te zijn. Al die tijd bewaarde ik een fles Johnnie Walker Black in mijn werkkamer thuis. Cadeautje van een cliënt, dat ik nooit heb opengemaakt. Uit sentimentele overwegingen.' Hij kijkt me aan. 'Om de waarheid te zeggen, Paul, ondanks mijn woede dat ik zo openlijk werd bedreigd – dat mijn zoon werd bedreigd, anderhalve kilometer bij mijn huis vandaan – had ik al besloten jouw zaak niet op me te nemen, nog voordat ik het zegel van die fles verbrak. Om de waarheid te zeggen was ik die ochtend helemaal niet van plan om naar de rechtszaal te komen.'

Nu kijkt hij Sara aan.

'Wat ik hiermee wil duidelijk maken,' zegt hij tegen haar, 'is dat jullie je vanaf dit moment geen zorgen hoeven te maken over hoe krankzinnig iets klinkt wat jullie me over Roger Mallory willen vertellen.'

Voor de eerste keer sinds de politie gisteravond op de stoep stond, kijkt Sara echt bang. Ik geloof niet dat ik haar ooit zo heb zien kijken. Zelfs niet op die avond dat er een onbekende ons huis binnenkwam en haar overviel in ons bed. Niet zo bang als nu.

'Godallemachtig,' zegt ze.

Daar heb ik niets aan toe te voegen.

Bennett zegt: 'Vertel me nu maar eens hoe het kwam dat je je afschrift van je creditcard aantrof in Mallory's huis.'

Ik voel me als verdoofd.

'Paul?'

'Daar is het niet mee begonnen,' zeg ik. Ik wil Sara om vergiffenis vragen voordat ik verder nog een woord uitbreng.

'Wat is er dan gebeurd?'

Ik ben aan zet.

Vrijwillige spionnen

12

In plaats van 'hallo' zei Charlie Bernard: 'Heb ik dat gisteren nou goed gehoord?'

'Ha, Charlie.' Ik hield de hoorn met mijn schouder tegen mijn oor geklemd terwijl ik mijn schoenveters strikte. 'Wat heb je al dan niet goed gehoord?'

'Toen ik gisteravond belde, hoorde ik dat je niet thuis was.'

'Sorry dat ik je heb gemist. Sara had al verteld dat je had gebeld.'

'Ik wil graag bevestiging van het volgende: hoorde ik dat nou goed, dat je de ronde deed?'

Zelfs mij klonk dat raar in de oren. Maar wat moest ik zeggen?

'Ik vraag me af,' zei hij, 'wat dat te betekenen heeft.'

'Ik ben lid geworden van de buurtwacht. Heeft Sara dat niet gezegd?'

'De buurtwacht.'

'Met hesje en al.'

'Je houdt me voor de gek.'

'Een hesje en een portofoon. En een verdomd goede zaklamp.' Voor de inbraak bij ons had ik samen met Charlie vaak de draak gestoken met het de ronde doen door een provinciale buitenwijk met het logo van de buurtwacht op mijn borst.

Zelfs na de inbraak vond ik het nog een beetje een absurd idee. Maar na het hartelijke welkom van de buren, en hun steun, vond ik het onaardig om niet mee te doen met de buurtvereniging. En toen ik daar eenmaal lid van was, kon ik of meedoen met de buurtwacht, of de enige klootzak van het hofje zijn die het te veel moeite vond om met de andere mannen over de veiligheid van de buurt te waken. Nadat we waren verhuisd naar dit verre oord, had ik niet meer voldoende energie over om een beetje behoorlijke klootzak te zijn.

'Op een dag,' zei ik tegen Charlie, 'word ik misschien wel blokoudste.'

Stilte. Dan: 'U spreekt met Charles Bernard. Ik ben op zoek naar mijn vriend Paul. Paul Callaway. Heb ik misschien het verkeerde nummer gedraaid?'

Ik lachte. 'Oké, ik geef het toe. Een paar avonden per week maak ik een ommetje onder het genot van een sigaar.'

'En met een portofoon onder handbereik zeker?'

'Zo erg is het anders allemaal niet, hoor. We kijken of alles in orde is met de bejaarde buurtbewoners, en na tienen jagen we jongeren het park uit. Als het na middernacht is en er staat ergens een garagedeur open, bellen we aan om te waarschuwen.'

'Mag ik Paul Callaway even spreken?' zei Charlie.

'Blijf aan de lijn, dan kijk ik of hij er is.' Ik haalde de hoorn even weg bij mijn oor en drukte hem er toen weer tegenaan. 'Hij zegt dat hij terugbelt als uw vrouw is overvallen.'

'Ik heb geen vrouw.'

'O ja.'

'Die vrouw met wie jij bent getrouwd, heeft me te gronde gericht.'

'Ze kan meedogenloos zijn,' beaamde ik. 'Waarschijnlijk zou je niet met haar mentor in bed hebben moeten duiken.'

'Ik had geen keus. Mijn handen waren gebonden.'

'Soms kan iets niet worden voorkomen.'

'Om precies te zijn: mijn handen zaten in de boeien.' Zijn stem klonk weemoedig, maar toen kwam hij weer ter zake. 'Nu we het er toch over hebben, vertel eens: hebben jullie speciale buurtwachthandboeien bij jullie?'

'Geen idee. Ik ben nog in opleiding.'

'En een vuurwapen? Ooit zul je toch zeker iemand moeten neerschieten?'

'Volgens mij moeten we ze neerslaan met onze zaklamp en dan de politie bellen,' reageerde ik. 'We zijn maar vrijwilligers.'

'Nou houd jij mij voor de gek,' zei Charlie. 'Wat gebeurt er als je een halvegare tegen het lijf loopt die stijf staat van de cappuccino en die weigert het gras te maaien? Wat heb je dan aan een mooie zaklamp?'

'Ze zeggen dat je het van situatie tot situatie moet bekijken, Charlie.'

Aan de andere kant van de lijn klonk een diepe zucht. 'En iedereen wordt omgeven door een buurt vol vrijwillige spionnen.'

Een citaat. Bij Charlie is dat altijd een teken dat het gesprek taant. 'Wie zei dat?'

'Jane Austen.'

'Ik dacht dat je de pest had aan Jane Austen.'

'Dat maakt juist duidelijker wat ik wil zeggen.'

Ik bekeek mezelf in Sara's spiegel en voelde me volslagen belachelijk. Een korte kaki broek, een poloshirt, een oud stel gympen. Die korte broek en dat poloshirt had ik moeten kopen. Mijn benen hadden geen zonlicht meer gezien sinds het softbalteam van Dixsons faculteit Engels was opgeheven. 'Nou, dit was een boeiend gesprek,' zei ik. 'Maar over een half uur moet ik afslaan.'

'Afslaan?'

'Op de club.' Ik kon het niet laten. 'Een paar kerels van de buurtwacht zijn daar lid van. Ik mag mee als introducé.'

Weer een stilte.

'Jezusmina,' zei Charlie uiteindelijk. 'Je hebt je helemaal aangepast, hè?'

'Ik bel je nog,' zei ik voordat ik met een grijns ophing.

De afgelopen drie weekenden had Roger Mallory pogingen in het werk gesteld me over te halen om te gaan golfen met Barry Firth, Pete Seward en hem. Ze waren alle drie lid van de Deer Creek Country Club, nog geen kwartier in de auto van Sycamore Court vandaan, en elke zaterdag speelden ze daar achttien holes. Kennelijk was Ben Holland, Michael Spragues partner, de vierde man geweest, totdat hij die baan in Seattle had aangenomen.

Tot dusver had ik elk weekend de uitnodiging afgeslagen. Hoewel de gebeurtenissen van de afgelopen tijd me dankbaar hadden gestemd dat ik mijn golfclubs nooit had weggedaan, had ik het golfen – een spel voor mijn ouders en hun ouders – opgegeven als verspilling van tijd, toen ik ergens in de twintig was. De laatste keer dat ik had gegolft, had mijn moeder, die schoonheidsspecialiste was, me tijdens een vriendschappelijke twee-dollar-Nassau helemaal leeggespeeld, terwijl ze me vanwege mijn verjaardag toch zestien slagen voor had gegeven. Hole na ontmoedigend hole had mijn vader er bij me op aangedrongen tussenwedjes te plaatsen. Na afloop hadden ze samen erg moeten lachen.

Toen ik dat Roger vertelde, moest hij lachen en zei: 'Jezus, maak je maar geen zorgen. Barry kan wel wat competitie gebruiken.'

Gedeeltelijk om mij te pesten en ook omdat Sara onze nieuwe buren graag mocht en wilde dat ik beter mijn best zou doen eens een beetje socialer te zijn, had ze Roger achter mijn rug om aangemoedigd. Hij snakt ernaar weer eens te spelen, hij wil het alleen niet toegeven… Belachelijk en gelogen.

Gedeeltelijk uit nostalgie en ook in de hoop dat mijn prestaties op de golfbaan voor eens en altijd een einde zouden maken aan de uitnodigingen, had ik me uiteindelijk laten vermurwen. En dus liep ik op een ochtend, om even voor twaalf, op Roger af die op zijn inrit stond.

'Daar zul je hem hebben,' zei Roger terwijl hij Wes op de kop krieuwelde. Wes, Rogers ziekelijke herdershond, kwispelde zwakjes met zijn staart tegen Rogers benen. Toen ik de inrit bereikte, strompelde de gepensioneerde waakhond op me af om het koude worstje in ontvangst te nemen dat hij niet meer kon ruiken of zien, maar waarvan hij wist dat ik het bij me zou hebben.

'Braaf,' zei ik terwijl de hond mijn vingers aflikte. 'Niet aan Roger verklappen, hoor.'

Roger wierp één blik op mijn golftas van gebarsten leer, en op de golfclubs waarvan de meeste nog van mijn grootvader waren geweest, en zei tegen mij en de hond: 'Wacht hier, jullie.'

Ik voelde me al een enorme sukkel. De enige clubs die niet in een museum thuishoorden, waren een met reparatietape omwonden houten 5 die ik vijftien jaar geleden bij een waterhindernis had gevonden, en het kindermodelletje sand wedge dat de politie van Clark Falls in juli in beslag had genomen.

'Neem geen blad voor de mond,' zei ik tegen de hond. 'Hoe stupide zie ik eruit?'

Voordat Wes zijn mening kon geven, kwam Roger terug met een grote zwart-en-goudkleurige tas die eruitzag alsof hij van een pro was die in de PGA Tour speelde. 'Hier. Deze heb ik speciaal voor jou laten maken.'

Toen ik eens goed keek, begreep ik wat er zo grappig was. Het waren clubs van het merk Callaway, een volledige set, waarschijnlijk duurder dan mijn eerste auto. De ijzers blonken in het zonlicht. De houten hadden allemaal bijpassende beschermkapjes met het logo van Callaway er in wit opgestikt. Mijn oude persimmon driver had een tennissok met gaten erin.

'Roger, ik kan onmogelijk jouw clubs gebruiken.'

'Deze? Jezus, man, deze gebruik ik al twee jaar niet meer.'

'Ik zou van de meeste niet eens weten wat ik ermee moest.'

'In de garage heb ik nog drie sets,' zei hij. 'Wil je een andere uitzoeken?'

'Nee,' zei ik. 'Nee, dat is het niet… Deze zijn vast prima. Dank je wel.'

'Hier.' Hij gaf me twee partagas-sigaren, allebei in een verzegelde koker. 'Die zul je nog nodig hebben.'

Aan de overkant van het hofje ging de garagedeur van Pete Seward open. Pete verscheen bij de kofferbak van zijn SUV met zijn golftas over de schouder. Alsof het zo gechoreografeerd was, gebeurde hetzelfde bij Barry Firths huis. Toen Barry ons zag, zwaaide hij.

Roger zwaaide terug en sloot Wes binnen op. Even later kwam Roger weer naar buiten, zwaaiend met de sleuteltjes van zijn eigen SUV, een GMC Yukon. Mijn Honda had gemakkelijk op de dakdrager gepast. 'Nou, zullen we dan maar eens een paar balletjes gaan slaan?'

'Ik hoop dat je er genoeg hebt.'

'Kom op,' zei hij. 'Rij maar met mij mee.'

Op de oefengreen besloten we een scramble te spelen. Dat betekende dat we ons zouden opdelen in twee partijen en de 'beste bal' bijhouden; dat wilde zeggen dat elk team onderling zou uitmaken wat de beste slag was, en vanaf dat punt verder spelen. Na afloop moest het verliezende team in het clubhuis op biefstuk trakteren.

Pete Seward had dit voorgesteld. Hij zei dat het ter ere was van de lange periode die was ontstaan tussen het moment dat ik een golfclub had gebruikt waarvoor die was bedoeld, en het moment dat ik er eentje had gebruikt voor een veiliger leefomgeving. Ik wist dat hij dat voornamelijk had gedaan vanwege mijn laatst bekende handicap, de hoogste die de USGA kon toekennen, maar ik stelde het gebaar op prijs.

'Prima,' zei Roger.

'Ik speel wel met Roger,' zei Barry Firth.

Pete knikte me grijnzend toe. 'Dan zitten wij aan elkaar vast.'

Als introducé mocht ik op de eerste tee beginnen. Ik keek naar de korte, sappiggroene fairway, een par vier. Een dog leg naar links, aan weerskanten bomen, en na honderdtachtig meter bunkers.

'Vrij!' zei Roger. 'Paul Callaway slaat af.'

'Dit wordt niet fraai.' Ik haalde het mutsje van de houten 1. Vergeleken met de mijne zag de driver die Roger me had geleend eruit als een Volkswagenkever aan het eind van een stok.

'Een hoge tee,' zei Roger. 'Niet zo moeilijk.'

'Oké,' zei ik. 'Dit gaat vast niet goed.'

Met de bal duwde ik de tee in de grond. Toen ik rechtop kwam, leek het net alsof er een regelmatig gedeukte witte lolly een beetje scheef in het gras groeide.

Roger grijnsde. 'Misschien niet zó hoog.' Hij bukte om de situatie te corrigeren, zette toen een stap naar achteren en knikte. 'Dat is beter. Geef 'm van katoen!'

'Leg je ziel en zaligheid erin,' zei Barry.

Pete zei: 'Soepel en vloeiend.'

Ik verbeterde mijn greep op de stok, trok mijn schouders op en keek naar de bal. 'Kijkt iemand wel waar hij neerkomt?'

'Er is nog niks om naar te kijken,' zei Barry.

'Jezus,' zei Roger. 'Laat die man nou zijn gang gaan!'

Soepel en vloeiend, dacht ik. Ik herinnerde me de raad van mijn vader: geef het zeventig procent. Na een paar gespannen momenten haalde ik diep adem, bracht de club langzaam omhoog, dacht aan alle bunkers op de fairway en haalde alles uit de kast.

Ik raakte uit balans na de slag. Er trok een pijnscheut door mijn rug. Trillingen liepen door de stok naar mijn handen, waardoor mijn vingers als verdoofd voelden.

Toen ik mijn ogen opende, zag ik dat ik de tee als een spijker in de grond had geslagen. De bal rolde zo'n anderhalve meter van me vandaan tollend verder en kwam tot stilstand. Iedereen bleef een poosje zwijgend staan.

Uiteindelijk wees Pete naar de bal en zei: 'Dáár is-ie.'

Ik knikte. 'Waarschijnlijk gebruiken we die niet.'

'Och,' reageerde Roger, 'met Pete weet je maar nooit.'

Barry lachte.

Met een grijns kwam Pete naar voren en sloeg met veel kracht de bal over de bomen zodat hij de scherpe hoek miste. De bal rolde een heel eind op de fairway over de rough, vijfenveertig meter van de green.

'Medium,' zei hij tegen Barry. 'Zo vind ik biefstuk het lekkerst.'

'Nou, dan moet je maar leren putten.'

Grinnikend legde Roger de bal op de tee. Het was een mooie, rustige slag over de fairway, waarbij de bal terechtkwam midden in de semi-rough. Barry oefende eerst een paar keer en sloeg de bal toen met een hook in de eerste bunker.

'Verdomme,' zei hij. 'Dit ding moet eens een nieuwe grip hebben.'

Pete knikte. 'Ja, daar zal het wel aan liggen.'

'Driven is voor de show, sukkel.' Barry bukte om zijn kapotte tee uit de grond te trekken. 'Putten is voor de poen.'

Terwijl Pete en Barry koers zetten naar de glanzende, van GPS voorziene wagentjes die langs het pad stonden, gooide Roger me de bal toe die ik zo had misgeslagen. Het was een gloednieuwe Titleist, die hij me trouwens zelf had gegeven. 'Blij dat je eens met ons meedoet, Doc. Dit gaat nog leuk worden.'

Kennelijk had ik al een bijnaam gekregen. Doc? Nadat ik er even over had nagedacht, drong het tot me door dat ze mijn academische titel hadden gebruikt. Het was nog niet bij me opgekomen dat mijn nieuwe buren die als tekenend beschouwden. 'Famous last words,' zei ik tegen Roger.

Grinnikend sloeg hij me op de rug.

Daar gingen we.

Vroeger ging ik met mijn ouders golfen op de platgetrapte, openbare baan van Morristown, New Jersey, meestal met een broekzak vol met de verweerde oude ballen die mijn vader in een roestige emmer in de garage bewaarde.

Nu hij niet meer werkt, en leeft van zijn investeringen en zijn pensioen van Honeywell, zou hij het zich best kunnen veroorloven samen met mijn moeder lid te worden van zo'n chique golfclub in die contreien. Maar zoiets zou hij nooit doen. Ooit zei hij tegen me: overal loop je dezelfde klootzakken tegen het lijf. Waarom dan meer betalen? Hij beweerde dat je tijdens een vriendschappelijk spelletje golf alles over iemand te weten kunt komen.

Tegen de tijd dat we de eerste negen holes achter de rug hadden op de Deer Creek Country Club, waar de beschikbaar gestelde ballen beter waren dan die in de roestige emmer van mijn vader, was ik de volgende dingen over mijn buren in Clark Falls te weten gekomen.

Pete Seward kon krachtig slaan. Na bijna elke slag, hoe veelbelovend of armzalig ook, riep hij zijn bal instructies na alsof de bal een spaniël was: Zit! Draai! Vooruit! Bijt! Het viel me op dat hij na een goede slag even subtiel controleerde of Roger wel goedkeurend keek. Na een slechte slag herhaalde hij die in slow motion, om uiteindelijk te knikken wanneer hij had ontdekt waaraan het hem had geschort.

Roger Mallory, die tien jaar ouder was dan wij, was de betrouwbaarste speler. Hij maakte geen spectaculaire slagen zoals Pete, en ook niet zulke grillige als Barry. Hij speelde heel rustig en behoudend, van tee naar vlag, over de fairway en de green, zonder in hindernissen te belanden, en altijd op de veiligste manier.

'Verdorie, Roger,' zei Barry op de green van de negende, nadat Roger een putt voor par van een halve meter via de rand van de hole had gemist; ik had Pete en mij even tevoren met een onwaarschijnlijke putt van een meter of zeven een birdie bezorgd. 'Ik heb je in al die jaren niet zo'n misser zien slaan.'

Hoofdschuddend glimlachte Roger. 'Ik heb het verpest.' Na een tikje voor een bogey was de stand gelijk.

Onderweg naar de tiende tee wendde ik me op de passagiersstoel van onze golfcart tot Pete en zei: 'Dat heeft hij zeker expres gedaan, toch?'

'Wie heeft wat gedaan?'

'Roger,' antwoordde ik. 'Dat putten. In negen holes sloeg hij er vier of vijf zoals die, alsof hij een boom omhakte.'

Achter het stuur glimlachte Pete zuinig.

Dat was antwoord genoeg. 'Waarom denk je dat hij dat deed?'

'Daar kan ik alleen maar naar gissen.'

'Nou, doe dan maar een gok.'

'Ik vermoed dat Roger voor een beetje eenheid onder zijn manschappen wil zorgen.'

'Aha.'

'Of misschien verpestte hij het gewoon.' Pete reed het karretje de heuvel op, en de clubs achterin ratelden. 'Maak je geen zorgen, we zorgen er aan de andere kant voor dat hij eerlijk blijft.'

13

'Ik weet het niet, hoor,' zei Michael Sprague de volgende avond toen we de ronde deden. 'Expres verliezen lijkt me niks voor Roger.'

'Pete zei dat hij voor een beetje eenheid wil zorgen.'

'Dat klinkt nou weer wél als Roger. Hij heeft iets met eenheid.'

'Tuurlijk,' zei ik. 'Zonder eenheid heb je geen gemeenschap.'

'Jezus, wat erg. Dat jat ik van je.'

We drentelden over de speelplaats van de Washington-basisschool, tien minuten lopen de heuvel af van ons hofje vandaan.

Ik had me erop verheugd eens met Michael de ronde te doen. De Ponca Heights buurtwacht, die de afgelopen weken was versterkt, werkte volgens het buddysysteem, en tot dusver was ik meestal gekoppeld aan Roger, en soms aan Pete. Roger stelde het rooster op, zodat de vrijwilligers – ongeveer twintig mannen en ongeveer tien vrouwen – nooit vaker dan een of twee keer per week de straat op hoefden. Michael en Sara hadden vriendschap gesloten, en hoewel hij vaak bij ons langskwam, had ik hem pas echt leren kennen toen we twee weken geleden samen door de buurt slenterden.

Niets verdachts bij de basisschool. Geen tieners die aan het vrijen waren of die jointjes rookten in het donker onder het afdak van de gymzaal. Geen skateboarders die 's avonds nog van de reling roetsjten. De schommels hingen slap en verlaten in de windstille, klamme avondlucht.

Michael drukte een toets van zijn portofoon in. 'Peter, hier Paul en Mary. Alles in orde in Washington. Ik herhaal: K tot 6 in orde. Over.'

Gekraak, een piepje. Toen de stem van Barry Firth: 'Kom op, jongens, we moeten dit kanaal vrijhouden. Hou op met die ongein.'

'Roger, Barry. Waar is Roger eigenlijk? Over.'

Gekraak, een piepje. 'Toe nou, je had het beloofd.'

Michael lachte en klikte de portofoon weer vast aan zijn riem. 'Jezus, wat ben ik dol op die gozer. Zeg, wat denk je dat er met Pete aan de hand is?'

'Ik weet het niet.' Normaal gesproken zou Pete hebben meegedaan met de kinderachtige geintjes over de portofoon, als hij er al niet zelf mee zou zijn begonnen. Maar sinds het rondje golf van de vorige dag leek hij niet zichzelf te zijn, voor zover ik daarover kon oordelen na de korte periode die ik hem kende. 'Maar ik heb iets te vertellen.'

'O ja?'

'Niks echt bijzonders, hoor.'

'Kom maar op.'

Ik vertelde hem dat we de vorige middag tegen vijven van de achttiende green waren gestapt. Met z'n allen waren we naar het clubhuis gegaan, waar we vier uur waren blijven hangen terwijl we biefstuk aten, whisky dronken en sigaren rookten.

'Heel normaal voor een stel kerels,' zei Michael.

'Dat zeggen ze,' zei ik. 'Rond een uur of negen, half tien ga ik naar de mannenplee. Ik blijf daar een poos.'

Ik was toen uitgeput en verbrand door de zon, ik zat vol rood vlees en halfvol achttien jaar oude Lagavulin, en had het idee dat ik wel zou willen overgeven. Ik had het tot nog toe binnen kunnen houden, maar er was een moment geweest dat het kantje boord was.

'Toen ik eruit kwam, liep ik verkeerd en ging ik door de verkeerde deur, waardoor ik ineens buiten stond in plaats van weer aan te schuiven aan tafel.'

De plotselinge frisse lucht had me goed gedaan, dus besloot ik even rond het buitenhuischique clubhuis te lopen voordat ik weer naar binnen ging om me bij de anderen te voegen. Aan de andere kant gekomen van het gebouw, met de terrassen en balkons, en de grote ramen met uitzicht over Deer Creek Valley, hoorde ik boven me stemmen, en toen ik opkeek, zag ik twee dikke sigaren oplichtten in het donker.

'Tijd om er een eind aan te maken, Pete,' hoorde ik Roger zeggen met zijn rustige, onmiskenbare bariton. Streng maar niet kwaad. Als een vaderlijke vriend die niet erg welkome raad geeft.

'Anders wat, Roger?' Petes stem had gespannen geklonken. 'Anders ga je me verlinken?'

'Hou er nou gewoon mee op.'

Michael vroeg waar Pete dan mee moest ophouden.

'Dat vraag ik me ook af.'

'Wat heb je nog meer gehoord?'

'Niets,' antwoordde ik. 'Ik liep terug en deed alsof ik niets had gehoord. Pete zei nauwelijks meer wat nadat Roger en hij waren teruggekomen, maar hij zoop zich een stuk in de kraag. Barry moest hem naar huis rijden.'

'Pete.' Michael schudde zijn hoofd. 'Pete Pete Pete.'

We liepen over het verlaten trottoir van Walnut Street terwijl we onze kronkelende route volgden door deze buurt in opbouw. Omdat het natuurpark in het noorden lag, werd er meer naar het zuiden nieuwbouw neergezet, waardoor Ponca Heights in die richting groeide.

We kwamen langs een rij nieuwe huizen, allemaal met hetzelfde dak en allemaal met jonge boompjes ervoor. We kwamen langs een rij huizen die bijna klaar waren, met welig tierend onkruid in de strook tussen de kale tuinen. Op de hoek van Walnut en Cedar stond het skelet van een in koloniale stijl gebouwd huis met nylon lappen eromheen.

Hoe verder we naar het zuiden gingen, des te meer de huizen op geraamtes leken, totdat Ponca Heights South verzandde in een stel kale bouwplaatsen met in rust verzonken bulldozers en een bord waarop stond: HIER WORDT GEBOUWD AAN SPOONBILL CIRCLE.

'Denk je dat die jongens op de bulldozers ooit om zich heen kijken en denken: "Jezus, we trekken déze bomen uit de grond…"'

Ik wees naar het bosje oude eiken en olmen naast de plek waar Spoonbill Circle moest verrijzen. '"… opdat ze díé bomen kunnen planten?"' Ik wees naar een rijtje jonge Japanse esdoorns die overeind werden gehouden met kippengaas, en waarvan de polsdikke stammetjes waren omhuld door een beschermende plastic koker. Zodra ik dat had gezegd, vroeg ik me af hoe Sycamore Court er zestig jaar geleden had uitgezien.

'Misschien heeft het iets met Brit te maken,' zei Michael alsof hij niet echt had geluisterd. 'Je weet toch dat Brit weer huisarrest heeft gekregen?'

Ik knikte. 'Dat heeft Melody ons verteld.' Blijkbaar hadden de ouders van Brits hartsvriendin Rachel de dames betrapt toen ze het huis uit glipten met vier kleine flesjes wijn. 'De Callaway-bibliotheek leent tijdelijk geen boeken meer uit.'

Michael grijnsde. 'Die meid is een echte lastpak.'

'Maar ook heel slim.'

'Dertien, gedraagt zich als drieëntwintig,' zei Michael. 'Misschien gaf hij Pete een peptalk? Roger, bedoel ik.'

'Een peptalk.'

'Je weet wel, iets met spaar de roede niet en zo.' Hij zwaaide met zijn vinger en zette een zware stem op. '"Je moet je poot stijfhouden, Pete, je moet streng doch liefdevol optreden wanneer ze die leeftijd hebben. Je moet paal en perk stellen, het in de kiem smoren."' Hij keek me aan om te horen wat ik ervan dacht. 'Zoiets?'

'Misschien,' zei ik.

'Snap ik.'

'Het past niet bij dat "verlinken".'

Michael knikte. 'Nee...'

'Ik geloof niet dat het peptalk was.'

'Wat vond Sara ervan?'

'Hetzelfde als jij.'

'Pete, rotzak.' Weer slaakte Michael een zucht. 'Nou ja, het zijn ook eigenlijk mijn zaken niet.'

'Dat vond ik nou ook.' De lichtbundel van mijn zaklamp deed op de donkere bouwplaats iets oplichten. Ik liet de lichtbundel terugzwaaien en zag een hele stapel ingedeukte bierblikjes in de happer van de bulldozer liggen. 'En ik dacht ook: waarom is het Rogers zaak?'

'Aha.'

'Begrijp me goed.' Omdat we hier toch waren, legden we de extra honderd meter af om de lege bierblikjes op te rapen en in de vuilniscontainer van de aannemer te mikken. Het lawaai van de gedeukte aluminium blikjes tegen de stalen wanden klonk luid in de stilte. 'Ik mag Roger graag. Hij heeft veel gedaan om Sara gerust te stellen na de inbraak. En wat er met zijn zoon is gebeurd... Jezus, ik zou ergens in de goot liggen. Weet je?'

'Ik weet het liever niet,' zei Michael. 'Maar ik kan me er iets bij voorstellen.'

'Weet je, ik heb bewondering voor die gozer.'

'Blabla. Ja, we hebben allemaal bewondering voor Roger. Maar?'

'Ik heb het gevoel dat Roger zich een beetje als de plaatselijke sheriff beschouwt.'

Daar moest Michael om glimlachen. We keerden terug en liepen een poosje zwijgend verder, de heuvel weer op naar het noorden, naar Poppleton, terwijl om ons heen de buurt langzamerhand weer een buurt werd.

Na een paar straten zei Michael uiteindelijk: 'Sara en jij hebben Ben nog niet ontmoet.'

'Nog niet. We verheugen ons er al op.'

'Jullie zouden hem graag mogen. Maar niet zo graag als mij.'

'Natuurlijk niet.'

'Nog iets over Sycamore Court.' Onder het lopen liet Michael de zaklamp aan het lusje om zijn hand draaien. 'Pete en Melody zijn top. Toen Ben bij me introk, kregen we een paar vreemde blikken van Trish en Barry. Niets ernstigs, hoor, meer eh… op hun hoede. Afwachtend.'

'Oké.'

'Maar Roger was de eerste die ons de hand reikte,' zei hij. 'Op de dag dat Ben bij me introk, kwam Roger met Wes langs om Ben welkom te heten. Toen Roger erachter kwam dat Ben in het collegeteam had gegolft, regelde hij een soort lidmaatschap met vip-korting voor hem.'

'Je meent het.'

'Ja, ik vond het ook een beetje doorzichtig, maar niet echt bezwaarlijk. Meer alsof Roger… Ik weet het niet.'

Alsof hij voor eenheid onder de manschappen wilde zorgen, dacht ik. Ik zei: 'Het goede voorbeeld wilde geven?'

Michael tikte tegen zijn neus. Bingo.

'Vroeger zou ik het vernederend hebben gevonden. Maar dat had ik allang achter me gelaten toen ik terugverhuisde naar Clark Falls.' Schouderophalend sloeg hij Wildwood Lane in. 'Weet je, daarmee heeft hij mijn hart gestolen. Ben en hij lijken echt op elkaar gesteld te zijn, en om eerlijk te zijn verbaast me dat meer van Ben dan van Roger.'

'Je hebt gelijk,' zei ik, en het speet me bijna dat ik dit onderwerp ter sprake had gebracht. 'Waarschijnlijk is het stom van me…'

'Vraag nu maar waarom Ben die baan in Seattle heeft aangenomen.'

Ik keek hem aan.

'Je moet me vragen waarom Ben…'

'Waarom heeft Ben die baan in Seattle aangenomen?'

'Toevallig dat je dat vraagt,' reageerde Michael. 'Ik zal het je uitleggen. Zelf zou hij het niet willen toegeven als je hem die vraag stelde, maar ik weet dat het de waarheid is.'

Door de langzame klim de heuvel op naar Sycamore Court raakte ik zo bezweet dat mijn shirt onder het fluorescerend groene hesje op mijn rug plakte. Het was alsof we in de sauna zaten. Zelfs de cicades leken moeite te hebben het ritmische getjirp in de bomen vol te houden. Toen het bosachtiger werd, werden we bestookt door dikke wolken muggen, zo zwaar dat het me speet dat ik de tweede sigaar niet had meegenomen die Roger me de dag daarvoor op de golfbaan had gegeven.

Ik merkte er echter niets meer van toen Michael me een anekdote vertelde over het wetsvoorstel om homohuwelijken goed te keuren, en waarover een jaar geleden een referendum was gehouden. Op een dag, vertelde hij, was Ben thuisgekomen met borden voor in de tuin waarmee werd aangemoedigd te stemmen voor het homohuwelijk.

'Ik vond ze eerst verschrikkelijk lelijk, om eerlijk te zijn. Maar Ben leek er blij mee te zijn, dus zetten we ze in de tuin.'

Ik dacht te weten welke kant dit zou opgaan. Maar Michael scheen het leuk te vinden dit te vertellen, dus liep ik luisterend verder, met mijn zaklamp aan de ene kant van mijn riem en de portofoon aan de andere.

'Na een paar dagen kwam Roger langs.' Michael knikte even kort. 'Ik moet het hem nageven, hij komt meteen ter zake. Geen passief-agressief om de hete brij heen draaien, geen vriendelijk gelul. Hij vroeg recht op de man af of die borden weg konden.'

'Gunst.'

'Heel beleefd, hoor. Respectvol. Maar hij vroeg niet of we heel misschien zouden willen overwegen om ze weg te halen.'

'En Roger vond dat hij dat moest doen omdat…'

'O, het was niet persoonlijk. Hij zei dat hij ons topburen vond. Zo zei hij dat. Hij zei dat gezien de normen en waarden op gezinsgebied die hij was tegengekomen toen hij nog bij de politie zat, we wat hem betreft evenveel recht hadden om met elkaar te trouwen als wie ook. Waarschijnlijk zelfs meer recht. Zo zei hij dat.'

'Wat was dan het probleem?'

'De politiek kan een wig drijven,' zei Michael. 'Zo dacht hij erover. Hij zei dat hij uit ervaring wist dat er spanningen kunnen ontstaan wanneer mensen publiekelijk uitkomen voor hun mening, terwijl er daarvoor geen spanningen waren, en dat er verder meestal niets mee wordt bereikt.'

'Het publiekelijk uitkomen voor je mening.'

'Zo zei hij dat.'

'Welkom in Amerika. Wat wilde hij daarmee zeggen?'

'Roger bedoelde dat er zeven stemgerechtigde personen in ons hofje woonden. En die wisten al wat ze zouden gaan stemmen. Als het ons persoonlijk kennen geen invloed had op het stemgedrag, zouden die borden in de tuin dat ook niet hebben.'

Als er bij mij op zou zijn aangedrongen, had ik me gedwongen gezien toe te geven dat ik het met die analyse wel min of meer eens was. Maar dat betekende nog niet dat ik zou willen dat iemand me zou zeggen wat ik verdomme wel of niet in mijn eigen tuin kon zetten.

'Roger zei dat alle bewoners van Sycamore Court zo'n beetje hadden besloten hun politieke voorkeur niet naar buiten te brengen. En dat dat heel goed werkte.'

'En wat zei jij toen?'

'Ik? Ik bemoeide me er niet mee. Zoals ik al zei vond ik die borden monsterlijk.'

'Oké.'

'Na een vrijdagavond waarop ik moet voorkomen dat het keukenpersoneel elkaar afmaakt met keukengerei, heb ik nooit zo'n zin in gedoe. Kun je daar inkomen?'

'Uiteraard.'

'Ben was razend,' zei Michael. 'Er ontstond een soort Tsjernobyl bij ons thuis nadat Roger was vertrokken.'

'De politiek kan een wig drijven.'

'Dat heb ik gehoord.'

'En toen?'

'Ben liet de borden staan.'

'Een-nul voor Ben.'

'En op een dag waren ze weg.'

'Weg?'

'Alsof ze er nooit hadden gestaan.' Hij knipte in zijn vingers. Foetsie.

'Ben zette nieuwe borden neer. Die waren de volgende dag ook weg. Dus zette Ben weer nieuwe borden in de tuin.'

Ik grinnikte. Dit was een leuk verhaal, ook al leek het een bevestiging van de theorie die ik me omtrent Roger Mallory had gevormd.

'Het was volslagen idioot. Die twee, zo koppig als rammen aan de crack.' Hij liet de lichtbundel van zijn zaklantaarn dwalen over het trottoir bij de hoek. Twee zilveren munten fonkelden even in het donker, om vervolgens weer te verdwijnen toen een dikke wasbeer zich in een afvoerput wrong. Michael knipte de zaklamp weer uit. 'Echt, Rogers kelder moet propvol hebben gestaan met die krengen tegen de tijd dat er mocht worden gestemd.'

'Met borden? Bedoel je dat ze maar doorgingen?'

'Drie weken lang,' antwoordde hij. 'En voor zover ik weet, hebben ze het er met elkaar nooit over gehad. Na een poosje waren ze volgens mij alleen maar aan het bewijzen wie het koppigst kon zijn.'

We waren toen nog maar zeven minuten lopen van huis vandaan. Elmhaven werd Sycamore Drive, en via die straat zouden we het zuidelijke stuk van het echte Ponca Heights bereiken, de heuvel op, langs de bomen en met een bocht terug naar Sycamore Court.

Voor in het logboek: zes bierblikjes, een paar duizend muggen, en een wasbeer. Een rustige avond. Normaal gesproken zouden we drie of vier wasberen hebben gezien. Ik vond het leuk wanneer ze op hun achterpoten gingen staan nadat je ze had betrapt op het doorzoeken van iemands vuilnisbak, met die grappige maskertjes.

'Maar goed, niet lang daarna kwam Ben op een dag thuis en zei dat hij een andere baan had.' Michael haalde zijn schouders op. 'Ik wist niet eens dat hij op zoek was. Hij zei dat hij altijd al aan de westkust had willen wonen. Dat hoorde ik ook voor het eerst. Maar ach, je kunt niet alles van iemand weten, toch?'

Ik zei dat ik ook nooit had geweten dat Sara graag buitengewoon faculteitsvoorzitter in een universiteitsplaatsje in de Midwest wilde zijn.

'Hij vroeg of ik met hem meeging, maar ik kon mijn moeder niet een half jaar alleen laten in dat tehuis,' zei Michael. 'En het restaurant? Ik heb me echt afgebeuld om iets van die keuken te maken. Als ik ooit wegga, ga ik echt weg. Niet alleen maar even om alles op z'n gat te laten vallen zodat ik bij terugkomst word geconfronteerd met de puinhopen. Snap je?'

'Absoluut.'

'Hij zou terugkomen wanneer het contract afloopt.' Een hele poos bleef Michael zwijgen. Toen zei hij: 'Maar we weten allebei dat dat niet zal gebeuren.'

'O?'

'Voorlopig doen we maar alsof.'

'Michael,' zei ik, 'het spijt me dat te horen.'

Hij glimlachte. 'Och, er is niemand dood, hoor.'

'Maar toch...'

'Zal ik je nog iets vertellen? Volgens mij speet het Roger oprecht dat Ben wegging.'

Ik dacht aan de koppige strijd die Michael net had beschreven. Na een tijdje zei ik: 'Wat vind jij daarvan?'

'Dat het Roger spijt?'

'Dat Ben weg is.'

'Dat doet me verdriet.' Michael maakte een wegwuivend gebaar. 'Maar ik had geen wetsverandering nodig om het gevoel te hebben dat we getrouwd waren. Als hij dat wel nodig had, waren we niet echt getrouwd.' Afwezig knipte hij zijn zaklamp aan en uit. 'En als meneer Ben zo iemand is die zijn biezen pakt wanneer hij zijn zin niet krijgt, is het waarschijnlijk maar goed dat we vijfentwintighonderd kilometer van elkaar af zitten.'

Ik wist niet wat ik moest zeggen, dus hield ik mijn mond maar toen we Sycamore Drive in sloegen en aan de klim begonnen. Voor me uit zag ik twee groene hesjes oplichten in het maanlicht. Pete en Barry die terugkwamen uit Ponca Heights North.

Een van hen gaf een signaal met zijn zaklamp: drie keer kort, drie keer lang en drie keer kort. sos.

Dat zou Pete wel zijn. Misschien was hij inmiddels in een beter humeur. Michael drukte de knop op zijn portofoon in. 'Maak je bekend of ga eraan.'

Er klonk gekraak uit de portofoon, toen hoorde ik Petes stem: 'Kom me maar opvreten.'

'Val alsjeblieft geen sletje lastig,' mompelde Michael met zijn blik hemelwaarts gericht. In de portofoon zei hij: 'Ontvangen. We komen naar jullie toe.'

Terwijl we de heuvel op liepen om ons bij Pete en Barry te voegen, vroeg ik: 'Hoe is het afgelopen met het referendum?'

'Het referendum?'

'Over het homohuwelijk.'

'O, dat.' Michael grinnikte. 'Verworpen met overweldigende meerderheid.'

'Aha.'

'Zonde, hè?'

'Nou ja,' zei ik, 'als je je daardoor beter voelt, wij hebben ook niet gewonnen.'

'Wie niet?'

'Pete en ik,' zei ik. 'Gisteren hebben Roger en Barry ons bij de laatste hole met één slag verschil verslagen. Wij moesten het eten betalen.'

Michael lachte. 'Typisch Roger.'

Sara zat in bed een tijdschrift te lezen toen ik eindelijk thuiskwam. Ik was bezweet en moe van al het lopen, en had erg zin in een biertje en een douche.

'Hoe ging het?'

'Het was vol gevaren,' antwoordde ik. 'Maar Michael heeft me beschermd.'

'Was je vanavond met Michael?'

'Pete en Barry deden het noorden. Het normale team.'

'Leuk.'

'Het was interessant,' zei ik. 'Moet je horen...'

Terwijl ik mijn speelgoedpolitiespullen af deed en me uitkleedde, vertelde ik haar over Ben Holland en Roger Mallory en de borden voor het referendum over het homohuwelijk.

'Je meent het,' zei ze.

'Allemaal volgens Michael. En maar slepen met die borden. Ben zette ze in de tuin, en Roger haalde ze weg. Dag in, dag uit.'

'Arme Michael,' zei ze. 'Ik hoop dat ze eruit komen.'

Ze leek niet echt aandachtig te luisteren. Terwijl ik vertelde, had ze niet één keer opgekeken uit het tijdschrift, dat ze trouwens ook niet echt leek te lezen. Ze sloeg steeds de bladzij om. En bovendien leest Sara sowieso eigenlijk geen tijdschriften.

'Ik heb allemaal vette roddels voor je, en je bent niet eens trots op me.'
Toen keek ze op en glimlachte.

Twee jaar geleden ontdekte Sara tijdens het douchen een knobbeltje ter grootte van een walnoot in haar rechterborst. Het bleek goedaardig te zijn, bindweefsel dat na een half jaar was verdwenen, nadat ze geen koffie meer dronk. Maar toch was het een hele schrik geweest, en we hadden in angstige spanning moeten wachten op de uitslagen. Toen ze die ochtend onder de douche vandaan kwam, had ze precies zo geglimlacht.

'Wat is er?'

'Ik verlies bloed,' antwoordde ze.

14

In het academisch ziekenhuis nam een verpleegkundige van de eerste-hulppost Sara's gegevens op en stelde heel veel vragen. Een andere ver-pleegkundige nam bloed af uit haar arm, een heel buisje, en stelde dezelf-de vragen als de eerste. Vervolgens gaf ze Sara een bekertje waarin ze moest plassen.

De dienstdoend arts deed me een beetje denken aan een van mijn ouderejaars op Dixson. Hij zette de glanzende stalen beugels in de hou-ders aan weerskanten van het onderzoekbed en hielp Sara haar benen erin te leggen.

'Geen ontsluiting,' zei hij toen hij klaar was. Hij trok de latex hand-schoen uit en mikte die in de vuilnisbak. 'Dat is een goed teken.'

Een glimlach. Een klodder gel op Sara's buik.

Een onwaarschijnlijk lang durend aantal minuten waarin ik keek naar de arts die met iets wat eruitzag als een microfoon rondjes draaide door de gel.

'Hoeveel weken?' vroeg hij, nog steeds met die glimlach.

'Negen,' antwoordde Sara.

Nog een klodder gel. Was de glimlach op zijn gezicht flauwer gewor-den?

Ik wist het niet zeker.

Het enige wat ik zeker wist, was dat we dat doffe *wauw-wauw-wauw*-geluid nog niet hadden gehoord dat we de vorige keer wel hoorden, toen Sara's nieuwe huisarts in Clark Falls een dergelijk apparaat had gebruikt om ons voor de allereerste keer naar ons kindje te laten luisteren.

Wauw.

Dat geluid hebben wij gemaakt, dacht ik op die dag, toen ik ook Sara's hand had vastgehouden, net zoals deze keer.

Wauw.

We hadden een hartslag veroorzaakt.

Wauw-wauw-wauw.

'Wie zal het zeggen?' zei dokter Finley de volgende middag tegen ons.

We zaten in zijn spreekkamer op de eerste verdieping van het Finley Pointer Clausen LLC-gebouw. Drie stoelen vormden een vage driehoek. Sara en ik vormden samen de basis, Finley de punt.

Sara zei: 'Maar het is een mogelijkheid?'

'We denken inderdaad dat spanningen een oorzaak kunnen zijn,' zei hij. 'Maar we weten niet precies hoe, of wat voor soort spanningen, of hoeveel.' Hij glimlachte vriendelijk. 'Het enige wat ik erover kan zeggen, Sara, is dat als je op internet iets hebt gevonden waardoor je bent gaan denken dat het jouw schuld is, je die informatie moet beschouwen als lulkoek van kwakzalvers. En sorry voor die krachtige taal.'

'Ja,' zei Sara. Maar het klonk niet erg overtuigd.

De vorige dag, terwijl ik binnen, waar airconditioning was, een beetje katterig rondlummelde, was zij de hele middag buiten geweest in haar bloementuin, in de verstikkende augustushitte. Ik had nog gezegd dat ze binnen moest komen en het rustig aan doen. Ze vertelde Finley dat ze zich niet helemaal lekker had gevoeld toen ze dat uiteindelijk had gedaan.

'Natuurlijk voelde je je niet helemaal prettig,' zei hij. 'Het was gisteren zesendertig graden, met een hoge luchtvochtigheid. Je boft waarschijnlijk nog dat je niet bent flauwgevallen tussen de afrikaantjes.' Hij haalde zijn schouders op. 'Maar ik durf er iets liefs om te verwedden dat het werken in de tuin niet je miskraam heeft veroorzaakt.'

Aan de muur achter hem hing een ingelijste foto van Finley met twee jongens in de tienerleeftijd. Ik vermoedde dat dat zijn zoons waren. Alle drie hadden ze helmen op en knalgele reddingsvesten aan, en ze zaten verwoed een opblaasbaar vlot door een bruisende stroomversnelling te peddelen. Terwijl dokter Finley aan het woord was, moest ik daar steeds naar kijken.

'Niet alleen gisteren,' zei Sara. 'Ik voelde me al een hele poos…'

'Ja?'

'Overdonderd,' zei ze. 'Al weken. Ik weet ook wel dat ik niet voldoende…'

'Laten we eens zien,' zei Finley. 'Je bent verhuisd, naar een heel ander deel van het land, ver weg van familie en vrienden, en gaan wonen in een plaatsje waar je niemand kende. Voeg daarbij de zwangerschap. En een nieuwe baan vol nieuwe uitdagingen. Allemachtig, Sara, en vergeet niet dat je twee weken geleden werd overvallen.' Hij schudde zijn hoofd om verbazing uit te drukken. 'Als ik er alleen maar aan dénk, voel ik me al overdonderd.'

'Dat is precies…'

Weer zo'n vriendelijke lach. 'Maar ik vermoed dat de oorzaak iets veel eenvoudigers is.'

Sara zuchtte eens. 'Ik wist wel dat je dat ging zeggen.'

'Volgens de statistische gegevens is de kans op een miskraam verhoogd wanneer een verder gezonde vrouw na haar vijfendertigste zwanger wordt. Dat wilde ik even zeggen.'

Finley was zelf ergens in de zestig. Hij was al dertig jaar bezig met baby's, en we hadden ons bij hem meteen op ons gemak gevoeld. Opeens vond ik het jammer dat we nu niet meer bij hem hoefden te komen.

'Ik ben econoom,' zei ze, 'maar op dit moment zijn statistische gegevens bepaald geen troost.'

'Sara.' Finley pakte haar hand. Vervolgens keek hij ons allebei aan. 'Geen getal ter wereld kan aangeven hoe je zoiets als dit ondergaat.'

Ik legde mijn hand tegen haar rug en maakte zo de driehoek compleet. Ze leek me verontschuldigend aan te kijken, bijna beschaamd.

'Nee,' zei ik.

'Maar ik kan jullie nuttiger cijfermateriaal geven,' zei Finley. 'Ik ken minstens drie personen hier die ik mijn eigen dochter nog zou aanraden. Voor als jullie de behoefte hebben erover te praten. Of een van jullie.'

Sara knikte. Ik deed het haar na.

'En uiteraard kunnen jullie me altijd bellen.'

'Dank je.'

'Is er nog iets wat jullie zouden willen vragen?'

'Om heel eerlijk te zijn,' zei ik, 'zou ik wel willen weten hoe het nu verdergaat.'

Finley nam de tijd om ons onze opties uit te leggen. De eerste mogelijkheid kon hij zelf doen, hier in de spreekkamer. Dat was een curettage.

'Of,' zei hij, 'jullie kunnen wachten totdat de natuur haar werk doet. De keuze is aan jou, Sara.'

'Hoe lang kan dat duren?'

'De ingreep? Normaal gesproken…'

'De natuur.'

Finley knikte. 'Ervan uitgaand dat alles normaal verloopt, zou het vandaag al kunnen zijn. Waarschijnlijker is echter morgen of overmorgen. Ik verwacht binnen een week, hoewel zulke dingen erg onvoorspelbaar kunnen zijn.'

'En dan moet ik gewoon wachten?'

'Als je dat wilt,' zei Finley. 'Ik kan je ook iets voorschrijven om de natuur een handje te helpen.'

Een paar minuten zaten we daar in stilte. Toen knikte Sara, bijna afwezig, alsof ze luisterde naar een advies dat ik ook graag had gehoord.

Ik keek terug naar de foto van Finley en zijn zoons die worstelden met Moeder Natuur. Voor de eerste keer vroeg ik me af wie die foto had genomen.

'Dank je,' zei Sara.

Donderdagmiddag was het voorbij.

We bleven dicht bij huis en deden ons best bezig te zijn. Vroeg op de woensdagavond ging Sara rillerig naar bed. Donderdagochtend had ze buikpijn, en tegen de middag kreeg ze weeën.

Als het een paar maanden later was geweest, had ik onze tassen meegegrist en was ik in volle vaart naar het ziekenhuis gereden. In plaats daarvan reed ik naar de SaveMore aan Belmont om nog meer ultra-maandverband in te slaan. Michael Sprague kwam haar gezelschap houden terwijl ik weg was.

Even over vijven ging Sara naar de wc. Daar bleef ze met de deur dicht tot bijna half zes.

Uiteindelijk hoorde ik vanaf mijn plekje op de bank dat de wc werd doorgetrokken. Onder de vloer ratelden de buizen.

Sara kwam de wc uit, liep naar de bank toe en kwam naast me zitten. Ik sloeg mijn arm om haar heen. Ze krulde zich op en legde haar hoofd op mijn schoot.

Voor de eerste keer die week stortte ze in. We huilden allebei.

Twee uur later zei ze: 'Ik besefte pas twee uur geleden hoe hevig ik ernaar verlangde.'

Ik streelde haar haar. 'Ik ook.'

Het leven ging door.

15

Ik houd de boel op.

Douglas Bennett hoeft dit niet te horen. Voor Sara is het oude koek. Ik speelde golf, Roger is een machtswellusteling, we worden geen ouders. Had ik dat niet in het kort kunnen samenvatten?

Natuurlijk lijken al die dingen belangrijk. Voor mij.

Als ik eerstejaars was, en dit was het werkstuk dat ik moest inleveren, zou ik op elke bladzij een grote rode streep door de tekst halen.

Zijn al deze details nou echt nodig?

Vat het samen.

Iedereen kent trucjes, en ik weet wat de mijne zijn. Hoe vertellen we overtuigend een leugen? Door zo dicht mogelijk bij de waarheid te blijven. Hoe maken we die waarheid boeiend? Door die vanuit een bepaalde hoek te belichten. Door een keuze te maken voor waar uitgebreid op in wordt gegaan, en wat in het kort wordt aangestipt.

Ik doe mijn best een realistisch decor te schilderen, zodat het ongelooflijke – wanneer ik dat punt bereik – geloofwaardiger zal klinken. Ik probeer een betrouwbare verteller te zijn, zodat mijn optreden begrijpelijker zal zijn.

Om de waarheid te zeggen heeft Douglas Bennett helemaal geen realistisch decor nodig. Hij hoeft niet elk detail te weten om op gang te komen.

Douglas Bennett hoeft alleen maar te weten dat ik voor eind september uit de buurtwacht ben gestapt. En dat er in oktober huwelijksproblemen waren. En dat ik in november de grootste vergissing van mijn leven beging. Later kwam Roger Mallory naar ons huis om te zeggen dat hij wilde dat ik wegging.

En toen is het allemaal begonnen.

'Waar moet ik dan heen?' had ik Roger gevraagd.

'Dat moet je zelf maar beslissen,' had hij gezegd.

'Je maakt een grapje.'

'Denk maar niet dat ik dit leuk vind.'

'Begrijp ik het nou goed?' had ik gevraagd. 'Je verbant me uit de buurt.'

'Als je dat zo wilt zeggen.'

'Net zoals in de Bijbel?'

'Je hebt tot 16 december,' zei Roger. 'Dan loopt het studiejaar ten einde.'

Ik lachte hem in zijn gezicht uit. 'Je meent het echt, hè?'

'Vraag dat toch niet steeds.'

'Je denkt echt dat we onze spullen gaan pakken en verhuizen? Omdat jíj dat zegt?'

'Ik heb niet de hand gehad in deze situatie, Paul.' Het kwam er spijtig uit. 'En ik heb niets over Sara gezegd.'

'O. Oké.'

'De zestiende dus.'

'Anders wat, Roger?' Ik weet nog dat ik dat vroeg. 'Anders ga je me verlinken?'

Koude oorlogen

16

In de weken na de inbraak ontwikkelde Sara een ritueel. Elke avond voordat ze ging slapen, deed ze de ronde in huis. Ze controleerde de sloten op alle deuren en ramen. Als ik het alarmsysteem al had ingeschakeld, toetste Sara de stand-bycode in en schakelde het systeem zelf nog eens in.

Als ze merkte dat ik het zag, lachte ze erom, alsof ze zelf ook wel begreep dat ze dwaas bezig was, hoewel ik nooit iets in die trant heb gezegd. Wanneer die nacht ter sprake kwam, sprak ze er vrijelijk over, soms met iets van galgenhumor, bijvoorbeeld over een onbelangrijk, klein detail dat in de loop der tijd absurde proporties had aangenomen. Over het algemeen liet ze niet erg merken dat deze ervaring blijvende gevolgen op haar had gehad, en onze buren vonden allemaal dat ze erg dapper was.

Maar wanneer ik alleen met haar was, schrok ze soms als ik haar onverhoeds aanraakte.

Op een avond in september zat ik in mijn stoel met een boek op schoot te kijken naar Sara die haar ronde deed. De volgende dag hield ik vroeg op met college geven, vertrok van de campus en reed naar het gemeentehuis.

Ik had rechercheur Harmon al een paar weken niet meer gesproken. Ik verwachtte niet dat hij op iets nieuws was gestuit, ik wilde alleen even mijn gezicht laten zien, ik wilde hem eraan herinneren dat we nog bestonden. Een brigadier bracht me naar het kantoortje van Harmon op de eerste verdieping.

'Goedemiddag, meneer Callaway.' Harmon stond en stak zijn hand uit. Hij had de mouwen van zijn overhemd opgerold, en zijn jasje en schouderholster hingen over de rugleuning van zijn stoel. Hij zag eruit alsof hij een lange dag achter de rug had. 'Hoe gaat het?'

'Prima, dank je.' Ik schudde hem de hand en knikte naar de andere man die nonchalant op een stoel zat. 'Sorry dat ik stoor. Ik had beter eerst kunnen bellen.'

'Welnee.' Harmon gebaarde naar de man in de stoel. 'Paul, dit is John Gardner. Een oude maat. We waren net herinneringen aan het ophalen.'

'Met oude maat bedoelt hij dat ik vroeger zijn baas was.' Met een grijns schudde John Gardner me de hand. Hij was een pezige man en oogde fit voor iemand die zo te zien in de zestig was. Hij was kaal en had een scherp gezicht en kleine ogen, hetgeen hem een beetje op een havik deed lijken. 'Met herinneringen ophalen bedoelt hij onzin verkopen en je belastinggeld verspillen. Ik ga maar gauw.'

Iets in de manier waarop Gardner en Harmon een blik uitwisselden deed me vermoeden dat ik hen had gestoord bij iets meer dan een kameraadschappelijk onderonsje. Maar voordat ik kon aanbieden een andere keer terug te komen, was Gardner al opgestaan en trok zijn jasje aan. Terwijl hij naar de deur liep, zei hij nog: 'Pas op je tellen, rechercheurtje.'

'Doe ik,' reageerde Harmon. 'De groeten aan Nancy.'

Nadat Gardner zijn hand had opgestoken, liet hij ons alleen.

'Kom binnen, Paul.' Harmon ging weer zitten en leunde achterover. Hij gebaarde dat ik moest plaatsnemen op de stoel waarop zijn vroegere baas daarnet had gezeten. 'Leuk je weer eens te spreken. Hoe is het met Sara?'

'Redelijk, dank je. Ze houdt zichzelf bezig.'

'Ik ken dat. En hoe is het met jou?'

'Met mij? Ik heb kennelijk te veel tijd.' Het speet me dat ik niet eerst even had gebeld. 'Hoor eens, ik snap dat je me waarschijnlijk weinig kunt vertellen, maar ik wilde graag weten of er nog nieuws is. Ik wilde je niet storen.'

'Geen probleem,' zei hij met een zucht. 'Ik zou graag willen dat ik met iets nieuws kon komen.'

'Ik neem aan dat niemand het bureau is binnengelopen om te bekennen?'

'Nee, en er zijn ook geen tips binnengekomen.' Meelevend keek hij me aan. Die blik herinnerde ik me van twee maanden geleden, toen in onze woonkamer. 'Gelukkig voor ons, en helaas voor jou, heeft voor zover we weten niemand weer iets dergelijks uitgehaald.'

'Dat lijkt me eigenlijk wel prettig,' zei ik.

'Dat is het ook,' reageerde Harmon. 'Maar ik begrijp dat het ergerlijk voor je is.'

'En die golfstok?' Op de een of andere manier was mijn golfstok zoekgeraakt, ergens tussen mijn huis en het bureau. 'Nooit teruggevonden?'

Harmon kneep zijn lippen op elkaar, alsof dit hem nog stak. 'Echt, ik heb erachteraan gezeten, maar er is niets gevonden,' zei hij. 'Maar daar gaat het niet om. Het is een puinhoop.'

Dat was ik helemaal met hem eens.

'Als Sara en jij er een zaak van willen maken, vallen er waarschijnlijk ontslagen. Ik zou het jullie niet kwalijk kunnen nemen.'

Ik had daar de afgelopen weken meer dan eens over getobd, maar uiteindelijk leek rechercheur Harmon wel gelijk te hebben. 'Zoals je al zei, winnen we er waarschijnlijk niets bij,' zei ik tegen hem.

We bleven nog een poosje praten. Harmon deed zijn best ons gerust te stellen door te zeggen dat de politie van Clark Falls deze zaak nog steeds ernstig opvatte, en ik ging weg met niets meer dan waarmee ik was gekomen.

Buiten, onderweg naar de auto, gingen de haartjes in mijn nek overeind staan. Ik keek om en zag John Gardner, Harmons vroegere baas, een sigaretje roken buiten de deuren. Hij hield me in de gaten. Toen hij merkte dat ik hem had gezien, maakte hij een hoofdgebaar en stak zijn hand op. Ik weet niet meer of ik heb teruggezwaaid.

Later die middag bracht Brit Seward de bundel korte verhalen terug die ik haar had geleend omdat ik dacht dat ze die wel leuk zou vinden. Ik vroeg haar wat ze van de verhalen vond.

'Het titelverhaal vond ik mooi,' antwoordde ze. 'Over de vrachtwagenchauffeur en zijn vrouw. Dat was droevig.'

'Nou, deze keer dan maar iets vrolijkers.' Ik zocht tussen de boeken op de planken naar iets grappigs, maar niet te luchtig. Een uitdaging, maar wel op haar niveau. Het was best lastig. Een meisje van dertien dat zich gedraagt als drieëntwintig. Zoiets had Michael Sprague gezegd. Dat klopte wel zo'n beetje.

'Is dit iets?' vroeg Brit.

Ik nam het boek over dat ze bij de R van de plank had gehaald, een ingebonden exemplaar van Russo's *Empire Falls* en herinnerde me dat ze Emily Brontë was gaan lezen omdat *Wuthering Heights* haar aan Ponca Heights had doen denken. Het beviel me wel dat Brit op titels viel, en op verhalen die haar deden denken aan haar leefomgeving.

Ik knikte en gaf het boek aan haar terug. 'Vrolijke stukken,' zei ik, 'en verdrietige stukken.'

'Klinkt goed.'

'Het is ook een mooi boek,' beaamde ik. 'Waarom heb je dit gekozen?'

'Mijn vader heeft de dvd.'

'O ja? Met Paul Newman?'

'Vast. Dat is toch die ouwe man? Max?'

'Hé!' riep ik uit. 'Eerst het boek lezen, dan pas de film kijken.'

'Te laat. Maar bedankt voor de goede raad.'

'Verdorie nog aan toe!'

Brit lachte. 'Mag ik hier blijven?'

Ik had in een nis een leeshoekje voor mezelf ingericht, met een ingezakte bank die nog van vroeger was, met lage, brede leuningen waar je een koffiebeker op kon zetten, of een bier- of whiskyglas, of in Brits geval een plastic fles met Diet Mountain Dew. Een niet-bijpassend taboeretje had precies de juiste hoogte, en door de staande lamp die ooit in het huis van mijn grootmoeder in Creskill, New Jersey, had gestaan, leek een doodgewoon peertje warmer licht te geven.

Als het mocht, zat Brit daar graag de hele dag. De afgelopen weken was het zelfs een gewoonte geworden, maar zolang Pete en Melody geen bezwaar maakten, en als ik niet hoefde te werken, had ik er geen last van.

'Prima,' zei ik. 'Weet je vader dat je hier bent?'

'Ik heb Melody gezegd dat ik hiernaartoe ging.'

'Ook goed.'

'Net alsof Melody zo goed is.'

Ze was er altijd op uit me partij te laten kiezen. 'Dat zijn mijn zaken niet.'

'Ik zei het zomaar, hoor.' Ze liet zich op de bank ploffen met het boek en haar drankje, en krulde zich op.

'Het is een eerste druk,' zei ik terwijl ik naar de trap liep. 'Maak er geen vlekken op.'

'Ja, mam.'

'Ik zei het zomaar, hoor.'

Ze stak haar tong naar me uit. 'Mag ik op de computer als ik toch hier ben?'

'Als je achter het wachtwoord weet te komen.'

'Wat is het wachtwoord dan?'

'Het wachtwoord is: je hebt zelf een computer.'

'Ja,' zei ze, 'maar pap heeft er een kinderveilig programma op gezet.'

'Veel plezier met je boek,' zei ik.

Die avond, toen we de ronde deden, zei Roger: 'Ik zou maar oppassen.'

'Waarvoor?'

'Brit is heel vaak bij jullie,' zei hij. 'Je weet maar nooit.'

Ik was hier niet op voorbereid. 'Wat weet je maar nooit?' vroeg ik.

'Wat men ervan denkt.'

We hadden een paar jongeren weggejaagd van de bouwplaats waar Spoonbill Circle moest verrijzen, en waren op de terugweg. Hoewel het al september was, was het nog steeds warm en voelde het zomers aan. Maar wanneer de avond viel, rook je toch al de herfst.

Ik dwong mezelf even te wachten voordat ik hierop reageerde. Het probleem met wachten was dat mijn ergernis groeide, en dat was blijkbaar zichtbaar, want Roger zei: 'Vat dit niet verkeerd op.'

'Wat moet ik niet verkeerd opvatten?'

'Het is me alleen opgevallen dat ze heel vaak bij jullie is. En soms is Sara er niet.'

'Dat is je opgevallen, hè?'

'Rustig nou maar, Doc.' Ik kreeg een mep op mijn rug. 'Vandaag viel het me toevallig op. Dat is alles.'

Ik was een beetje moe geworden van Rogers voortdurend op mijn rug meppen en het Doc worden genoemd. 'En?'

'Hoor eens,' zei hij, 'ik zeg niet dat het eerlijk is, maar ik heb de ervaring dat dit het soort situatie is die verkeerd kan worden opgevat.'

'Verkeerd opgevat.'

'Je weet vast wel wat ik bedoel.'

Ik wist wat hij bedoelde. Maar ik was ook kwaad geworden. 'Bedoel je dat er iets om verkeerd op te vatten is aan het feit dat Brit Seward bij ons langskomt?'

'Ik wil alleen maar zeggen...'

'Ik weet dat Michael niets verkeerd opvat,' zei ik. 'En als Pete en Melody iets verkeerd opvatten, hebben ze er tegen mij niks over gezegd. En Barry Firth zou een verkeerde opvatting nog niet voor zich kunnen houden als je hem opsloot in de kast.' Ik telde de bewoners van Sycamore Court af op mijn vingers. Toen ik daarmee klaar was, bleef alleen mijn wijsvinger nog over. Daarmee wees ik op Roger. 'Wie blijft er dan nog over?'

Dat gebaar leek hem niet te verontrusten, en eigenlijk vond ik het zelf behoorlijk kinderachtig. En eigenlijk had ik liever een andere vinger naar hem opgestoken. Wat Roger betrof, hadden we het over het weer kunnen hebben, en over dat het eindelijk een beetje afkoelde.

'Vergeet Brit niet,' zei hij. 'Zij zou het ook verkeerd kunnen opvatten.'

'Nou, ik heb haar totaal niet aangemoedigd iets verkeerd op te vatten.'

'Verdorie, Paul, dat weet ik ook wel. Kom op, zeg, dat is nooit bij me opgekomen.'

Het is wél bij je opgekomen, had ik bijna gezegd. Het is wel bij je opgekomen, daarom bracht je het ter sprake en daarom hebben we het er nu over...

Ik werd me ervan bewust dat ik sneller was gaan lopen. Roger had echter zijn pas niet versneld. Hij sjokte verder in zijn normale tempo, en daardoor werd ik gedwongen me in te houden, of een hele straat verder in het donker tegen mezelf te praten. Daardoor ging ik me nog meer ergeren.

'Hoor eens,' zei hij, 'ik kende Brit al toen ze zo oud was als Sofie nu. Als ik een verkeerde opvatting had die je zou moeten weten, zou je dat wel weten. Echt.'

Ik verzon hier een stuk of vijf reacties op en liet het er toch maar bij zitten.

Misschien lag het aan mij. Sara had gezegd dat ik me gauw ergens aan ergerde, en dat klopte waarschijnlijk wel.

Het ergerde me dat de politie na twee maanden nog geen enkele aanwijzing had wie Sara had overvallen. Het ergerde me dat Barry Firth weken geleden had rondverteld dat we zwanger waren, hoewel we dat eerst voor onszelf hadden willen houden, in elk geval totdat we eraan toe waren om het te vertellen. Omdat Barry zijn bek niet kon houden, en Mi-

chael Sprague ook niet, had iedereen twee en twee bij elkaar kunnen op-
tellen toen Sara tijdens de barbecue bij Pete en Melody drie weken geleden margarita's had gedronken.

Over alcoholische consumpties gesproken: ik vond het ook niet fijn
dat Roger precies leek te weten hoeveel bier- en wijnflessen er op vuilnisophaaldag in onze glasbak zaten. Het ergerde me dat hij had gemerkt dat
het er de afgelopen weken meer waren geworden. Het ergerde me dat hij
zich daar zo'n zorgen over had gemaakt dat hij er tegen Sara iets over had
gezegd, en dat had ze op haar beurt overgebriefd aan mij.

Natuurlijk bedoelde iedereen het goed. Door hun medeleven te betuigen met ons verlies. Door hun bezorgdheid te uiten.

Misschien kwam het er allemaal wel op neer dat Sara en ik de laatste
tijd niet echt Sara en ik waren. De colleges waren begonnen, ons rooster
kwam niet altijd overeen, en zes weken nadat we ons kindje hadden verloren, leken we op heel verschillende frequenties te zitten. In ons huwelijk
hadden we nog nooit zo veel moeite gehad om op elkaar af te stemmen.

En nu ineens deze onzin?

'Laat maar,' zei Roger. 'Er is nog veel meer waarvan je niet op de hoogte
bent. Daar kun je niets aan doen.'

'Waarvan ben ik niet op de hoogte?'

'Tussen ons gezegd en gezwegen,' zei hij, 'je blijkt over een geweldig
alibi te beschikken.'

'Wat bedoel je daarmee?'

Terwijl we terugliepen over Sycamore Drive, vertelde Roger me over
iets wat hij te weten was gekomen, namelijk dat Brit had gezegd dat ze bij
ons zou zijn, maar eigenlijk stiekem in een Mustang-cabriolet naar Loess
Lake was gegaan met haar vriendinnetje Rachel, de verboden bikini en
twee hoogsteklassers van Clark Falls High School.

'Dat wist ik niet,' zei ik. 'Pete en Melody hebben er niets over gezegd.'

'Dat komt doordat Pete en Melody het niet weten,' zei Roger. 'Ik was
van de ijzerwinkel op weg naar huis, en toen zag ik Brit onder aan de heuvel in de auto stappen. Van Melody hoorde ik dat ze met een hele stapel
boeken naar jullie was gegaan. Ik wachtte totdat die meid vier uur later de
heuvel op kwam gelopen. Ik heb even met haar gebabbeld, en toen ging ze
naar binnen om te eten.'

Had hij op haar gewacht? Vier uur lang? 'Echt?'

'Echt.'

Ik zocht zorgvuldig naar woorden. Nee, dat is niet helemaal waar. Ik flapte er zomaar uit waarom hij zich verantwoordelijk voelde voor wat Brit Seward uitspookte en waarom hij daarover met haar had gebabbeld.

'Hoor eens, Doc, eigenlijk hoor ik dit voor me te houden. Maar voor als je het nog niet wist: Pete en Melody... Nou ja, de laatste tijd gaat het niet zo goed tussen die twee.'

'O?' Ik dacht aan die avond dat ik Roger en Pete had horen praten, toen op het terras van de countryclub. Ik zei er maar niets over. 'Wat vervelend.'

'Brit is een toffe meid, maar weet je? Ze is zo listig als een eerstejaars, en heeft het lichaam van een fotomodel. En dat op haar dertiende. Ze weet niet wat ze ermee aan moet. Dat is niet makkelijk.' Hij schudde zijn hoofd. 'Weet je, ze maakt het hen niet makkelijk met haar gedrag. Dus heb ik even een babbeltje met haar gemaakt. Weer iets waar Pete en Melody zich geen zorgen meer over hoeven te maken.'

In stilte klommen we de heuvel op. 'Nou,' zei ik, 'we zijn zeker allemaal medeverantwoordelijk.'

Roger zweeg een poosje. Het moment ging voorbij. Toen kneep hij in de gloeiende punt van zijn sigaar, stopte de rest in zijn vestzakje en zei: 'Pas een beetje op, Doc.'

Zonder nog iets te zeggen liepen we naar huis.

17

De volgende morgen, in alle vroegte, ging de bel. Toen ik opendeed, zag ik Roger op de stoep staan, gekleed in een lichtgekleurd jasje, kaki broek en wandelschoenen.

Sara was gaan joggen met Melody Seward. Ik was bezig koffie te zetten. Roger had zijn ene hand in zijn zak gestoken, en met de andere hield hij een thermosbeker vast.

'Goedemorgen,' zei hij.

'Roger.'

'Doc, ik ben je mijn excuses schuldig.'

Nadat ik de vorige avond was thuisgekomen, was ik een half uur blijven razen en tieren. Sara had geduldig geluisterd, af en toe geknikt, en uiteindelijk geopperd dat ik misschien overdreef.

Misschien had ze wel gelijk. Hoe dan ook, ik had de energie niet voor een burenruzie.

'Laat maar.' Ik maakte een wegwuivend gebaar. 'Ik ben de laatste tijd behoorlijk prikkelbaar. Daar kan Sara van meepraten. Zand erover.'

'Nou, maar ik vind het niet prettig dat het zo blijft hangen. Daarom ben ik zo voor dag en dauw gekomen om je dat te vertellen.'

'Kom binnen.'

'Eigenlijk was ik van plan een wandeling te gaan maken,' zei hij. 'Ik dacht dat je me misschien gezelschap zou willen houden.'

Ik was nog gekleed in de trainingsbroek en het t-shirt waarin ik had geslapen, en ik had helemaal geen zin in een wandeling. Aan de andere kant, ik moest een heleboel essays beoordelen voor het college van maandag, en ik was al manieren aan het verzinnen om dat uit te stellen. Bovendien keek Roger me hoopvol aan.

Dus trok ik gauw een spijkerbroek en sportschoenen aan, plus een oud sweatshirt van Dixson. Voordat ik naar buiten ging, schonk ik nog gauw koffie in een thermosbeker.

Een poosje liepen Roger en ik over Sycamore Drive te babbelen over het weer. Dit was de eerste herfstachtige ochtend. Het was fris en een beetje nevelig, en de gazons flonkerden van de rijp. Halverwege de heuvel stapte Roger van de weg af op een stuk braak terrein. 'De panoramische route. Kom maar achter me aan.' We liepen door een strook met wilde grassen en sumak, en vervolgens kwamen we in het natuurpark. Roger volgde een paadje dat herten hadden gemaakt. 'Daar gaan we.'

Iets van dertig meter verder werden we omringd door bomen, en het leek tien graden kouder te worden. Af en toe waren er stukjes blauwe lucht te zien door het fluisterende bladerdak boven ons hoofd. De boslucht was prikkelend, en uit onze bekers stegen slierten damp op. De pijpen van mijn broek waren aan de onderkant kletsnat geworden van het lopen door de grasstrook, en ik was blij dat ik een sweatshirt had aangetrokken. 'Wanneer begint het tekenseizoen ook alweer?'

Roger grinnikte. 'Dat begint hier binnenkort.'

Ik bukte voor een tak en liep achter hem aan.

'Vroeger was dit Omaha-gebied,' zei hij onder het lopen. 'De Ponca woonden vooral aan de overkant van de rivier.'

'Je meent het. Het zou dus Omaha Heights moeten zijn, hè?'

'Toen ze deze plek een naam gaven, heeft iemand zeker zijn huiswerk niet gedaan.' Roger knipoogde toen hij achteromkeek, in de richting van Ponca Heights. 'Of misschien vonden ze het gewoon beter klinken. Pas op, een boomwortel.'

Een tijdje liepen we zwijgend verder. We luisterden naar het ochtendgekwetter van de vogels, naar het kraken en ruisen van de boomtoppen, naar het ritselen onder onze voeten van de dorre bladeren die het jaar daarvoor waren gevallen.

Hoewel het pas september was, miste ik toch het najaar van thuis. In New England is de herfst een explosie; vergeleken daarmee bezocht de herfst Clark Falls stilletjes, in gedempte kleuren. Als je niet oplette, zou het je zomaar kunnen ontgaan dat er voor je ogen een seizoenswisseling aan de gang was.

Hoe verder Roger en ik het bos in liepen, des te meer ging ik me afvragen of de bladeren van kleur zouden verschieten voordat we thuis waren. Het paadje was smal, te smal om langs de dikke bomen naast elkaar te kunnen lopen. Op een bepaald moment viel het me op dat op sommige plekken de takken waren teruggesnoeid. De uiteinden van die takken waren al bruin geworden. Pas toen drong het tot me door dat dit geen hertenpaadje was. Ik was al gaan vermoeden dat dit geen gewone, zondagse wandeling was.

Ik was gaan zweten. De koffie was op, en ik vond het vervelend steeds die lege thermosbeker te moeten vasthouden. Hoewel ik fitter was geworden door het al een paar weken de ronde met de buurtwacht doen, had dit heuvelachtige terrein me aan het hijgen gekregen.

'Gaat het daar een beetje, Doc?'

'Prima de luxe,' zei ik. 'Hoe ver is het eigenlijk nog?'

'Niet veel verder. Verderop is een goede plek om terug te keren.'

Na een paar minuten hadden we een helling genomen en kwamen we bij een open plek, omringd door grillig gevormde eiken en slanke berken, waar de schors af hing als oud behang.

'Eindpunt,' zei hij.

'Misschien moet je me straks terugdragen.'

'Hier puffen we even uit.'

Een paar meter vanwaar we stonden, groeide een polletje van iets sprieterigs met varenachtig blad en paarse vlekken, en met hier en daar trosjes witte bloemetjes. Roger zag me kijken en zei: 'Dollekervel.'

'Hè?'

'Het spul dat ze bij Socrates gebruikten, als je in dat verhaal gelooft.'

'Je meent het!'

'Vroeger groeide dat hier niet,' zei Roger. 'Een paar jaar geleden was het er ineens, in het voorjaar. Elk jaar wordt het meer.'

Hij stond daar met die thermosbeker in de ene hand en de andere in zijn zak gestoken, precies zoals hij een uur geleden bij ons op de stoep had gestaan. Afgezien van door zweet donker geworden haar zou je nooit zeggen dat we net een inspannende boswandeling van tweeënhalve kilometer achter de rug hadden.

'Kijk daar! Maar niet aankomen.'

Ik zag waarop hij wees: houtachtige ranken dicht over de grond, die zich verstrengelden met de pol dollekervel. Glanzende groene bladeren, sommige met rood bij de punt.

'Weet je wat dat is?'

Ik glimlachte. 'Ik ben bang dat ik geen erg goed padvindertje zou zijn geweest.'

'Gifsumak.' Hij maakte een hoofdgebaar om de omgeving aan te duiden. 'Je kunt een hele kilometer alle kanten op lopen zonder dat spul tegen te komen. Er moet een of andere reden zijn dat het hier groeit. Merkwaardig.'

Hij keek afwezig. Ik kreeg een akelig gevoel in mijn buik. Tegen die tijd dacht ik dat ik wist waarom we hier stonden. Door daar te staan voelde ik me ongemakkelijk.

'Roger,' zei ik.

'Hier hebben ze mijn jongen gevonden.' Hij zette de beker aan zijn lippen en knikte in de richting van de pol dollekervel. 'Tien jaar geleden, in april. Hij was ook een boekenwurm. Niet zo erg als Brit, maar hij las altijd graag. Laatst dacht ik nog: hij zou nu college bij Doc kunnen hebben gevolgd.'

Ik wist niet wat ik daarop moest zeggen.

'Ze hebben hier gezocht,' zei hij. 'Ze dachten dat wie Brandon had meegenomen... Ze dachten toen dat hij hem nog in handen had. Dat hij hem ergens had verstopt. Ze denken dat hij hem later hiernaartoe heeft gebracht. Na afloop.'

'Roger,' zei ik. 'Ik weet niet...'

'Er is een theorie dat hij zelfs mee heeft lopen zoeken,' zei Roger. 'Hij zou Brandons rugzak hier expres kunnen hebben gelegd. Hij zou ervoor kunnen hebben gezorgd dat er een bepaalde richting op werd gezocht. Alles een bepaalde kant op sturen. Zich als vrijwilliger melden om precies te weten waar al systematisch was gezocht. Om dan later terug te komen, waar hij toch al sporen had achtergelaten.' Hij haalde zijn schouders op. 'Dat was één theorie. Er waren nog andere. Maar geen daarvan kon worden bewezen.'

Normaal gesproken houd ik niet zo van met hoofdletters geschreven woorden zoals Goed en Kwaad. Wanneer het tijd wordt dat mijn studenten een essay moeten schrijven over een opgegeven tekst, hamer ik erop dat het schermen met absolute waarden een verkeerde benadering is.

Dat maakt het lastig om te beschrijven wat er door me heen ging toen ik daar naast Roger stond te kijken naar de overwoekerde plek aarde die ooit het lichaam van zijn vermoorde zoon had gekoesterd. Ik kan alleen maar zeggen dat het een heldere en zonnige dag was, maar dat in mijn herinnering die plek grauw en bewolkt was.

'Ze zeggen dat als je het met rust laat, het uiteindelijk alles overwoekert.' Roger nam een slok koffie en knikte naar de pol dollekervel. 'Het wordt elk jaar meer.'

Op de terugweg zeiden we weinig. Nadat we eindelijk het veel betreden paadje naar Brandon Mallory's oorspronkelijke graf hadden verlaten, en nadat we door de grensstrook met sumak en wilde grassen hadden gewaad en terug waren op Sycamore Drive, zei Roger uiteindelijk: 'Waarschijnlijk lijkt het er nu op dat ik soms mijn neus steek in zaakjes die me niet aangaan. En misschien is dat ook wel zo.'

'Hoor eens, Roger...'

'Weet je, wanneer er iemand aan ons hofje komt wonen, beschouw ik ze niet echt als buren.' Hij maakte de beker open en liet het laatste restje koffie op de grond lopen. 'Pete en Melody, Barry en Trish, de kinderen, Michael. En nu Sara en jij. Dit klinkt misschien overdreven, Doc, maar ik beschouw jullie allemaal eerder als familie.'

Ik deed mijn mond dicht en zei niets.

'Mijn zoon is op klaarlichte dag meegenomen.' Hij haakte een pink door het oortje van de beker en liep verder met zijn handen in zijn broekzakken. De zon leek de klok terug te zetten, van najaar naar zomer. 'Midden in de week, met overal mensen. Maar niemand heeft iets gezien. Jezus, ik weet hoe het is,' ging hij verder. 'Je bent bezig je eigen leven te leiden. Je hebt je eigen baan, je betaalt je eigen rekeningen, je maait je eigen gazon. Je krijgt promotie. Je bouwt een leuk huis in Spoonbill Circle.' Hij keek achterom en gebaarde naar de voet van de heuvel. 'Je zorgt dat je kinderen naar school gaan.'

We liepen.

'Er komen meer mensen die allemaal hetzelfde willen. Allemaal leven ze hun eigen leven. De buurt groeit, die wordt uitgebreid. Algauw knik je naar de buren wanneer je 's ochtends de krant haalt, en je weet niet eens wie er aan de overkant woont. Voor je het weet woon je in een grote doolhof. Op een dag sla je links af in plaats van rechts af, en dan zou je zomaar kunnen verdwalen in je eigen wijkje.'

Nee, dacht ik. Ik wist waar hij naartoe wilde. Ik wilde niet dat hij daar-naartoe ging. Niet op deze manier.

Maar Roger had iets op de lever, en hij wachtte al de hele ochtend om het eruit te gooien. Dus bleef ik zwijgen en gaf hem de kans.

'Als we allemaal een beetje op elkaar gingen letten, zou wat er met Brandon is gebeurd, Brit Seward niet kunnen overkomen,' zei hij. 'Of de kleine Sofie, God verhoede. Of Jordan en Jake. Misschien zou wat Sara en jou is overkomen, dan niet gebeuren met iemand die onder aan de heuvel woont.'

Was ik onredelijk?

'Misschien gebeuren de dingen waarover je elders wel eens hoort dat ze gebeuren, hier dan niet zo vaak.'

Kon ik dan helemaal geen begrip opbrengen, ook niet een heel klein beetje? Was ik het niet een heel klein beetje met hem eens?

'Of misschien kunnen we helemaal niks veranderen,' zei Roger. 'Maar we kunnen in elk geval ons best doen.'

Je eigen veiligheid staat op het spel wanneer het huis van je buren in brand staat. Dat zou Horatius, de dichter van lang geleden, hebben ge-schreven. Dat weet ik omdat het staat gedrukt op het dekblad van de Ponca Heights buurtgids, die bij ons in een keukenla lag. Het stond ook op het visitekaartje dat Roger ons had gegeven, voor het geval we hem ooit zouden willen bellen wanneer hij op de werkplek in de burelen van Veiliger Leefomgeving was. Het was het motto van die organisatie. De Veiliger Leefomgeving-versie van: weest paraat.

Ik had al bij wijze van grap tegen Roger gezegd dat ik geen goed pad-vindertje zou zijn geweest.

'Nou,' zei hij toen we op het trottoir voor ons huis stonden, 'bedankt.'

'Waarvoor?'

'Voor je gezelschap. Dat was me het wandelingetje wel.'

Dat kon je wel zeggen, ja.

'Ik wilde je eigenlijk alleen maar uitleggen waarom ik gisteravond deed zoals ik deed,' zei Roger. 'Ik had het gevoel dat er iets scheef zat, en dat spijt me.'

Op het veldje duwde Trish Firth de schommels van de tweeling. Toen ze ons zag, zwaaide ze. Wij zwaaiden terug. We waren bijna twee uur weg geweest. Ik vroeg me af of Sara al thuis was.

'Roger,' zei ik, 'ik vind het echt vreselijk wat er met je gezin is gebeurd.'

Hij knikte. 'We hebben het er maar weinig over gehad. Maar Sara en jij moeten niet denken dat het onderwerp taboe is.'

'Ik heb Brandon nooit gekend,' zei ik. 'En Clair ook niet. Maar ik kan me voorstellen dat je heel veel van ze hebt gehouden.' Dat meende ik oprecht. 'En ik kan me niet voorstellen wat zoiets met je doet.'

'Nou, ik zou liegen als ik zei dat het overgaat. Maar uiteindelijk raakt iedereen wel iemand kwijt.' Hij glimlachte schouderophalend, zijn blik gevestigd op de tweeling van de Firths. 'We moeten allemaal leren verder te gaan.'

'Die plek die je me daarnet liet zien... Wat je me daar vertelde...' Ik knikte zo meelevend mogelijk. 'Echt, daar ben ik je dankbaar voor.'

'Het betekende veel voor me je dat te laten zien, Doc.'

En toen zei ik iets wreeds. Aan de ene kant had ik er onmiddellijk spijt van. Aan de andere kant zou ik het zo weer zeggen. 'Ik wil je ook even vertellen dat ik me in mijn hele leven nog nooit zo gemanipuleerd heb gevoeld.'

Roger verschoot van kleur. Hij keek me aan alsof ik hem een klap in het gezicht had gegeven.

'Je moet je schamen!' zei hij.

Op het veldje giechelde de tweeling van de Firths en trapte met hun beentjes terwijl ze heen en weer schommelden in hun knalblauwe tuigjes. Trish kietelde glimlachend hun voetjes wanneer ze bij haar kwamen en gaf hun vervolgens weer een zetje. Als het haar al was opgevallen dat er iets mis was tussen Roger en mij, liet ze dat niet blijken.

Even keek Roger me uitdrukkingsloos aan. Toen kreeg hij een duistere blik in de ogen.

Ik besefte dat ik Roger Mallory voorheen nog nooit kwaad had zien kijken. Als dat wel het geval was geweest, zou alles misschien anders zijn gelopen. Of misschien ook niet.

In elk geval, ik liet hem daar staan en ging naar binnen.

18

Een huwelijk is onderhavig aan slijtage, zei mijn vader ooit. Joe Callaway was een leunstoelfilosoof, met typische borreltafelwijsheden die op bijna elke situatie toepasbaar waren. Om de een of andere reden voelde mijn vader zich in het bijzonder aangetrokken tot het onderwerp van familiebanden, en toen hij met pensioen ging, had hij meer huis-, tuin- en keukenadviezen bij elkaar gesprokkeld dan Dr. Phil. Soms laat je het vallen, soms stoot je ertegen, en zo ontstaan er barstjes die je zelf niet kunt zien…

Hij zei dat er vocht doordringt in die barstjes, dag na dag, jaar na jaar. Zweet, tranen, gewoon regen. Als je niet goed oplet, en het gaat vriezen, zet dat vocht uit. De barstjes worden barsten.

Zo gaat dat, zei hij. Je kunt denken dat je goed zit, en dan, *bam*, zakt de vloer weg onder je voeten.

Eind oktober was de sfeer in ons huis verkild. Dat lag niet aan één ding. Die zomer en dat najaar waren een opeenstapeling van vervreemding en uitputting geweest. Eerst werd alles op z'n kop gezet door de zwangerschap, toen kwam de verhuizing van Boston naar Clark Falls, vervolgens was er die inbraak met geweld, en uiteindelijk de miskraam. Deze opeenvolgende gebeurtenissen werkten als de ene koude douche na de andere, en Sara en ik waren al maanden niet lichamelijk intiem geweest. Nu het academisch jaar was begonnen, zagen we elkaar minder en maakten vaker ruzie.

Het was al eerder voorgekomen dat we uit koers raakten, maar hoe we deze keer ook ons best deden weer dichter tot elkaar te komen, des te erger raakten we om de een of andere reden de weg kwijt. Na een poosje werd de voortdurende behoefte het stuur over te nemen een ergernis op zichzelf.

Terwijl het semester voortschreed, en Sara's nieuwe baan steeds meer tijd opeiste, en mijn stapje terug neerkwam op geestdodend academisch gezwoeg, leek het bijna alsof de benzine op was.

Ik had me verheugd op het laatste weekend van november. Sara zou dan deelnemen aan een congres in Albany, niet ver van Boston. Een aangenaam middagje per trein door de Berkshire Mountains over de lijn naar Lake Shore. Ik beschouwde het als een kans voor ons om terug te keren tot de hoofdzaken. Samen op reis naar waar we vandaan kwamen. Een hotelletje in Brookline of Cambridge. Daar een weekend blijven. Terugkomen zoals we elkaar kenden.

'Dat is toch niks voor jou, een economisch congres?' zei Sara.

'Vreselijk,' zei ik. 'Maar het congres duurt slechts tot donderdag.'

'En jouw colleges dan?'

'Ik kan vrijdagochtend het vliegtuig nemen,' zei ik. 'Dan zie ik je op het station. Ik ben Cary Grant, en jij Eva Marie Saint.'

Ze glimlachte. 'Klinkt leuk.'

'Ja, hè?'

Langzaam verflauwde de glimlach. Na een tijdje slaakte ze een zucht.

'Om heel eerlijk te zijn,' zei ze, 'vind ik het denk ik wel prettig er even tussenuit te zijn.'

'Precies. Heerlijk!'

'Alleen.'

Ze keek me aan alsof het haar speet dat ze geen andere manier had kunnen verzinnen om me dat te vertellen. Haar ogen zeiden: word alsjeblieft niet boos. Haar mond zei: 'Om de batterij op te laden, denk ik. Ik weet het niet. Om alles op een rijtje te zetten.'

Studenten, zien jullie wat ik hier doe?

Kijk goed naar de gebruikte techniek.

Ik begin met een anekdote over mijn vader. Voor zover jullie weten, zou die anekdote wel eens helemaal niet waar gebeurd kunnen zijn. Maar ik heb die gekruid met geloofwaardige, uit het leven gegrepen details, en er is waarschijnlijk geen manier om te achterhalen of de anekdote wel authentiek is.

Eigenlijk doet het er niet toe wat mijn vader nu wel of niet heeft gezegd. Mijn bedoeling is een bepaalde toon te zetten, alles in een bepaald perspectief te zetten. De toon moet nuchter zijn, het perspectief dat van de gewone man. Het soort gewone man, een *regular Joe*, die terugdenkt aan de raad van zijn vader. Is het jullie opgevallen dat ik mijn vader de naam Joe heb gegeven?

Toevallig héét mijn vader Joe, maar ik had hem willekeurig welke naam kunnen geven. Ik ben gepromoveerd op Engelse letterkunde; ik zou net zo gemakkelijk kunnen zijn begonnen met een citaat van Shakespeare, van Faulkner of zelfs van Gertrude Stein.

Maar dan zou het er misschien op gaan lijken dat ik me verheven voel, en ik wil juist herkenbaar en invoelbaar zijn. Kijk maar hoe ik mijn huwelijk beschrijf alsof het een vervoermiddel is. Iedereen heeft wel eens gebruikgemaakt van een vervoermiddel.

Sara heeft een 'veeleisende' baan. Daaruit kunnen we opmaken dat ze misschien vaker op haar werk is dan thuis. Mijn werk wordt beschreven – sorry, jongens, ik bedoel er niets mee – als een 'stapje terug'. Het is begrijpelijk dat dit teleurstellend kan zijn voor iemand die ooit een leerstoel bekleedde. Misschien zelfs een beetje oneerlijk.

Er bestaat geen twijfel over dat mijn vrouw en ik in de periode tussen augustus en april een aantal gesprekken voerden. Misschien heb ik tijdens die gesprekken ooit iets gezegd wat Sara kwetste. Misschien heb ik haar ooit het gevoel gegeven dat ze werd afgewezen? Alsof ik meer belang hechtte aan mijn gevoelens dan aan de hare?

Dat weten we niet zeker. Ik heb ervoor gekozen slechts één gesprek weer te geven. Een gesprek waarin ík me afgewezen voelde. In dat gesprek ben ik degene het moeilijk heeft.

Zien jullie wat ik doe?

Het wordt tijd eens door de zure appel heen te bijten.

Die avond heb ik met Melody Seward gevrijd.

Ze kwam voor Sara, die nog steeds in Albany was. Ik was een fles veel te dure shiraz aan het consumeren en medelijden met mezelf aan het hebben.

Melody was duidelijk van slag, misschien zelfs op het randje van radeloos. Het was vrijdagavond, al na negenen, en ik vroeg haar binnen te komen. Ze aarzelde. We hadden elkaar nooit echt goed leren kennen, en we waren nooit alleen geweest. Maar ze had er duidelijk behoefte aan om ergens anders te zijn dan thuis. Sofia was bij de moeder van Melody, en Brit logeerde bij haar vriendin Rachel.

En dus kwam ze binnen.

Uiteindelijk vertelde ze me dat Pete een ander had. Een collega van de bank waar Melody werkte. Iemand die de leningen verzorgde, geen baliemedewerkster.

Hij had beweerd dat hij twee maanden geleden met haar had gebroken, maar dat bleek niet waar te zijn. Om precies te zijn was hij op dat moment bij die verdomde slettenbak. Na twee glaasjes wijn trilden Melody's handen nog steeds.

Ik breng nooit de ups en downs van ons huwelijk naar buiten. Ik heb het er niet over met mijn vader, en ook niet met Charlie Bernard. Ik ben er altijd van overtuigd geweest dat ons huwelijk iets is tussen Sara en mij.

Maar Melody luchtte haar hart op onze bank in de woonkamer, en ik leefde met haar mee door er zelf ook van alles uit te gooien. Dat leek alleen maar eerlijk. Menselijk zelfs. We dronken de tweede fles wijn leeg, en ik ontkurkte er nog een.

Na al die wijn gebeurde het zoals het in films gebeurt. Het ene moment was ik een aandachtig luisteraar, het volgende luisterde ze naar mij.

En toen lagen we plotsklaps in elkaars armen. De filmmuziek gaat aan, de kleren gaan uit.

Vanaf dat moment leek het niet meer op iets uit een film.

Het was ongemakkelijk. Mechanisch. Zelfs kil. Geen gehijg, gekreun of ademloos gezucht. We grepen elkaar vast, we worstelden en hielden al op voordat een van ons was klaargekomen. Nadat we ons hadden aangekleed, durfden we elkaar nauwelijks meer aan te kijken.

Om vier uur 's nachts ging Melody Seward naar haar huis op Sycamore Court 36, als een onteerd bruidsmeisje dat haar hotelkamer weer binnenglipt. Pete was nog niet terug.

Ik verzamelde de lege wijnflessen en onze bezoedelde glazen, en mikte alles in de vuilnisbak.

Twaalf uur later, zaterdagmiddag rond vieren, ging de bel.

Toen ik opendeed, zag ik Roger op de stoep staan. Hij keek me aan alsof hij iets had gehoord wat hem verdrietig stemde.

'Zo gaat het niet,' zei hij.

Zaterdag 17 september, 16.35 uur

19

'Wacht eens.' Douglas Bennett buigt zich naar voren. 'Mallory had een datum genoemd. De zestiende december.'

'Een losse draad,' zeg ik. 'Zo zei hij dat. Hij had een hele toespraak uitgewerkt over dat een sterke gemeenschap net een stevig gebreide trui is, en dat als je aan een losse draad trekt, alles wordt uitgerafeld.'

'Hij beval je letterlijk om op 16 december uit de buurt vertrokken te zijn. Dat was gisteren. Klopt dat?'

'Hij zei dat wanneer er eenmaal een gat was ontstaan, dat alleen maar groter zou worden. Hij zei dat het geen zin heeft er een lapje op te zetten als je niets doet aan de ophaal. In Rogers wereldje ben ik kennelijk de ophaal.'

Bennett vouwt zijn handen. 'Aan wie heb je dit allemaal verteld?'

'Aan niemand.'

'Zelfs niet aan hoe heet hij ook alweer… Michael?'

'Aan niemand,' zeg ik.

Dat houdt in dat ik het ook niet aan mijn vrouw heb verteld. Ik dwing mezelf naar Sara te kijken. Vanbinnen krimp ik in elkaar. Ik wacht.

Ze kijkt naar de grond. Haar schouders staan strak, haar handen liggen slap in haar schoot.

Bennett kijkt me tersluiks aan en zegt: 'Zal ik jullie even alleen laten?'

Voordat hij dat kan doen, komt Sara tot zichzelf en staat op. Zonder me aan te kijken loopt ze om de tafel heen, pakt haar jas en haar tas en gaat weg.

Als een blok hout blijf ik zitten en kijk haar na. Wat kan ik anders doen? Het heeft geen zin achter haar aan te gaan. Ik kan niets meer veranderen. Ik kan niets zeggen wat niet absurd zou klinken. Ik kan niet verdwijnen in deze stoel. Had ik echt gedacht dat dit moment niet zou komen? Hoe kon ik dit laten gebeuren?

Even later hoor ik de glazen voordeuren van Bennett & Partners dichtvallen. Nog even later hoor ik gedempt een portier dichtslaan. Een motor die aanslaat. Piepende banden.

Er daalt een stilte neer.

Bennett slaakt een zucht. 'Een zware dag.'

Ik knik.

'Hoor eens,' zegt hij. 'Ik snap dat het nu niet veel betekent, maar je hebt het goed gedaan. Nu ik bekend ben met het hele verhaal, kunnen we eens zien hoe...'

'O, ik ben nog niet klaar, hoor.'

Bennett trekt zijn wenkbrauwen op.

'Er is nog meer,' zeg ik.

'Veel meer?'

'Ik ben nog maar net begonnen.'

Hij leunt weer achterover.

'Ik wil je aan iemand voorstellen,' zeg ik.

20

Het is al donker wanneer we op pad gaan.

We nemen de Interstate, drie kwartier in zuidelijke richting, naar het Flying J-truckersrestaurant bij de kruising met de I-680. Bennett heeft een Mercedes genomen in plaats van zijn eigen BMW. De Mercedes is van het advocatenkantoor en staat geparkeerd op een binnenplaats achter het gebouw.

Door een ander voertuig te gebruiken en de achteruitgang te nemen, lukt het ons het busje af te schudden van Channel Five Clark Falls, dat aan de voorkant van Bennett & Partners staat. De Mercedes heeft met leer beklede stoelen met stoelverwarming en is uitgerust met speakerphone, waarmee Bennett kan bellen. Hij zit ongeveer de helft van de tocht te bellen, met mensen thuis, waardoor hij hun weekend verstoort. Steeds maar weer legt hij uit aan steeds weer anderen hoe de zaken er voor mij voor staan.

Hij praat met een van zijn advocaat-stagiairs in Clark Falls. Hij praat met een jeugdpsycholoog in Des Moines. Hij praat met iemand in Omaha die blijkbaar alles weet van computers. Hij praat met iemand die blijkbaar alles weet van fotografie in het algemeen, en digitale fotografie in het bijzonder.

Wanneer we vijftig kilometer buiten de stad zijn, spreekt Bennett een bericht in op de voicemail van de openbaar aanklager. Hij vraagt hem terug te bellen. Vervolgens drukt hij op een toets van het bedieningspaneel bij zijn hand.

'Omdat we toch nog zoekende zijn,' zegt hij, 'zouden we het eens moeten hebben over de jongedame Seward.'

'Wat valt er nog te zeggen?'

'Ik weet zeker dat je dit zelf al hebt overwogen,' zegt Bennett, 'maar veronderstel nou eens dat Mallory gelijk heeft. Ze is met je gaan dwepen, of hoe je het ook wilt noemen. Ze is hoteldebotel van je.'

'Volgens mij is dat niet het geval.'

'Paul, als ik iets heb geleerd, is het wel dat niemand, en ik bedoel echt níémand, de tienerziel kan doorgronden.'

'Ze is nauwelijks tiener.'

'Dit zijn moeilijke tijden.' Hij kijkt in de spiegels en voegt in op de andere strook. 'Kom op, laten we er nou eens van uitgaan dat ze stapelverliefd op je is geworden.'

'Goed dan.'

'Het meisje komt erachter dat er iets tussen jou en haar mammie is gebeurd.' Hij steekt een vinger op. 'Haar stíéfmoeder. De vrouw met wie ik daarnet een telefoongesprek heb gevoerd, zou zeggen dat je daarmee een boel ellende over je hebt afgeroepen.'

Heeft hij gelijk? Heb ik dat al overwogen? 'Ik snap het. Maar ik denk niet...'

'Ik vertel je alleen maar wat de jeugdpsycholoog erover te zeggen zou hebben.' Hij haalt een pick-up in met een lege veewagen erachter en gaat dan weer over de andere rijbaan rijden. 'En zij zou kunnen zeggen dat Brittany een bepaald patroon vertoont – voortdurend iets uithalen, steeds weer huisarrest krijgen – dat haar manier kan zijn om aandacht van paps te krijgen. Misschien wel een manier om hem te straffen.'

'Of ze verveelt zich gewoon.'

'En misschien is dít,' zegt Bennett, terwijl hij een gebaar maakt om een niet-bestaande verhouding weer te geven, 'haar manier om jóú te straffen.'

Mijn gezicht doet pijn waar Pete me heeft geschopt, en ik heb de hele middag al bonkende koppijn. Hoewel ik al een handje Advil heb geslikt, lijkt de pijn eerder te verergeren dan te verminderen.

De lichten van de tegenliggers doen pijn aan mijn ogen. Zelfs in de soepeltjes rijdende Mercedes klinkt het geluid van de banden over het asfalt als een drilboor. Het dringt tot me door dat ik me misschien toch beter even had kunnen laten nakijken door een dokter. Misschien heb ik wel een hersenschudding of zo.

'Misschien staren we ons te veel dood op die deadline van Mallory,' zegt hij. 'Misschien moeten we eens zoeken naar een aannemelijke verklaring.'

'Wel erg toevallig allemaal.'

'Dat ben ik met je eens.'

'Ik weet zeker dat hij erachter zit.'

'Hij heeft er zeker mee te maken. Dat weten we.'

'Hij moet haar op de een of andere manier manipuleren.'

'Of misschien is het andersom.' Tersluiks kijkt Bennett me aan om mijn reactie te peilen. 'Weet je echt heel zeker dat Brittany Seward niet op de hoogte was van de woordenwisseling tussen Mallory en jou? Ook niet van de datum waarop hij zei dat je moest zijn verkast?'

Hoe kan ik ook maar van iets zeker zijn? Ik zie anderhalve kilometer verderop de felle verlichting van de Flying J, die het winterse donker in een gloed zet.

'In elk geval, bereid je maar op alles voor. Dit gaat voor iedereen onaangenaam worden.'

'Wat wil je daarmee zeggen?'

'Ik bedoel alleen maar dat je bent beschuldigd van een seksueel misdrijf,' zegt Bennett. 'Of dat meisje nou uit zichzelf liegt of dat ze dat doet voor Roger Mallory, ze is en blijft degene die je daarvan beschuldigt. En dat betekent dat we haar eens onder handen moeten nemen.'

'Dat betekent het helemaal niet,' zeg ik. 'Ik wil niet dat...'

'Ik vind het ook niet fijn,' zegt Bennett geruststellend. 'Ik heb een nichtje van Brittany's leeftijd. Maar jij zit in de penarie. Dat moet je goed tot je laten doordringen.'

'Ik wil Brit spreken. Dit is belachelijk.'

'O nee.' Hij zwaait met een gehandschoende vinger. 'Dat is geen optie.'

Ik zeg niets. We naderen de afslag.

'Hoor eens, professor. Als je zonder mij dat meisje benadert, hoef je me niet nog eens te ontslaan. Dan laat ik de zaak vallen alsof die radioactief is. Goed begrepen?'

'Goed begrepen.'

'Mooi zo.' Bennett neemt de afslag achter een heel konvooi zware vrachtwagens aan. We rijden achter elkaar aan over de afslag, met de bocht mee en de heuvel op naar het wegrestaurant. 'Zo. En ga je me nu eens uitleggen waarom we verdomme naar een afgelegen, door truckers gefrequenteerd wegrestaurant zijn gereden?'

'Daar.' Ik wijs naar een neonbord op de hoek dat de diner aangeeft. 'Daar hebben we afgesproken.'

'Weet je, ik heb al veel geruchtmakende zaken gehad voor een plaats van dit formaat.' Bennett kijkt nadenkend. 'Vijf jaar terug verdedigde ik iemand die per ongeluk een undercover motoragent inhuurde om zijn echtgenote te vermoorden. Geen aardige kerel. Maar een duidelijk geval van uitlokking.' Hij rijdt weg van de karavaan vrachtwagens die op weg zijn naar het halogeenschijnsel van het tankstation. 'Maar dat was lang niet zo geheimzinnig en melodramatisch als deze zaak.'

'Ik ben blij dat je je vermaakt.'

'Het was spottend bedoeld.'

Dicht bij het gebouw is geen parkeerruimte. In de middelste rij zie ik een paar open plekken. Bennett rijdt er langzaam langs. De banden knarsen over de losse stukjes asfalt. Eindelijk parkeert hij onder een lantaarnpaal, vijftig meter van de diner vandaan. Dit is een boomloze plek langs de Interstate, met kilometers akkerland om ons heen. Ik hoor de wind loeien. Bennett merkt dat ik naar hem kijk.

'Ik wil geen deuken in de portieren,' zegt hij om zijn manier van parkeren te verklaren. 'Het is niet míjn auto.'

Nu het zo laat is, is het koud buiten. Wanneer we uitstappen, snijdt de wind in ons gezicht en geeft ons een duw. We trekken onze wapperende jassen om ons heen en lopen snel het parkeerterrein over. Door de kou is de bestrating gortdroog.

In de diner is het warm en lawaaiig, vol vrachtwagenchauffeurs en reizigers. Het ruikt er naar gehaktballen en gefrituurde kip, en het bestek tikt tegen de borden. Uit speakers in het plafond klinkt een scherpe stem die een country-and-westernuitvoering laat horen van 'Holly Jolly Christmas'. Gekleurde lichtjes knipperen rond het buffet.

Bennett knikt in de richting van het met guirlandes versierde bord bij de ingang. 'Kennelijk moeten we zelf maar een plaatsje zoeken.'

Ik laat mijn blik al over de tafeltjes dwalen. We zijn een kwartier te laat, en ik vraag me af of we alles nu hebben verpest.

En dan zie ik een hoofd omhoogkomen. Het laatste tafeltje achterin, niet bij het raam.

Geen wonder dat ik hem in eerste instantie niet zag. Ik vraag me af of ik Darius Calvin wel zou hebben herkend als hij mij niet overduidelijk had herkend.

'Daar.' Ik loop naar het eetgedeelte. 'Kom mee.'

Een serveerster van middelbare leeftijd met pezige armen en in elke hand een pot koffie zegt: 'Ik kom zo bij jullie.'

'Laatste tafeltje achterin,' zeg ik. Ineens heb ik vreselijke honger. 'En ik zou dolgraag een kopje koffie willen.'

'Komt eraan, schat.'

We komen achterin. Zonder op een uitnodiging te wachten neem ik plaats op het bankje en zeg: 'Je bent zeker bezig met een metamorfose.'

Darius Calvin zegt: 'En jij bent zeker te laat.'

'Sorry.' De verandering in zijn uiterlijk is echt verrassend. Hij heeft zijn hoofd kaalgeschoren, en zijn wangen gaan schuil achter een volle zwarte baard. Hij lijkt een beetje op Isaac Hayes. Ik raak mijn eigen hoofd aan. 'Is dat niet koud, zo zonder haar?'

'Jezus, man, die gestoorde smeris is twee keer langs geweest sinds ik je voor het laatst heb gezien.' Hij schuift zijn bord van zich af, met een half opgegeten schijf rundergehakt en een berg puree erop, alles gesmoord in bruine jus. Afgaand op de gestolde resten op het lege bord bij zijn elleboog, was hij bezig met zijn tweede portie. Hij kijkt naar links, buigt zich naar voren en zegt zachtjes: 'Hij zei dat als ik je zou zien rondhangen, ik hem maar beter kon bellen.' Darius strijkt over zijn kale kop, alsof hij zich eraan wil herinneren dat hij er heel anders uitziet.

Vanwege Bennett doe ik of ik achterlijk ben. 'Welke smeris?'

'Jezus, man, dat weet je best.'

'Stockman?'

Hij spreidt zijn vingers, zo van: hè, hè, eindelijk. Vervolgens pakt hij vork en mes op en snijdt een stukje vlees af. 'Ik heb je op het nieuws gezien.'

'O?' Ik heb het nieuws nog niet gezien.

'Je zit in de penarie.'

'Blijkbaar.'

Nog steeds kauwend en nog steeds met zijn blik op mij gevestigd wijst Darius Calvin naar opzij met zijn vork. 'Wie is dat?'

'Dit is mijn raadsman, Douglas Bennett. Bennett, dit is Darius Calvin. Vertel hem maar wie je bent, Darius.'

'Jezus, man, jij hebt míj gebeld.'

Daar heeft hij een punt. 'Bennett, dit is de man die Sara heeft overvallen.'

'Pardon?' zegt Bennett.

'Darius hier heeft in juli bij ons ingebroken.'

'Die rotzak heeft me een mep verkocht met een golfclub,' zegt Darius.

Ik knik. 'Klopt.'

Nu kijkt Douglas Bennett me onderzoekend aan. Vervolgens kijkt hij naar ons nieuwe maatje Darius Calvin.

'Weet je nog dat je zei dat we ons geen zorgen hoefden te maken omdat het allemaal zo idioot zou klinken?' vraag ik.

Bennett staat daar maar.

'Ik sprak voor mijn beurt,' zegt hij uiteindelijk.

Hij trekt zijn jas uit en komt naast me zitten.

21

Ik ga naar het buffet terwijl Darius Calvin Bennett alles vertelt wat ik al weet. Dat hij tien maanden geleden naar Clark Falls is verhuisd vanuit Ames, waar hij geen werk kon vinden. Dat zijn neef een baantje voor hem had geregeld voor vijftien dollar per uur, als vorkheftruckbestuurder in een pakhuis vol medische benodigdheden ten zuiden van het plaatsje.

Volgens Darius was hij niet op de hoogte van de klusjes die zijn neef erbij deed, tot op een zaterdagavond in juni, toen hij in een geleende auto aan de kant werd gezet en de auto werd doorzocht. Hij bleek rond te rijden met geladen pistool, vier glazen buisjes, en een reservewiel vol zakjes methamfetamine.

'Ik zei tegen die agent dat dat spul niet van mij was,' zegt hij wanneer ik terugkom bij het tafeltje. 'Hij heeft zijn duimen in zijn riem gestoken, zo van: ja hoor, dat zeggen ze allemaal. Kijk, ik betaal mijn rekeningen op tijd, ik ga naar mijn werk, ik doe wat ik moet doen, en dan ga ik naar huis. Ja, toch? En het was niet eens míjn auto!'

Mijn bord was nog warm van de vaatwasser toen ik langs het buffet liep. Nu ligt het vol stoofvlees, puree, twee kippenpoten en een stuk of wat gefrituurde gamba's waarop mijn oog was gevallen. Ik kwijl zowat.

'En dat was dus brigadier Stockman,' zegt Bennett. 'De agent die je aan de kant had gezet?'

'Hoe vaak moet ik dat nog zeggen?'

'Sorry. Ga door.'

Ik tast toe terwijl Darius Bennett de rest vertelt. Het is ontzettend lekker. Misschien schep ik mezelf ook nog eens op. Wanneer de serveerster met de koffie komt, kan ik haar wel zoenen. Met een frons kijkt ze me aan. 'Wat is er met jou gebeurd, schat?'

'Lang verhaal.'

'Ja, het is altijd een lang verhaal.' Ze geeft me een knipoog en schenkt mijn kopje vol. Bennett en Darius doen er het zwijgen toe wanneer ze hun kopjes bijschenkt. Ze blijft maar schenken.

Zodra ze weg is, zegt Bennett: 'Ik snap het niet.'

'Hij zei dat hij me kon matsen. Hij zei dat als ik hem matste, hij mij zou matsen. Dan zou hij zijn mond houden. Hij zei dat hij rapport kon uitbrengen over een verlaten auto langs Interstate 175, en als ze dan achterhaalden dat die van Tree was, moest Tree zeggen dat die was gestolen.'

'Tree?'

'Mijn neef.' Darius haalt zijn schouders op. 'Hij is twee meter tien.'

'O.'

'Ik wilde je vrouw niks aandoen.' Darius kijkt me recht in het gezicht wanneer hij dat zegt. 'Dat weet je ook wel.'

Ik zeg dat ik hem geloof. Dat heb ik veertien dagen geleden ook al gezegd. Die avond was ik hem naar huis gevolgd, vanaf dat pakhuis met medische benodigdheden.

'Meneer Calvin,' zegt Bennett, 'Darius, ik...'

'Die gozer zei dat het niet echt was. Dat ze vrijwilligers trainden of zoiets. Hij zei dat ik een huis moest binnengaan alsof ik een grote zwarte bink was, en dan gauw via de achterdeur naar buiten wanneer de bewoners terugkwamen.'

Als Bennett dat hoort, kijkt hij alsof hij in een onbekend bed wakker is geworden.

'Hij zei dat er vorig jaar bij blanken was ingebroken, en hij wilde dat nadoen. Hij liet me zien waar ik moest staan, welke deur ik moest nemen. Op een avond belde hij me en zei welke auto ik moest hebben, en dat ik moest wachten totdat de koplampen aangingen. Toen ik naar binnen ging, lag er een blanke vrouw in bed. Ik dacht dat die erbij hoorde, dus speelde ik het spelletje mee toen die gozer binnenkwam alsof hij in *Die Hard* speelde en me ervanlangs gaf met een golfstok.'

'Wacht eens.' Bennett maakt een gebaar alsof hij alles wil terugspoelen. 'Brigadier Stockman heeft je naar het huis van Paul en Sara gebracht? Nog voor de inbraak?'

Darius schudt zijn pas kaalgeschoren hoofd. Hij krabt in zijn pas gegroeide baard. Ik durf te wedden dat zijn eigen moeder hem niet meteen zou herkennen. 'Die ander. Die gozer van de tv-reclame, om een uur of drie 's nachts.'

'Roger,' zeg ik tegen Bennett. Ik word er ongeduldig van. Waarom snapt hij het niet? 'Roger zat erachter. Hij heeft Darius ingehuurd om bij mij in te breken, om de hele buurt de stuipen op het lijf te jagen, om dertig nieuwe vrijwilligers voor zijn verdomde buurtwacht te werven, en dan zegt hij dat we hem niet hoeven te bedanken voor het nieuwe alarmsysteem.' Ik scheur met mijn tanden een stuk kip af. 'Roger Mallory heeft deze man ingehuurd om bij ons in te breken.'

'Jezus, man,' zegt Darius, 'hij heeft me de sleutel gegeven.'

Bennett kijkt me aan.

Hij kijkt Darius aan.

Na een hele poos zegt hij: 'Ga alsjeblieft verder.'

Het is na negenen als we wegrijden.

We leggen de weg naar huis grotendeels in stilte af. In de verte verdwijnt het felle licht van de Flying J, dat wordt een witte gloed aan de horizon en vermengt zich langzaam met het duister. Voor ons uit is de Interstate zwart en verlaten.

We zijn halverwege de weg naar Clark Falls als Douglas Bennett eindelijk iets zegt. 'Hoe heb je hem gevonden?'

'Via onze dossiers.'

'Jullie dossiers?'

'De dossiers die ik aantrof in Rogers huis.'

'O.'

Voor de eerste keer die dag heb ik geen last meer van hoofdpijn. Ik heb geen kloppend gevoel meer in mijn gezicht. Ik zit tot aan mijn strot vol eten van de diner, het eerste voedsel dat ik tot me heb genomen sinds dat broodje ei van die morgen in de cel. Het is moeilijk te geloven dat dat nog maar zo kort geleden is.

Ik vraag me af of Sara thuis is. Slaapt ze? Huilt ze? Propt ze mijn kleren in de open haard en gooit ze daar de aanmaakvloeistof voor de barbecue overheen die in de garage staat? Ik stel me voor dat ze de ronde maakt door het huis en alles op slot doet voordat ze in bed stapt.

Ik laat mijn hoofd tegen het zijraampje rusten. Het glas is koud, en dat voelt prettig. De luxeauto rijdt zo soepeltjes dat het de uitwerking van een wiegeliedje heeft. Ik dommel in en word pas wakker wanneer mijn hoofd naar voren valt. Daarna lukt het me niet weer zo'n gemakkelijke positie in te nemen, dus ga ik rechtop zitten en kijk naar de weg.

Vijftien kilometer van Clark Falls vandaan houdt Douglas Bennett zijn hoofd schuin en zegt: 'En dit heb je allemaal voor je gehouden?'

'De zegevierende krijgsman wint eerst,' zeg ik, 'en trekt dan ten strijde.'

Hij kijkt me aan. 'Wat betekent dat nou weer?'

Dat begin ik me ook af te vragen.

22

Mijn kamer met keukenblok in de Residence Inn is schoon, comfortabel en ruimer dan mijn eerste appartement. Er is een slaapkamer, een woonkamer en dat keukenblok, een grote badkamer met een bubbelbad, en een balkon met uitzicht over de rivier. Twee tv's, twee telefoons, en een gratis en snelle internetverbinding voor als je een computer hebt. De politie van Clark Falls heeft de mijne. Maar toch, het is hier aangenaam toeven.

Ik bel naar mijn echte thuis. Er wordt niet opgenomen. Ik probeer het nog drie keer en geef het dan op.

Het water van de douche doet pijn in mijn oog. Wanneer het warme water op is, droog ik me af, trek een joggingbroek en een t-shirt aan, druk op de knop voor de roomservice en vraag of ze me een sixpack kunnen brengen, geeft niet welk merk.

Terwijl ik wacht, bel ik nogmaals naar huis. Er wordt niet opgenomen. Er wordt op de deur geklopt, en ik neem mijn bier in ontvangst en teken het bonnetje af. Lekker ouderwetse blikjes Budweiser. Het bier dat mijn vader al dronk. Ik vraag me af of Sara contact met mijn ouders heeft opgenomen.

De tijd verstrijkt. Ik wil slapen, maar mijn ogen willen niet dicht. Ik wil lezen, maar ik kan me niet concentreren. Ik maak nog een blikje open en zap de tv-kanalen langs. Er is niet veel.

Uiteindelijk blijf ik hangen bij een programma over bijen. Kennelijk houdt een virus huis onder de inheemse bijenvolken dat bij sommige poppen leidt tot misvormde vleugels. Dat belet ze te vliegen en daardoor gaan ze vroegtijdig dood. Jammer voor het hele volk.

Maar volgens de documentaire hebben Japanse wetenschappers in de hersenen van een agressief soort bijen een ander virus weten te isoleren dat voor negenennegentig procent identiek is aan het virus dat misvormde vleugels veroorzaakt. Volgens de documentaire kan die variatie van één procent het verschil uitmaken tussen misvormde vleugels en het instinct om het bijenvolk te beschermen.

Ik sta versteld van al die bijenweetjes. Ik drink nog een biertje en pak dan de telefoon weer op. Het is één uur 's nachts. Normale mensen slapen dan.

'Hallo?'

'Je bent zeker wel blij, hè?' zeg ik.

Ik hoor Roger zuchten. 'Paul.'

'Je hebt hulp nodig.' Ik stel me hem voor, alleen in het donker. 'Professionele hulp. Besef je dat zelf eigenlijk wel?'

'Het is al laat. Misschien is het een goed idee om te gaan slapen.'

'Misschien is het een goed idee om mij eens te vertellen waarom je dit allemaal doet.'

'Ik heb niet de hand gehad in deze situatie.'

Ondanks mezelf moet ik lachen. Waar heb ik dat eerder gehoord? 'Je bent me er eentje.'

'Volgens mij hebben we al genoegzaam vastgesteld dat je er toch niks van zou begrijpen.'

'Leg het me dan nog maar eens uit.'

Ik maak het laatste blikje open terwijl ik wacht op wat hij te zeggen heeft. Heb ik een tere snaar geraakt? Heb ik hem gedwongen zijn eigen handelwijze nog eens onder ogen te zien? Of vraagt hij zich af of er iemand meeluistert?

Terwijl Roger blijft zwijgen, verschijnt hij ineens op tv. Het is heel surrealistisch, bijna alsof hij ons gesprek onderbreekt om in kaki korte broek en spijkerhemd in beeld te slenteren. Op de achtergrond zijn een stel kerels met helmen en veiligheidsbrillen op bezig een touw aan een boomtak te binden.

'Vergeet niet,' zegt de Roger op tv, 'dat lenige inbrekers heel goed via bomen op een bovengelegen verdieping kunnen binnenkomen. Struiken die niet goed worden teruggesnoeid, zijn ideaal om je achter te verstoppen. Dus zaag laaghangende takken af, en snoei de heg.'

Deze boodschap wordt me gebracht door de Organisatie voor een Veiliger Leefomgeving.

De Roger aan de andere kant van de lijn zegt: 'Dag, Paul.'

'Er bestaat een virus dat de hersenen van bijen aantast,' zeg ik, maar hij heeft al opgehangen.

De volgende morgen vroeg heb ik bij Douglas Bennett op kantoor afgesproken. Hij heeft een van zijn stagiaires haar vrije zondag laten opgeven, een aantrekkelijke jonge vrouw die me niet erg ziet zitten. Op dit moment haalt ze koffie en bagels bij een of andere tent verderop in de straat.

Ik zit in Bennetts stoel, achter zijn bureau, voor zijn computer, en doe mijn best hem een paar dingen te laten zien die ik heb ontdekt nadat ik Roger Mallory's buurtspionagedossiers heb gevonden.

'Je hebt je huiswerk gedaan,' zegt Bennett.

'Je klinkt alsof je onder de indruk bent.'

'Ik dacht dat de politie jouw dossiers in beslag had genomen.'

'Dat dondert niet. Ik heb een goed geheugen.'

'Weet je,' zegt hij, 'ik snap best dat de politie denkt dat jíj degene bent die je buren bespioneert.'

Daar had ik nog niet bij stilgestaan. Maar het heeft nu geen zin me daar nog druk over te maken. 'Roger is begonnen.'

'Uiteraard.'

'Hier.' Ik wijs naar Bennetts computerscherm, waar de informatie over Sycamore Court 34 te zien is die ik heb opgehaald van de website van het plaatselijke kadaster. Er is een link naar de transactiegegevens van het huis waarin Sara en ik nu wonen. 'Een lijst van iedereen die de afgelopen tien jaar eigenaar van het huis is geweest.'

'En je hebt met allemaal contact opgenomen?'

'Klopt.' Er staan drie eigenaars, gerangschikt van vroeger tot nu. Ik wijs naar onderaan op de lijst. James en Myrna Webster. 'Ik heb Myrna gesproken. Ze hebben er tien jaar gewoond. Haar man ging bij haar weg, ze kon de hypotheek in haar eentje niet opbrengen, dus heeft ze het huis verkocht en is met de kinderen verhuisd naar Sioux City.'

Ik wijs naar de volgende eigenaar: Fallon, Brett M. 'Zijn vrouw heet Tammy, ze hebben vijf kinderen en hebben een groter huis gekocht in de Himebaughs.'

Ik ga naar de volgende eigenaar op de lijst, onder de namen van Sara en mij: Kennedy, Cynthia B. Van haar en haar man Bill hebben we het huis gekocht. 'Zij is boekhouder, hij computerprogrammeur. Dubbel inkomen, geen kinderen, ook niet van plan kinderen te krijgen, en ze zijn vanwege Bills werk naar Denver verhuisd.'

'Ik heb het gevoel of ik ze al ken. Ga door.'

Ik ga terug met mijn vinger naar James en Myrna. 'Zij hebben Rogers gezin gekend. Als je Myrna Webster vraagt wat de Mallory's voor buren waren, krijg je alleen maar vage en meelevende opmerkingen.' Ik ga naar de volgende. 'Brett en Tammy woonden er toen Roger Veiliger Leefomgeving opzette. Als je hen naar hem vraagt, krijg je reacties over Rogers wisselvallige humeur.'

Bennett luistert aandachtig.

'Bill en Cynthia waren ook lid van de buurtvereniging. Als je hen naar Roger vraagt, houden ze eerst de boot af en geven dan toe dat Roger in het begin best aardig leek, maar dat ze zich ongemakkelijk voelden bij hem. Vooral Cynthia. Ze wil het niet echt toegeven, maar ze is bepaald geen fan van Roger Mallory.'

Bennett lijkt dat allemaal te laten bezinken. Het is lastig zijn reactie te peilen.

'En vergeet Ben Holland niet.'

'Wie?'

'Michaels partner.'

'Die met de borden in de tuin.'

'Precies.'

Ik doe mijn best hem het patroon duidelijk te maken dat ik meen te hebben ontdekt. Drie paar buren in het huis aan de overkant van dat van Roger in tien jaar tijd. Vier als je Sara en mij meerekent. De mening over Roger Mallory wordt steeds minder positief.

Bennett snapt waar ik heen wil. 'We kunnen proberen anderen in de buurt aan de praat te krijgen,' zegt hij, hoewel ik het sterke gevoel krijg dat hij me naar de mond praat. 'Misschien zijn er een paar anderen met klachten over de buurtwacht.'

'Ik heb een lijst namen waarmee we kunnen beginnen.'

'Nou...' Bennett laat me opstaan van zijn stoel. 'We zijn dus aardig op weg de beschuldigende partij in een kwaad daglicht te stellen.'

'Ik dacht dat we Brit misschien met rust konden laten. Als we beginnen met Roger, als we kunnen aantonen dat hij in de loop der jaren sterk is veranderd, dan kunnen we misschien…'

'Misschien.' Bennett wacht totdat ik ben gaan zitten op de stoel aan de andere kant van het bureau, en legt dan zijn gevouwen handen op zijn blocnote. 'Maar we lopen op de zaken vooruit. Ik heb nieuws. En dat zal je niet erg bevallen, vrees ik.' Bennett roffelt op de blocnote en leunt dan achterover. Ik wacht. 'Ik heb vanmorgen met de openbaar aanklager gesproken,' zegt hij. 'Een uur geleden liet ze me weten dat er nieuwe beschuldigingen zijn.'

De moed zinkt me in de schoenen. 'Wat voor nieuwe beschuldigingen?'

'Het heeft te maken met wat er op je computer is aangetroffen.'

Ik sluit mijn ogen.

'Woensdagmorgen word je opnieuw voorgeleid. Dan horen we meer.' Hij schrijft de datum en tijd achter op een visitekaartje en schuift dat over het bureau heen. 'Op het ogenblik moeten we de buren van vroeger maar laten zitten, en Rogers wisselvallige humeur ook, en de koppen bij elkaar steken over wat nu het belangrijkst is. Namelijk je computer.'

'Oké.'

'Wie heeft er afgezien van Sara en jij toegang tot de computer?'

'Niemand.'

'Niemand?'

'Ik heb een wachtwoord.' De technicus van de universiteit wilde een wachtwoord toen hij het in orde maakte dat ik vanuit huis kon inloggen op het universiteitsnetwerk.

'Heb je dat wachtwoord ergens opgeschreven? Misschien op zo'n memoblaadje? Of ergens in een dossier?'

Om de waarheid te zeggen heb ik hele tritsen wachtwoorden. Voor de universiteit, voor verschillende onlineaccounts – de bank, de rekeningen, winkels, kranten, LexisNexis – allemaal met andere eisen voor een goed wachtwoord. Hoe kun je van iemand verwachten dat die ze allemaal onthoudt?

Ik zucht eens diep. 'Een memoblaadje.' In de middelste bureaula.

Bennett knikt en stelt nogmaals zijn oorspronkelijke vraag. 'Wie heeft er afgezien van Sara en jij toegang tot de computer?'

De enige die ik kan bedenken die regelmatig toegang tot de computer heeft, afgezien van de werkster die om de veertien dagen komt, is Brit Seward.

Bennett kent het antwoord al. Hij besluit voorlopig niet aan te dringen. 'Staat daar nog iets anders op?'

'Iets anders?'

'Kijk je ooit naar porno? Porno met volwassenen onderling?'

'Nee.'

'Ook niet heel eventjes?'

'Nee,' zeg ik.

'En het huis? Heb je de sleutel gegeven aan een van de andere buren? Zodat ze de post binnen kunnen leggen wanneer jullie weg zijn of zoiets?'

'Michael,' zeg ik. 'Maar hij is de enige met de nieuwe code voor het alarmsysteem.'

'Heb je die code onlangs veranderd?' Bennett krabbelt iets op de blocnote. 'Wanneer heb je die veranderd?'

'Na dat gedoe met Roger.'

'Kun je niet wat preciezer zijn?'

'Nadat ik al dat spul over ons in Rogers huis had gevonden. Nadat ik de politie had gebeld en voor gek stond.'

'Oké.'

Op de achtergrond hoor ik de voordeur van Bennett & Partners dichtslaan. Ik hoor gesmoord gevloek. Na een poosje hoor ik voetstappen in onze richting komen. Even later komt Bennetts stagiaire binnen met in de ene hand een papieren zak en in de andere een kartonnen drager met koffiebekers.

'Er staat een verslaggever buiten,' vertelt ze. 'Ze deed haar best me tegen te houden toen ik naar binnen ging. Als ik mijn handen niet vol had gehad, had ik haar een mep verkocht.'

Op één opmerkelijke uitzondering na lijken de media voorlopig tevreden te zijn met de ongelijke strijd van gisteren tussen Pete en mij in Sycamore Court. 'Dat zal Maya Lamb wel zijn geweest,' zeg ik.

'Weet ik.'

Ze lijkt me echt niet graag te mogen. Ik vraag me af of ik het feit dat ze Maya Lamb ook niet erg graag lijkt te mogen, als troost moet opvatten. Ze zet ons ontbijt neer op Bennetts bureau.

'Dank je wel, Debbie,' zegt Bennett.

'Graag gedaan.' Ze peutert een van de kartonnen koffiebekers uit de drager en wacht op verdere instructies.

'Paul, dat alarmsysteem van jullie,' zegt Bennett. 'Mallory vertelde jullie dat hij de eigenaar van die firma kende, en dat jullie fikse korting kregen. Klopt dat?'

'Dat klopt.'

'Hoe heet dat bedrijf?'

'Sentinel One Incorporated,' antwoord ik.

'Debbie, wil jij eens kijken wat je allemaal kunt vinden over…'

'Sentinel One Incorporated.' Ze draait zich om en loopt de werkkamer uit.

'Dank je wel, Debbie.'

Ik hoor haar in de gang iets mompelen.

'Sorry.' Schouderophalend kijkt Bennett me aan. 'Tegenwoordig schijnt niemand het meer fijn te vinden om op zondag te werken.'

Om de waarheid te zeggen weet ik niet eens meer waarover we het hadden. Ik sta op. 'Ik wil Sara spreken. Kan ik straks terugkomen?'

'Nou, eigenlijk, Paul…'

'Het spijt me, maar ik krijg haar telefonisch maar niet te pakken.' Meteen heb ik in mijn hoofd geen plek meer om te denken over nog meer beschuldigingen, wie er aan mijn computer kan hebben gezeten of wie op de hoogte is van de code van ons alarmsysteem. Ik moet Sara van alles vertellen, ik moet van alles rechtzetten, ik moet van alles goedmaken, en het enige waaraan ik nu kan denken, is hoe ik hier verdomme kan wegkomen zonder dat de kleine Maya Lamb me naar huis volgt. 'Dit is belachelijk. Ik moet Sara spreken.'

'Paul, ik heb Sara gesproken.'

'Je hebt haar gesproken? Wanneer?'

'Vijf minuten na mijn gesprek met de openbaar aanklager. Ze heeft gebeld.'

'Ze heeft hiernaartoe gebeld?'

'Ja.'

'Wat zei ze?'

'Ze liet een telefoonnummer achter waarop ze kan worden bereikt,' antwoordt hij. 'Voor het geval ik haar de komende dagen nodig zou hebben.'

'Wat is het nummer?'

Bennett zegt niets.

'Bennett, wat is het nummer?'

'Ik vind dat je moet weten dat ze me heeft gevraagd je dat niet te geven, Paul.'

Dit is ongelooflijk. Ik recht mijn rug en open mijn mond, klaar om hem van katoen te geven, maar voordat ik iets kan zeggen, ratelt hij een nummer af met het netnummer 215. Het huis van haar moeder, in Philadelphia.

'Ze zei dat ze een vlucht had geboekt vanuit Omaha. Ze vertrekt vanochtend.'

Ik laat mijn schouders hangen.

Meelevend kijkt Bennett me aan. 'Ze heeft gewoon een beetje tijd nodig. Om alles te laten bezinken.'

Hij weet de helft nog niet.

'We hebben hier nog veel te doen.'

Ik kijk hem aan.

'Zo.' Bennett kijkt naar zijn blocnote. 'Wanneer je besluit dat het tijd is voor een andere code voor je alarmsysteem, wat houdt dat dan allemaal precies in?'

Buiten is het donker wanneer ik eindelijk uit het kantoor van Bennett stap. Het is gaan vriezen. Afgezien van een paar slierten damp uit de afvoer, en een paar sneeuwvlokjes die als muggen door de lucht zweven, is er geen activiteit op straat. Zelfs Maya Lamb is weg. Ze houdt niet langer de wacht op het parkeerterrein van Bennett & Partners, waarschijnlijk heeft ze een warmer plekje opgezocht. Het is doodstil.

Douglas Bennett doet zijn best voor me. We hebben alles vanuit vijf verschillende invalshoeken bekeken. Mijn raadsman is een echte pitbull, en hij is bezig een strategie uit te stippelen. Hij heeft me beloofd dat morgenochtend vroeg de radertjes gaan draaien. Er zal iets in gang worden gezet. We gaan dit rechtzetten.

Ik vind het moeilijk om optimistisch te blijven. Darius Calvin heeft zich dan wel door zijn geweten laten leiden en toegestemd tot een afspraak in een wegrestaurant voor truckers, vijfenzestig kilometer van het plaatsje vandaan, maar zullen we hem ook kunnen overhalen in de rechtszaal zijn verhaal te doen? Zullen de experts van Bennett echt in staat zijn het zogenaamde bewijs te ontkrachten waarvan wordt beweerd dat het op mijn computer is aangetroffen? Zal mijn vrouw me ooit weer willen spreken?

Het is een lange dag geweest, en misschien ben ik gewoon moe, maar ik merk de koplampen in de achteruitkijkspiegel pas op wanneer ik halverwege het plaatsje ben. Het zou niet in me zijn opgekomen dat ik word gevolgd als we niet de enige twee auto's op straat waren geweest, en nu de enige twee auto's die het parkeerterrein opdraaien van mijn nieuwe thuis in de Residence Inn. Het zou niet in me zijn opgekomen dat ik word gevolgd als ik niet even goed had gekeken en Petes zilverkleurige Lexus suv had herkend die in het vak naast het mijne gaat staan.

Ik knip de koplampen uit. Pete knipt de zijne uit.

Perfect.

Te moe om bang te zijn stap ik uit en doe mijn best dit van de zonnige kant te bekijken. Als Pete me hier op het parkeerterrein morsdood slaat, bespaart dat me een hoop geld. Een rechtszaak is duurder dan een begrafenis.

Een poosje gebeurt er niets. De Lexus staat daar maar, stil, afgezien van het zachte snorren van de motor.

Het is te koud om te blijven staan wachten. Ik wil net naar de auto lopen en op het raampje kloppen wanneer het portier aan de kant van de bestuurder opengaat. Melody stapt uit. Ze gaat gehuld in een ski-jack, oorwarmers, en een dikke, pluizige sjaal om haar hals. Ze ziet eruit alsof ze dagenlang heeft gehuild.

'Paul.' Haar adem komt als een wit wolkje uit haar mond.

Ik zou daar kunnen blijven staan totdat we allebei zijn doodgevroren, luisterend naar het gepiep van het gordelalarm vanuit de suv, en dan zou ik nog niet weten wat ik moest doen.

Ze doet het portier dicht. In de auto wordt het donker, en dat gepiep houdt op. 'Ik wil met je praten.'

23

Een van de weinige dingen waaraan het ontbreekt in mijn kamer is een koffieapparaat van normaal formaat. In het gevalletje op het keukenblok kun je slechts vier kopjes zetten, en de mokken hier zijn iets kleiner dan normaal. Ik krijg het gevoel dat ik Melody Seward heb uitgenodigd op een theevisite voor poppen.

Ze zit aan het kleine tafeltje en draait haar trouwring om en om. Ik zet een volle mok voor haar neer en blijf bij het aanrecht staan. Sinds we onze jassen hebben uitgetrokken, heeft ze nog geen woord gezegd, en ik ook niet. Ik heb Melody niet meer alleen gesproken sinds die avond dat we besloten onze levens even parallel te laten lopen.

Na een lange stilte zegt ze: 'Ik heb de foto's gezien.'

'Die zijn niet echt,' reageer ik. Het is het eerste wat in me opkomt. 'Dat weet je toch? Computers… Jezus, iedereen kan zomaar…'

'Ze zijn echt. Sommige…' Ze omklemt de mok en kijkt naar de slierten damp. 'Ik moet mezelf er steeds aan herinneren dat ze nog maar dertien is.'

Ik geloof haar niet echt. Niet dat ik denk dat ze liegt. Ik denk alleen dat ze het bij het verkeerde eind heeft. Brit is een slimme meid. Te slim voor zoiets. Dat zie je gewoon. Ik kan alleen maar zeggen: 'Ik heb ze nooit gezien.'

'Wees dankbaar.'

'Ik heb ze ook niet genomen.'

'Weet ik.' Melody slaakt een zucht. 'Op een avond liep ik per ongeluk de badkamer in toen ze zich uitkleedde om te gaan douchen. Het ging echt per ongeluk, ik klopte, maar zij had haar iPod aan.'

Ik sta daar met mijn koffie, en het spijt me dat ik niet sneller kan luisteren.

'Als ze er niet snel een handdoek voor had gehouden, zou ik hebben gedacht dat het zo'n sticker was. Hier.' Ze brengt haar hand naar haar onderrug, net iets lager dan haar broekband. 'Een vlinder.'

'Heb je het over een tatoeage?'

'Op de een of andere manier hebben Rachel en zij de hand weten te leggen op valse identiteitsbewijzen. Ze zijn samen gegaan en kwamen eruit met bijpassende tatoeages. Vlinders. Echt, die twee…'

De naam Rachel heb ik vaker gehoord. Brits beste vriendin en haar trawant. 'Maar wat…'

'Paul, dat was in juni.' Ze kijkt me aan. 'Een maand voordat Sara en jij in Sycamore Court kwamen wonen.'

Mijn vingers jeuken.

'Ik heb het Pete nooit verteld. Allemachtig, hij zou zijn ontploft.'

'Die tatoeage…'

'We hebben een lang gesprek gevoerd. Brit en ik. We hebben het geheimgehouden. Meisjes onder elkaar. Ik ben de tofste stiefmoeder van de wereld.' Ze glimlacht verbitterd en schudt haar hoofd, alsof ze zich een dwaze gedachte herinnert. 'Op de foto is geen tatoeage te zien.'

Ik adem sneller. Wat vertelt ze me daar?

'Niets te zien. Op een van de foto's kijkt ze achterom, en dan zie je…' Ze slaat haar handen voor haar ogen. 'Jezus, ze is dertien!'

Ik heb het Pete nooit verteld…

Is het mogelijk dat Roger het ook niet weet? Is het in theorie mogelijk dat er iets in ons knusse, goed gecontroleerde buurtje is gebeurd zonder dat Roger Mallory dat weet?

Ik weet eerlijk gezegd niet of ik me opgetogen of diepbedroefd moet voelen. Melody geeft me informatie waarmee ik kan ontkrachten dat ik die foto's heb gemaakt waarvan ze zeggen dat ik ze in bezit heb. Ze vertelt me ook dat ze gelooft dat het echte foto's zijn, en dat betekent dat iemand ze heeft genomen.

'Ik weet niet wat ik moet doen,' zegt ze. 'Ik maak me zulke allemachtig grote zorgen om haar.'

Mijn knieën knikken. Ik pak de andere stoel en laat me daarop zakken, tegenover haar aan tafel. Ik weet niet wat ik moet zeggen, hoe ik het moet verwoorden. 'Heeft Brit je iets verteld? Over… Over wie het kan zijn geweest?'

'Ik heb vanmiddag met haar gepraat. Pete en Sofie waren in slaap gevallen op de bank, en toen ben ik naar haar kamer gegaan. Daar heb ik haar over haar rug gewreven en gezegd dat we van haar hielden.' Ze droogt haar ogen. 'Ik zei dat als ze iets te vertellen had, ik er voor haar was. Ze sloeg haar armen om me heen en barstte in tranen uit, maar ze zei geen woord.'

Wat zei ze toen je het haar vertelde van de tatoeage? Heb je gezegd dat ík het onmogelijk kan zijn geweest? Het lukt me niet dat allemaal te vragen.

'We hebben zo onze ups en downs gehad, Paul. Ze heeft me al heel lang niet meer omhelsd… Ik kan me niet eens meer herinneren hoe lang niet.' Sidderend haalt Melody adem. 'Het wordt steeds moeilijker naarmate ze ouder wordt. Haar moeder belt niet eens meer op haar verjaardag. Maar ik heb haar nog nooit zo overstuur gezien.'

Ik weet niet wat ik moet zeggen. Ik denk aan alles wat Douglas Bennett over stiefdochters en stiefmoeders heeft gezegd, maar ik ben niet thuis in de materie.

'Ik zou haar graag flink door elkaar schudden, maar ik ben bang dat ze dan knapt.' Melody wrijft met een vuist in haar ogen. 'Godsamme, wat houdt ze toch achter?' Ze kijkt naar de muur, naar het plafond. 'Waarom in vredesnaam zou ze naar Róger gaan?'

Ik pak een doos tissues van een tafeltje waar een lamp op staat. Ze bedankt me. Ik wacht tot ze klaar is met haar neus snuiten en haar ogen drogen. Zodra de tranen zijn verdwenen, vraag ik: 'Wat zei Pete?'

'Ik heb het hem nog niet verteld. Ik heb het nog niemand verteld. Ik dacht… Ik vond dat jij het als eerste moest weten.'

Ik leg mijn hand op de hare.

'Hij zal eraan kapotgaan als hij het hoort.' Ze trekt haar hand weg en pakt nog een tissue. 'Het spijt me verschrikkelijk van gisteren. Pete heeft je altijd graag gemogen. Dat weet je toch?'

'Laat mij eens met haar praten.'

Ze trekt een gezicht, zo van: ja, hoor.

'Ik meen het, Melody. Laat mij eens met haar praten. Onder vier ogen. Als ze weet dat ik niet kwaad op haar ben… Als ze weet dat ik nog een

176

vriend ben, dat ik aan haar kant sta… Ik kan niet geloven dat ze me in het gezicht kan kijken en…'

'Nee, Paul. Het is allemaal al erg genoeg. En als iemand erachter komt, draai je de bak in.'

'Dat zijn mijn zorgen.'

'Nee.' Ze staat op. 'Ik moet weg. Morgenochtend bel ik je advocaat, en dan vertel ik hem wat ik jou ook heb verteld. Ik wilde alleen maar dat jij het als eerste zou weten.'

Ze heeft haar koffie niet aangeroerd. Ik staar in de mijne terwijl ik tot een beslissing probeer te komen over hoeveel van mijn kant van het verhaal ik haar moet vertellen. Ze heeft er recht op meer te weten, dat verdient ze. Aan de andere kant, ze heeft het al moeilijk genoeg. Heeft ze op dit moment echt nog meer nodig om over te tobben?

Ze trekt haar jas aan wanneer ik op haar toe loop. 'Melody?'

'Ja?'

'Dank je wel.'

We blijven een poosje staan. Ik beweeg mijn armen met de bedoeling mijn schouders op te halen, en Melody stapt naar me toe, in mijn armen. Het is net alsof ik een kussen ter grootte van Melody vasthoud, met een winterjas aan. Zo blijven we heel even staan, dan stapt ze bij me weg. 'Morgenochtend bel ik je advocaat.'

'Melody, ik…' Wat zeg ik? 'Sara weet het. Wat er toen is gebeurd. Tussen ons, bedoel ik. Ze is naar haar moeder gegaan.'

Ze droogt haar ogen en kijkt weg.

'Pete?'

Ze schudt haar hoofd. Nee, Pete weet nog van niets.

Eigenlijk is er heel veel wat Pete nog niet weet. Pete, ik heb goed nieuws en slecht nieuws… Het goede nieuws is dat ik niet met je dochter naar bed ben gegaan…

'Morgenochtend bel ik je advocaat,' zegt Melody, en onderweg naar de deur grist ze haar sjaal mee.

24

Ik ben net bezig Douglas Bennett thuis te bellen wanneer er wordt ge-klopt. Ik hang op, gris de oorwarmers en wollen wanten die Melody op tafel heeft laten liggen mee en steek die naar haar uit wanneer ik de deur openzwaai. 'Hier.'

Roger Mallory kijkt naar mijn hand en dan op naar mij. Hij zegt: 'Niet mijn maat, denk ik.'

Hem daar te zien staan overrompelt me. Ik hou de deur vast en haal diep adem. Ik kom tot mezelf.

'Als je wilt, kan ik ze afgeven,' zegt Roger.

'Wat doe jíj verdomme hier?'

'Ik wilde even met je praten.'

'O ja?'

'Ja.'

'Pas maar op,' zeg ik. Waarom doe ik de deur niet dicht? Waarom sta ik daar en geef hem letterlijk een opening? 'Dit zou verkeerd kunnen wor-den opgevat.'

Roger meesmuilt.

'Wat moet je van me, Roger?'

Zonder spoor van ironie kijkt hij me in de ogen en zegt: 'Een wapen-stilstand.'

Roger staat binnen, zijn handschoenen in de hand, alsof hij wacht totdat ik hem uitnodig te gaan zitten.

Maar dat doe ik niet. Ik haal mijn koffie van de aanrecht en neem zelf plaats op de bank. De koffie is lauw geworden, maar smaakt nog best. Ik kijk Roger niet aan. 'Een wapenstilstand, hè?'

'Dat zeg ik toch?'

'Vind je het zelf ook niet een beetje laat voor vredesonderhandelingen?'

'Als ik dat dacht, was ik hier niet.'

Ik pak de afstandsbediening van het tafeltje naast me en laat Roger wachten terwijl ik de kanalen af zap. Ik zie dat er weer een natuurdocumentaire is. Deze keer over haaien. Dat onderwerp vind ik zo toepasselijk dat ik de tv op die zender laat staan, vanwege de metafoor.

Hoewel ik mijn best doe beledigend over te komen, lijkt dat Roger niet te storen. Hij loopt verder naar binnen en gaat zitten op de armleuning van een fauteuil een eindje verderop, waar ik hem kan zien. Hij heeft zijn jas niet uitgetrokken.

'Stel dat ik in staat zou zijn Brit de waarheid te laten vertellen over hoe die foto's tot stand zijn gekomen?'

'Wil je daarmee zeggen dat ze de waarheid niet heeft verteld?'

'Het zou tijd besparen als we als volwassenen met elkaar konden praten.'

Op tv spreekt een verweerde, oude visser met slechts één arm de documentairemakers toe. Terwijl hij zijn verhaal doet, krijgen we een vage foto in beeld van de een of andere haaiensoort – eentje van wel vier meter, met veel tanden, opengesneden, met bloed rond de kieuwen, die ondersteboven aan een haak hangt. Eromheen staan een paar kerels.

'Als Brit werd aangemoedigd de waarheid te vertellen,' vraag ik hem, 'wat zou ze dan zeggen?'

Roger zucht, zo van: de jeugd van tegenwoordig... 'Ze zou alles opbiechten en toegeven dat haar beste vriendin en zij dit allemaal hebben bekokstoofd.'

Beste vriendin? Ik probeer me de namen te herinneren die Brit heeft laten vallen. 'Bedoel je Rachel?'

Rogers gezicht klaart niet op van herkenning, maar hij knikt en maakt een handgebaar. Hij zegt: 'Ze zou aan degenen die het zouden moeten horen, vertellen dat die Rachel en zij zich op een zomerse dag stierlijk verveelden, en dat ze voor de lol met Petes personeelsnummer van de kabelmaatschappij naar een paar sekskanalen hebben gekeken. En dat ze later voor nog meer lol zeer pikante foto's van elkaar hebben genomen.'

Ik doe mijn best onverschillig naar hem te luisteren. Maar ik luister zeer aandachtig, en dat weet hij. Hij heeft de situatie goed in de hand. Zoals altijd.

'Wat zou ze nog meer zeggen?'

'Ze zou zeggen dat de zomervakantie ten einde was gelopen en de school weer was begonnen, en dat ze ruzie kregen over een jongen.' Hij knikt er bedroefd bij, zo van: dit is een waargebeurd verhaal. 'Ze zou zeggen dat haar hartsvriendin Rachel de foto's niet had gedeletet, zoals ze had beloofd.' Hij buigt zich naar voren, met zijn ellebogen op zijn knieën. 'Ze zou toegeven dat haar hartsvriendin Rachel in november dreigde de foto's te mailen naar de jongens van het footballteam, onder wie de jongen over wie ze ruzie hadden.'

'Hoe weet je dat allemaal, Roger?'

'Dat heeft Brit me verteld.'

'Dat heeft Brit je verteld.'

Hij gaat weer rechtop zitten. 'Ik weet niet waar het arme kind nou banger voor was: dat anderen die foto's zouden zien, of dat de school haar ouders zou bellen.' Hij haalt zijn schouders op. 'Dus benaderde ze iemand op wie ze kon rekenen.'

'Jij, dus.'

'Ja, ik,' zegt hij. 'En ik heb het geregeld.'

'Wat bedoel je daarmee, dat je het hebt geregeld?'

'Dat doet er niet toe.'

Natuurlijk doet dat er niet toe. Dom van me. Ik vind het niet erg geloofwaardig klinken. Hoe geloofwaardig zou het klinken voor anderen? 'En nu liegt Brit erover omdat...'

'Omdat ik haar dat heb gezegd, Paul. Je weet vast wel dat ik daar zo mijn redenen voor had. Wanneer ik haar zeg dat het tijd is om de waarheid te vertellen, dan zal ze dat doen.'

'Wacht. Dan pak ik mijn taperecorder.'

Roger meesmuilt, alsof hij me tegen wil en dank toch wel graag mag, ondanks onze meningsverschillen. 'Alle gekheid op een stokje, maar ik zou niet graag willen dat je de bak in draait. Dat mag je wel of niet geloven, maar echt, dat zou ik niet willen. Voor jou niet en voor Sara niet.'

'Lief van je.'

'Maar ik wil je ook niet in het hofje. Niet meer.'

Ik knik met hem mee. 'Losse draadjes en zo. Gemeenschappen die ontrafelen, de samenleving die instort. De terroristen winnen.'

'Maak er maar grapjes over. Ik ben er nog.'

'En je biedt een wapenstilstand aan, ja.'

'Ik bied je de kans hier een eind aan te maken.'

'En Brit dan?'

Hij trekt zijn wenkbrauwen op.

'Krijgt zij de kans om hier een eind aan te maken?'

'Brit kan wel tegen een stootje. Misschien steekt ze er nog iets van op. Over een paar jaar is het allemaal vergeten.'

Dit is echt verbazend. Als je zo naar Roger kijkt en een gesprekje over iets anders voert, zou je je niet kunnen voorstellen wat er allemaal voor bizars omgaat in dat hoofd. 'Je bedoelt dat ze dan weer vertrouwen zal hebben in mensen van wie ze dacht dat ze op hen kon rekenen? Zoiets?'

'Paul, er zijn dingen...'

'Wacht, laat me raden: er zijn dingen die ik niet weet.'

'Wist je dat Melody een paar weken geleden marihuana heeft aangetroffen in een la van Brits toilettafel?'

'Nee.' Ik schrijf het op in een denkbeeldige blocnote. 'Dingen die Paul niet weet. Nummer 1.'

'Wist je dat Pete haar heeft betrapt met een...'

'Je hebt gelijk,' zeg ik. 'Ik hou mijn buren lang niet zo goed in de gaten als jij.'

'Ik kan je vertellen wat ik heb gezien.' Hij slaat een ernstige toon aan. 'Toen ik nog bij de politie zat, zag ik kinderen die niet ouder waren dan Brit eindigen in de rechtszaal, in afkickklinieken. Ik heb zwangere meiden gezien, kinderen die in de auto waren verongelukt, zelfs een paar die in hun doodskist lagen. Ik zou je kunnen vertellen...'

'Laat maar,' zeg ik. 'Het is wel duidelijk dat je het beste met het meisje voorhebt. Ze boft dat er iemand zoals jij in haar leven is.'

'Feit is dat Brittany me niet lang geleden iets heeft beloofd. Tot dusverre heeft ze zich aan die belofte gehouden.' Roger recht zijn rug. 'Op dit moment is een schop voor haar hol misschien het beste voor haar.'

Ik kan er niet meer tegen. Er valt niet over te praten.

Ik denk aan wat Roger me heeft verteld. Dit verhaal over een met hormonen doordrenkte ruzie tussen twee tienermeisjes. Het is opzienbarend nieuws, het snijdt hout, en het komt als een opluchting. Die foto's van Brittany waren een stomme grap.

Maar aan de andere kant snijdt het helemaal geen hout. Volgens Roger was Brit zo bang dat die foto's ergens rondzwierven dat ze zich tot hem wendde om hulp. En nu heeft ze die foto's aan de politie gegeven? In plaats van zich rot schamen op school wil ze liever als het belangrijkste nieuws op tv komen?

En Roger? Is dit zijn manier om de eenheid binnen de buurt te waarborgen?

Je eigen veiligheid staat op het spel wanneer het huis van de buren in brand staat... Tenzij je het zelf in de fik steekt.

Hij kijkt me aan. 'Hè?'

Ik had niet beseft dat ik hardop iets had gezegd. 'Laat maar.'

Op tv laat een verweerde surfer van middelbare leeftijd met zongebleekt haar een onregelmatig, halvemaanvormig litteken op zijn ribbenkast zien. Het litteken loopt van zijn tepel tot zijn heup, en is verbonden met net zo'n sikkelvormig litteken op zijn rug. Een enorme beet. Hoe komt het dat die man het er levend van af heeft gebracht? Ik pak de afstandsbediening en zet het geluid een beetje harder.

'Nou.' Roger staat op. 'Bel maar wanneer je er wel over wilt praten.'

Terwijl hij koers zet naar de deur, zeg ik: 'Mag ik één ding vragen?'

'Tuurlijk.'

'Waarom word ik de buurt uit geschopt? Waarom niet Melody?'

'Zij was hier eerder.'

'O.'

'En de kinderen.'

'De kinderen. Oké.' Ik knik. 'Sara en ik hebben geen kinderen.'

'Sorry dat ik het zo moest brengen, maar zo is het wel.'

Ik draai me om op de bank om hem te kunnen aankijken. 'Sara weet wat er tussen Melody en mij is gebeurd. Pete zal er gauw genoeg achter komen. Denk je dat dat niet tot onvrede op het erf zal leiden?'

'Vast wel,' zegt hij. 'Maar Sara heeft me verteld hoe ze zich de laatste tijd voelt.'

'O? En hoe voelt ze zich de laatste tijd?'

'Nou, ik weet dat haar nieuwe baan niet helemaal is wat ze zich ervan had voorgesteld. En ik weet dat ze Boston mist.'

Daar heeft Sara tegen mij allemaal niets over gezegd. Redelijkerwijs kan ik er niet helemaal zeker van zijn dat ze Roger ook maar iets in vertrouwen heeft verteld. Maar wanneer ik hem dat hoor zeggen, gaat mijn bloed koken.

'Jezus,' zegt hij. 'Als jullie het de tijd geven, in een andere omgeving, komt het heus wel weer goed. De basis is er, het zit wel goed met jullie. Dat kan ik zien.'

Ik wil opspringen en hem de oorlog verklaren. Ik wil zijn gezicht zien wanneer ik hem vertel dat ik alles weet van Darius Calvin, dat ik weet dat Brit een tatoeage heeft, en dat ik met zijn vroegere buren heb gepraat. Mijn raadsman gaat contact met hen opnemen. Hij heeft het op de verkeerde gemunt.

Ik wil hem angst aanjagen. Ik wil hem wegsturen met iets om over na te denken.

Ik zit daar als verstard tv te kijken.

In de documentaire komt het hoogtepunt van het programma aan bod. De superhaai. Het angstaanjagendste wezen van de zee. Volgens de documentaire rollen de ogen van de witte haai weg wanneer hij toeslaat, waardoor hij zijn kwetsbaarste plek beschermt, maar ook tijdens de aanval even niets kan zien. Ik vraag me af of dit kanaal bij ons ook op de kabel zit, of Pete ons daarop heeft geabonneerd.

Roger trekt de deur open om weg te gaan.

'Zeg Roger?'

'Ja?'

'Stel dat Sara en ik teruggaan naar Boston en daar nog lang en gelukkig leven?'

'Dat zou me plezier doen.'

'En dat het toch misging tussen Pete en Melody?' Ik kijk hem aan. 'Dat zou me wat zijn, hè?'

Hij blijft staan alsof hij daarover moet nadenken. Maar ik weet dat het allemaal toneel is. Natuurlijk heeft hij daarover nagedacht.

'Misschien zijn er probleempjes,' zegt hij. 'Maar ik denk dat wanneer dit allemaal achter de rug is, die probleempjes niet meer zo belangrijk zullen lijken.'

Wat denkt hij? Dat een wapenstilstand de orde in zijn wereld zal terugbrengen? Is het mogelijk dat hij dat waarachtig denkt?

Is het dan niet bij Roger opgekomen dat ik hem doorheb?

'Als we er niet aan doodgaan, worden we er sterker van,' citeer ik de surfer van middelbare leeftijd, die dat daarnet op tv heeft gezegd. 'Toch?'

'Zo is het me uitgelegd.'

Roger ritst zijn jas dicht en trekt zijn handschoenen aan.

'Denk er maar over na. Ik ben thuis.'

25

Misschien moet ik mijn academische carrière maar vergeten en gaan werken bij een nieuwszender. Als verslaggever bij een nieuwszender heb je blijkbaar alle tijd om rond te hangen op parkeerterreinen en in hotellobby's, en kun je boeken lezen zo veel je wilt.

Maandagmorgen zie ik Maya Lamb zodra ik uit de lift stap. Ze zit in een fauteuil bij de grote kerstboom in de lobby van de Residence Inn, gekleed in spijkerbroek en coltrui. Op de grond liggen haar jas en haar tas. Ze kijkt op naar de liften en ziet me op haar af lopen.

'Mevrouw Lamb,' zeg ik.

'Professor.' Ze maakt een vouw in de bladzij van haar boek en slaat het dicht. 'Goedemorgen.'

Ik kijk naar beneden en zie dat ze *Lolita* van Vladimir Nabokov leest. Ik grinnik tegen wil en dank.

'Goed boek,' zegt ze. 'Dat wist ik niet.'

'Nee? Ik kreeg de indruk dat je het al eens had gelezen.'

Dankzij de TiVo in het kantoor van Douglas Bennett heb ik mezelf op het nieuws gezien. Beide verslaggevers ter plaatse is het gelukt een voor de hand liggende verwijzing te maken naar Nabokovs bekendste boek. Van die twee verwijzingen gaat mijn voorkeur uit naar die van Maya Lamb. Ze heeft haar verslag besloten met een subtiel citaat uit het boek, heel in het begin daarvan: 'We blijven deze doornenkluwen volgen.'

'Ik verdiep me in het onderwerp,' zegt ze. 'Wat moet ik verder nog zeggen?'

'Weet je, ik heb gestudeerd met een jongen die nu college geeft op Cornell,' vertel ik haar. 'Hij heeft daar de vroegere werkkamer van Nabokov gekregen. Hij zegt dat er voortdurend mensen langskomen, gewoon om daar even te zijn. Zijn studenten, andere hoogleraren, mensen die hij nooit eerder heeft gezien. Hij zei dat er ooit een vrouw binnenkwam die zonder iets te zeggen op zijn bank ging zitten en begon te huilen.'

'Echt?'

'Dat zegt hij.'

'Wat een verhaal,' zegt ze.

'Eigenlijk lieg ik dat. Ik heb het ergens gelezen. Ik ken die hele gozer niet.'

Nog steeds met een glimlach heft ze haar hoofd. 'Je kunt niet echt heel goed liegen, als je het niet erg vindt dat ik het zeg.'

'Zeg eens…' Ik kijk overdreven om me heen. 'Waarom ben je de enige verslaggever die me volgt?'

'Omdat ik me vastbijt?'

'Dat andere baantje is dus op niks uitgelopen?'

'Ik ben ermee bezig.'

Tien meter verderop zie ik de conciërge praten met het meisje achter de balie. Allebei kijken ze naar mij. Wanneer ze zien dat ik terugkijk, slaan ze hun ogen neer en pakken hun werk weer op.

'In theorie, hè?' vraag ik haar. 'Wat zou je zeggen als ik je vertelde dat ik totaal onschuldig ben en dat nog kan bewijzen ook?'

'Ben je dat en kun je dat?'

'Ik ben ermee bezig.'

'In dat geval zou ik denk ik vragen of je koffie voor me wilt halen.'

Ik schud mijn hoofd. 'Niet het goede moment. Maar ik heb een voorstel. Wil je horen wat het is?'

'Absoluut.'

'Je kunt een heel goed verhaal krijgen. Ik kan je vertellen hoe en waarom. Nu kun je nog niets gebruiken voor je verslag, maar ik zal je alles vertellen wat er is.'

'Ja? Hoe goed wordt het?'

'Heel goed. Met leugens, overspel, stiekem gedoe, corruptie bij de politie, van alles en nog wat. Ik ben bereid je onbeperkt toegang te verlenen tot de onterecht beschuldigde.'

'En dat ben jij zeker?'

'Exclusieve toegang. Als…' Hier steek ik theatraal mijn vinger op. 'Als je belooft me niet meer zo hinderlijk te volgen.'

Maya Lamb buigt naar voren en stopt haar boek in het buitenvak van haar tas. Ze strijkt een lok donker haar weg uit haar gezicht. 'Ik volg je al drie dagen. Waarom wil je nu ineens zo graag met me praten?'

'Omdat ik wil dat je ophoudt me zo te volgen. En omdat we elkaar misschien van dienst kunnen zijn.'

'Hoe zie je dat voor je?'

'Ga je op mijn voorstel in of niet?'

Ze roffelt met haar vingers op de stoelleuning en knijpt haar ogen tot spleetjes. 'Alleen als je vooruitbetaalt.'

'Wat had je in gedachten?'

'Nou, in de vijf minuten dat we nu hebben gepraat, heb je toegegeven dat je me een grote leugen hebt verkocht.'

'Ja, maar dat biechtte ik meteen op. Dat toont aan dat je me kunt vertrouwen.'

'Vertel me dan eens over wat voor verhaal we het nu hebben.'

'Oké,' zeg ik. 'Maar vergeet niet dat ik je wel eens weer iets op de mouw kan hebben gespeld. Dus als je het naar buiten brengt zonder bevestiging van een andere bron te hebben gekregen, zou je voor gek kunnen staan.'

'Met alle respect, professor, maar naar aanleiding van dit gesprek durf ik er iets liefs onder te verwedden dat ik een betere journalist ben dan jij een leugenaar bent.'

'Oké. Luister dan eens goed en vertel me dan of ik je iets op de mouw speld.'

Zonder mijn bron te noemen vertel ik haar over de mysterieuze tatoeage die niet voorkomt op de foto's van Brit Seward.

'Een vlinder,' zegt Maya Lamb.

'Dat is me verteld. Ik heb het zelf niet gezien.'

Haar lach wordt breder.

'Dit is nog maar het voorafje,' zeg ik.

'Wanneer gaan we echt eten?'

'Bedoel je daarmee dat je instemt met mijn voorwaarden?'

'Als jij belooft dat je een exclusieve afspraak met me maakt voordat de dag voorbij is. Dan hebben we een deal.'

'Afgesproken.' Ik haal het mobieltje uit mijn zak, het mobieltje dat

Douglas Bennett me heeft gegeven opdat we te allen tijde in contact kunnen blijven. 'Wat is je mobiele nummer?'

Ik toets de tien cijfers in terwijl ze ze opnoemt. Even later klinkt er een gedempt muziekje in haar tas. Ik herken het nummer dat ze als ringtone heeft ingesteld. Het is een oude hit van Blondie, uit de jaren zeventig: 'One Way or Another'.

Ze haalt het toestel uit haar tas, klikt het open en zegt: 'Hallo?'

'Leuke ringtone.'

'Vind ik ook.' Met een glimlach duwt ze het toestel tegen haar wang dicht.

'Nu heb ik je nummer,' zeg ik. 'En jij hebt het mijne. Zo kunnen we in contact blijven en een afspraak maken voor later vandaag.'

'Voor de dag om is. Dat hebben we toch afgesproken?'

'Dat hebben we afgesproken.'

Wanneer ik me omdraai en koers zet naar de deur, zegt ze: 'Waar ga je naartoe? Je bent niet gekleed voor een bezoek aan een advocaat.'

Ik houd een denkbeeldig mobieltje bij mijn oor – we houden contact – en stap de frisse ochtendlucht in.

Bij de 7-eleven aan Belmont gooi ik de tank vol en koop ik koffie. Voor me in de rij staat een vrouw die onderweg is naar haar werk als meteropnemer bij het gasbedrijf. De man achter de kassa zegt: 'Kun je ze niet achteruit laten lopen? Ik betaal me blauw.'

Lachend zegt ze dat ze maar zouden moeten ruilen. 'Ik heb nog tachtig dollar totdat ik mijn salaris krijg, en veertig daarvan heb ik in de tank gestopt.'

Als ik dit hoor, krijg ik een idee waarvan ik besef dat het onverstandig is. Maar vanochtend lijk ik te zijn ontwaakt met een allesoverheersende drang onverstandig te zijn.

Ik bied de vrouw twee biljetten van twintig dollar aan als ze met mijn mobieltje naar het huis van Sara's moeder in Philadelphia belt en zich voordoet als faculteitsvoorzitter van Western Iowa University.

Ze werpt me de blik toe die ik had verwacht. Dan kijkt ze naar de biljetten in mijn hand en knijpt haar lippen op elkaar. Met haar hand al op de deurknop zegt ze: 'Wát moet ik doen?'

Ik vertel haar de waarheid. Ik moet mijn excuses aan iemand aanbieden, maar ze wil niet aan de telefoon komen. 'U hoeft alleen maar naar Sara te vragen. Echt, ik zweer dat het geen kwaad kan.'

Schouderophalend neemt ze het geld aan. Ik geef haar het mobieltje. Even later geeft ze het terug en zegt: 'Ze komt eraan.'

'Er zijn geen woorden om u te bedanken.'

'Ho, ho, ho,' zegt de vrouw, en ze wappert met mijn twee briefjes van twintig terwijl ze naar buiten gaat.

Koude lucht stroomt naar binnen. Ik ga naar een rustig plekje bij het slushie-apparaat, druk het toestel tegen mijn oor en wacht. Even later hoor ik Sara's stem.

'Mevrouw Palmer, goedemorgen. Ik was van plan u vanmorgen te bellen, en...'

'Sara, met mij. Hang alsjeblieft niet op.'

Stilte.

'Ik wilde je stem even horen.'

Nog meer stilte. IJskoud, kouder dan het weer buiten.

'Zeg maar wat je wilt dat ik doe,' zeg ik. 'Wat het ook is, ik doe het.'

'Ik wil dat je teruggaat in de tijd en besluit geen wip te maken met de buurvrouw,' zegt Sara. 'Wil je dat doen?'

'Als het mogelijk was, zou ik het meteen doen.'

'Onze búúrvrouw! Mijn joggingmaatje! Verdomme nog aan toe! Jullie allebei.'

'Sara, ik kan het niet ongedaan maken, en ik weet niet hoe ik het moet goedmaken met jou, maar het kan me niet schelen als ik doodga terwijl ik het probeer.'

'Kun je dat, in de gevangenis?'

Het dringt tot me door dat in al onze jaren samen, Sara nog nooit iets echt wreeds tegen me heeft gezegd. Zo voelt dat dus.

'Wauw.' Iets anders weet ik niet te zeggen.

'Sorry.' Ze slaakt een boze zucht. 'Dat was een rotopmerking.'

'Sara...'

'Als je echt iets voor me wilt doen, moet je me hier niet bellen. Want ik kan dit nog niet aan.'

Even zwijgt ze, alsof ze nog iets wil zeggen. In plaats daarvan hangt ze op.

De piepjes in mijn oor zouden net zo goed van een hartmonitor kunnen komen, met een rechte streep op het scherm. Twee uur geleden werd ik wakker met het gevoel dat ik de hele wereld aankon, of in elk geval Iowa. Nu wil ik terug naar mijn kamer, de gordijnen dichtdoen en whisky bestellen voor het ontbijt.

Ik zet koers naar de uitgang. Net wanneer ik mijn hand tegen de deur leg, hoor ik achter me een stem. 'Meneer?'

De man achter de kassa kijkt me spottend aan. 'Ja?' zeg ik.

'Bent u nog van plan te betalen voor de koffie?' Hij maakt een hoofdgebaar in de richting van het raam. 'En u hebt voor dertig dollar getankt.'

O. 'Sorry.'

Met mijn vrije hand peuter ik mijn portemonnee tevoorschijn terwijl ik terugloop naar de kassa. Ik doe net alsof ik niet merk dat de mensen in de rij zuchten en steunen, en met hun ogen rollen. De man achter de kassa schudt zijn hoofd, zo van: leuk geprobeerd.

Wanneer ik halverwege Ponca Heights ben, gaat mijn mobieltje.

'Melody heeft daarnet gebeld,' zegt Bennett.

Er gaat een steek van teleurstelling door me heen dat het Sara niet was.

Dan voel ik me opgelucht. Melody heeft gebeld...

Ik had er niet aan getwijfeld, maar toch komt het als een opluchting. Ze heeft vanochtend vroeg gebeld, precies zoals ze had beloofd. Ze heeft er een nachtje over geslapen, en is niet van gedachte veranderd. 'Heb je een afspraak gemaakt?'

'Ze komt vanmorgen,' zegt Bennett. 'Wanneer kun jij hier zijn?'

'Eigenlijk heb ik iets anders.'

'Sorry dat ik je overvolle agenda in de war schop. Waar ben je me bezig?'

'Is het trouwens sowieso niet beter als ik er niet bij ben? Opdat ze vrijuit kan spreken en zo?'

Er volgt een korte stilte, dan vraagt Bennett: 'Wat spook je allemaal uit?'

'Gewoon boodschapjes,' antwoord ik. 'Ik moet een tandenborstel hebben, en een scheerapparaat. Misschien een nieuwe stropdas, voor woensdag.'

'Zeg, als je toch een beetje rondlummelt, wil je iets voor me doen?'

'Tuurlijk.'

'Laat de rotzooi maar over aan de verslaggevers.'

Daar weet ik niets op te zeggen.

'Paul, hoor eens, als je van plan mocht zijn met Brittany Seward te gaan praten terwijl haar vader naar zijn werk is en Melody hier…'

'Kom op, zeg,' zeg ik. 'Zo stom ben ik nou ook weer niet.'

'Gelukkig maar.'

'Als je vindt dat ik erbij moet zijn, kom ik ook.'

Het duurt een poos voordat Bennett iets zegt. Zelfs in die stilte lijkt zijn ergernis door te klinken.

Uiteindelijk zegt hij: 'Subtiel patroon.'

'Pardon?'

'Die stropdas voor woensdag. Een subtiel patroon is het beste. Niet iets schreeuwerigs.'

'O.' Wil dat zeggen dat ik niet hoef te komen? 'Bedankt voor de tip.'

'En zorg dat je je mobieltje bij je hebt.'

'Dat is bijna een verlengstuk van mijn hand.'

Bennett hangt op net als ik links afsla, Belmont af. Ik leg het mobieltje in het vakje in het dashboard en rijd verder over Wildwood. Van deze kant ben ik Ponca Heights nog nooit in gereden, en zelfs na al dat te voet de ronde doen, speelt het netwerk aan kronkelige straten, pleintjes en doodlopende straten met mijn richtingsgevoel.

Om me heen komen slierten rook uit de schoorstenen van de huizen in Ponca Heights South. De daken en vensters fonkelen van de rijp. Het is halverwege de ochtend, en het zonnetje schijnt. Volgens het bord van de bank in het centrum is het min acht. Uiteraard heb ik Douglas Bennett niet de volledige waarheid verteld.

Zo stom ben ik nou. Ik mag geen contact opnemen met Brittany Seward. Daar heb ik me bij neer moeten leggen.

Maar niemand heeft iets gezegd over een babbeltje met haar vriendinnetje Rachel.

De McNally's hebben een hoekhuis in een van de nieuwere wijken. Mijn plan is eenvoudig: een plekje langs de stoeprand zoeken, parkeren, naar de voordeur lopen en aanbellen.

Het is maandagochtend, en de openbare scholen van Clark Falls zijn eerder gesloten voor de vakantie omdat er storm wordt voorspeld. Als ik bof, is Rachel alleen thuis, en kan ik haar overreden de deur niet in mijn gezicht dicht te slaan en de politie te bellen. Maar zelfs in het waarschijnlijkste geval – dat dit nergens toe leidt – weet ik één ding zeker.

Roger zal te horen krijgen dat ik hier ben geweest en heb aangebeld. Ik wil graag dat Roger dat weet. Ik wil dat hij weet dat er geen wapenstilstand is, en als het hem geruststelt dat ik niets beters weet te verzinnen dan aan te bellen bij Rachel McNally, dan is dat prima.

Het busje dat de inrit van de McNally's uit rijdt, maakt van deze strategie iets puur academisch. Rachels moeder zit achter het stuur. Ik vang een glimp op van het meisje voorin, en neem aan dat dat Rachels oudere zusje is. Door de rookglazen raampjes achterin zie ik nog een hoofd vol haar.

Ik zet mijn auto aan de kant en kijk in de achteruitkijkspiegel. Vanuit mijn ooghoeken word ik me bewust van de ironie van mijn positie: ik sta precies onder een bord van Veiliger Leefomgeving. DEZE BUURT WORDT BEWAAKT DOOR DE PONCA HEIGHTS BUURTWACHT.

Het busje draait Walnut in en rijdt weg, de heuvel af.

Ik betwijfel of Douglas Bennett me zou adviseren te keren in de dichtstbijzijnde inrit en het busje te volgen.

26

Het is een drukte van belang op het parkeerterrein van de Loess Point Shopping Mall. Mensen die kerstinkopen willen doen, stappen uit hun auto's en bevolken het trottoir, waar ze koers zetten naar alle zichtbare ingangen. Het Leger des Heils is er, met veel soldaten bij de rode emmertjes. Ze hebben hun sjaal voor de mond getrokken, en overal klinkt het gerinkel van hun bellen.

Het busje van de familie McNally komt tot stilstand voor de hoofdingang en blijft daar al wolken uitlaatgassen uitstotend staan. Ik bof dat ik een parkeerplaatsje vind, en ik houd hen via de spiegels in de gaten.

Na een paar minuten schuift een portier open. Rachel en haar zusje stappen uit en schuiven het portier weer dicht.

Dag mam.

Het is misschien niet verstandig wat ik doe, maar wel verontrustend gemakkelijk.

Dertig meter voorbij de hoofdingang, vlak voor de enorme, met strikken versierde kerstboom die helemaal oprijst tot de glazen koepel boven de drie verdiepingen, blijven Rachel en haar zusje staan kibbelen. Uiteindelijk maakt het zusje het gebaar voor mondje dicht, wijst naar haar mobieltje en beent de andere kant op.

Ik zie dat grote zus zich voegt bij een groep vrienden en vriendinnen en vervolgens in de menigte verdwijnt. Ik zie Rachel haar gebreide muts af zetten en terneergeslagen naar de roltrappen lopen. Alleen.

En terwijl ik een dertienjarig meisje volg in een druk winkelcentrum, met al die mensen die niets merken om ons heen, denk ik onwillekeurig dat het een eitje is. Als ik het soort man was waarvoor ik word uitgemaakt, zou het echt niet moeilijk zijn dit meisje aan te spreken. Ik zou nog wel erger kunnen zijn dan het soort man waarvoor ik word uitgemaakt.

Ze duikt een Sam Goody in en koopt een cd, die ze bij de kassa betaalt met twee gekreukte bankbiljetten die ze uit haar tasje haalt. Ze telt het wisselgeld na – een paar dollarbiljetten plus wat muntjes – en stopt het in de zak van haar spijkerbroek.

We blijven bijna een uur in de grote computerzaak aan de andere kant van het winkelcentrum. Rachel blijft maar verlangend kijken naar en friemelen aan de iPods.

Eindelijk kijkt ze op haar horloge en rukt zich los van de iPods. Ze gaat de computerzaak uit en zet koers naar Jamba Juice, waar ze van het geld in haar broekzak een smoothie koopt.

Ik zie haar een tafeltje bij de reling uitkiezen, en gun haar een paar minuten om zich daar te installeren.

Dan stap ik op haar af. 'Rachel,' zeg ik met een lach, 'hoi.'

Eerst lacht ze terug. Haar is geleerd beleefd te zijn.

Maar dan herkent ze me. Haar lach verflauwt en verdwijnt dan helemaal. Tegen de tijd dat ik ga zitten, kijkt ze recht voor zich uit, met grote ogen, en ze zuigt doelbewust aan het rietje van de smoothie die ze met beide handen vasthoudt.

'Wees maar niet bang.' Ik zeg het zacht, gedeeltelijk om niet al te bedreigend over te komen, en ook omdat ik niet wil worden afgeluisterd door de mensen aan de tafeltjes om ons heen. Het is bijna tijd voor de lunch. Algauw zal het hier razend druk worden. 'Ik heb het goed met je voor. Echt waar.'

'Rot op.'

'Ik wil alleen maar even met je praten.'

'Rot op!'

Ik doe mijn best er ontspannen en betrouwbaar uit te zien. Alsof ik haar vader ben of zo. Een vader die kibbelt met zijn lastige tienerdochter.

Rachel McNally ziet eruit zoals ik vind dat een meisje van dertien er hoort uit te zien. Mager, met sproetjes en een beugel. Ik kan me voorstellen dat het soms moeilijk voor haar is om Brit Sewards beste vriendin te zijn. Vooral als er jongens in het spel zijn.

Gek, maar afgaand op wat ik van Melody en Pete heb gehoord, had ik altijd gedacht dat Rachel de aanstichter was wanneer Brittany en zij weer eens iets uithaalden. Nu zet ik daar vraagtekens bij. Welke idioot neemt een vervalst identiteitsbewijs aan van dit kind?

'Hoor eens,' zeg ik. 'Ik weet dat je in een lastig parket zit.'

Ze knijpt haar ogen tot spleetjes.

'Ik zit ook in een lastig parket. Misschien kunnen we elkaar helpen.'

'Je bent een engerd. Laat me met rust.'

'Rachel…'

'Ik ga mijn zusje bellen.'

'Je weet heel goed dat ik geen engerd ben.'

'Mijn zusje komt straks met een beveiliger.' Ze zet haar smoothie neer en rommelt in haar tasje.

'Hoor eens, Rachel, ik weet alles van die foto's. Ik weet dat het maar een lolletje was van Brit en jou. Het is allemaal in orde.'

Haar ogen zijn nu wel heel nauwe spleetjes. 'Watte?'

'Ik probeer je te vertellen dat het in orde is. Ik wil je geen last bezorgen. Ik wil alleen maar even met je praten. Toe?'

'Wat voor last? Wat wil je van me?'

'Ik weet van de foto's, meid.'

Ze loopt rood aan en kijkt weg, over de reling heen. Beneden, op de onderste verdieping, staan een hoop kleuters met hun pappie en mammie in een vak dat is omzoomd door enorme zuurstokken te wachten tot ze op de foto mogen met de kerstman.

Rachels gezicht betrekt. 'Jij hebt ze zeker ook. Engerd.'

'Maak je niet druk, ik heb ze nog nooit gezien. Geen eentje.'

'Het zal wel.'

'Rachel, ik weet dat jij die foto's van Brit hebt genomen. Ik weet ook dat zij er een paar van jou heeft gemaakt. Jezus, toen ik zo oud was als jullie, haalde ik ook…'

'Waar héb je het over?' Er verschijnt een heel diepe frons tussen haar wenkbrauwen. 'Ranzig.'

'Je hoeft niet net te doen alsof…'

'Brit zou het liefst dood neervallen. Hopelijk snap je dat.'

'Rachel.'

'Ze vertrouwde je!'

'Brit weet heel goed dat ik er niets mee te maken had. En jij ook.'

'Laat maar,' zegt ze. 'Je hebt ze gestolen uit dat huis van die man. Dat weet iedereen.'

Het tafeltje lijkt ineens schuin te staan. Het huis van die man? Het is wel duidelijk dat ze het over Roger heeft. Mijn maag krimpt samen. Ik heb aldoor vertrouwd op de theorie dat hij Brit heeft gemanipuleerd in deze idiote aanval op mij. Maar het is nooit bij me opgekomen dat hij Brit tegen me heeft opgezet.

Natuurlijk heeft hij dat gedaan. Anders zou ze al die leugens niet hebben verteld. Ik had niet gedacht dat het mogelijk zou zijn me nog rottiger te voelen over dit alles.

'Denkt Brit echt dat ik haar die foto's heb gemaild?'

Stilte.

'Maar dat is niet waar.'

'Ze vertrouwde je.' Rachel staat op. 'Je bent al net zoals meneer B.'

Meneer B?

Waar heeft ze het over?

Ranzig…

'Rachel.'

'Ik ben weg.'

'Wat vertel je me allemaal?'

'Hou je kop, eikel.'

'Nee.' Ik sta ook op. Ik wil liever niet boven haar uit torenen, maar daar kan ik niets aan doen. Ik ben een volwassen vent, en zij is nog pas dertien. 'Alsjeblieft, praat met me.'

Misschien wil ze echt met me praten. Of misschien ligt het aan het feit dat ik een volwassene ben, en ze heeft geleerd respect voor volwassenen te hebben. Of misschien is ze gewoon doodsbang.

'Toe,' zeg ik, 'ik kan je hulp goed gebruiken.'

Ze laat haar blik door de ruimte dwalen, alsof ze zelf wel een beetje hulp kan gebruiken.

'Vertel me wie die foto's heeft genomen, Rachel. Dat móét ik weten.'

Een paar mensen kijken al naar ons.

Ik zit in een lastig parket.

'Hoor eens,' zeg ik, 'ik weet wat.'

Ze wil niet naar me luisteren, maar luistert toch.

Wat moet ik doen?

Ik haal diep adem en doe precies wat ik me voorstel dat ik zou doen als ik het soort man zou zijn waarvoor ik word uitgemaakt.

We lopen samen terug naar de computerzaak aan de andere kant van het winkelcentrum. Een beetje zoals een vader met zijn tienerdochter.

Ik koop de duurste iPod voor haar die ze hebben, en zij vertelt me nog meer dan ik wil weten.

27

'Het was een vruchtbare ochtend,' zegt Douglas Bennett.

'Hoe was ze?'

'Melody? Alsof ze een nacht in de hel had doorgebracht.'

Ik sla rechts af Van Dorn in, die diagonaal het plaatsje doorkruist. Terwijl ik dat doe, snijd ik een tegemoetkomende auto en word getrakteerd op kwaad getoeter. Ik vraag me af of ik zo'n handsfree oortje van Bennett kan lenen. Autorijden en telefoneren tegelijk is hartstikke gevaarlijk.

'Maar ze is overtuigend,' zegt hij. 'Wat ze heeft verteld, kan ons natuurlijk niet helpen bij de aanklacht van in bezit hebben en verspreiden, maar het is een stap in de goede richting.'

'En nu?'

'En nu,' zegt hij, 'kom je naar mijn kantoor. Ik ga ervoor zorgen dat je voorgeleiding van woensdag wordt gecombineerd met die van maandag. Ik zeg wel dat we een week nodig hebben om alles in orde te maken, om meer onderzoek te doen. Maandagmorgen sla ik hen dan om de oren met deze ontdekking en eis ik dat de aanklacht van vervaardigen wordt ingetrokken. Dat zou onze positie aanzienlijk verbeteren.'

Ik snap deze nieuwe strategie niet helemaal, maar het klinkt veelbelovend.

'Wanneer kun je hier zijn?' vraagt Bennett.

'Ik heb een afspraak.'

'Haha. Heel grappig.'

'Ik ben daar nu naar op weg. Maar eerst stop ik even bij het hotel en gebruik de printer die ze daar hebben.'

Na een korte stilte zegt Bennett: 'Professor, dat bevalt me niks.'

'Luister.' Het verkeer gaat langzaam rijden. Ergens verderop is een ongeluk gebeurd. 'Laat een stagiaire onderzoek doen naar een gozer met de naam Timothy Brand. Ik spel de achternaam wel even: B, R…'

'Wie is Timothy Brand?'

'Vroeger was hij leraar geschiedenis op Bluffs View Middle School. En ook de volleybalcoach van Brittany Sewards team.' Ik zwijg omdat ik moet opletten, want iemand van de verkeerspolitie dirigeert het verkeer om het ongeluk heen. Ik zie een rode pick-up, en een busje van het energiebedrijf. Motorkappen in de kreukels, en overal ligt glas. 'Ik weet niet wat hij nu doet.'

Bennett zegt niets.

'Ze had iets met een leraar op school,' zeg ik. 'Híj heeft die foto's genomen.'

'Hoe weet je dat allemaal?'

'Dat vertel ik je wel wanneer die afspraak achter de rug is.'

'Ik wil dat je het me nu…'

'Hoor eens, Bennett, ik wil gewoon dat die vent wordt gevonden, oké? Ik heb de school gebeld, maar ze wilden me zijn nieuwe adres niet…'

'Hou op. Hou onmiddellijk op met waar je mee bezig bent. Voor je eigen bestwil.'

'Ik wil alleen maar…'

'Heb je me gehoord? Kom onmiddellijk hier, waar je geen kwaad kunt. Echt, straks moet ik Debbie nog op je af sturen. Wat is dat voor afspraak?'

Ik ben bang dat hij zichzelf per ongeluk iets zal aandoen als ik hem dat vertel.

'Ik bel je na afloop,' zeg ik.

The Firehouse is een kroeg niet ver van mijn hotel, gehuisvest in een historisch pand dat vroeger de brandweerkazerne was, maar nu is verbouwd tot kleine bierbrouwerij met proeflokaal.

Binnen is het er warm en donker, met een vloer van oude planken, maar met ook moderne dingen, bakstenen muren met ouderwetse apparaten waarmee vroeger branden werden bestreden en die nu nog louter als decoratie dienen. Wanneer ik naar binnen loop, is het twee uur 's middags, en is het er vrijwel verlaten. Een paar late lunchers. Een paar mensen bij de toog die op een plasmascherm naar het basketbal kijken.

Ik zie Maya Lamb meteen, alleen aan een tafeltje in een nis, helemaal achterin. Blijkbaar zit ze daar vaker, want toen ik haar twee uur geleden belde, zei ze dat ze dat tafeltje op haar vrije dagen gebruikte als werkplek. De vaste klanten zijn eraan gewend haar daar te zien, en het personeel weet dat ze haar niet moeten storen.

Het feit dat Maya Lamb door vaak op tv te verschijnen een soort beroemdheid is in een plaatsje als Clark Falls is een van de redenen waarom ik dit wil.

Hier in Clark Falls is Roger Mallory iemand met een bekend gezicht, iemand die je kunt vertrouwen. Misschien kan ik iemand met een bekend gezicht aan míjn kant krijgen. Ze ziet me komen, legt *Lolita* neer en gebaart naar de barman.

'Mevrouw Lamb,' zeg ik.

'Meneer Callaway.' Ze lacht. 'Zeg maar Maya, hoor, dan zeg ik Paul. Nou?'

'Maya, ik beschouw ons langzamerhand als oude vrienden.'

'In dat geval: nog iets gebeurd vandaag, maatje?'

'Het was een verhelderende dag.' Ik trek mijn jas en handschoenen uit. 'En jij?'

'Ik wacht.'

Wanneer ik naast haar kom zitten, haalt ze de menukaart uit de knijper tussen de zout-en pepervaatjes en overhandigt me die. 'Het beste bier van heel Falls.'

Volgens de kaart is er niets zuinigs aan het Ebenezer Stout. Wanneer de serveerster komt, bestel ik dat. Maya bestelt de Backdraft Bock en kijkt me aandachtig aan terwijl we wachten tot ons bier op tafel wordt gezet.

'Zo,' zegt ze uiteindelijk. 'Hoe kunnen we elkaar helpen? Waar beginnen we?'

Goede vraag. Terwijl ik daar zit, kom ik hetzelfde verhalende probleem tegen als waarmee ik zat toen ik drie dagen geleden zuchtte in mijn cel aan de overkant van het plein: het begin.

'Ik heb een verhaal voor je.'

'Daar reken ik op.'

'Het is een lang verhaal.'

'Ik ben dol op lange verhalen.'

Ik denk dat ik nu wel weet hoe ik dit moet vertellen. Het begint op de plek waar het altijd is begonnen. Deze keer is het makkelijker. Maya Lamb weet al hoe het is begonnen.

Dus begin ik op het punt waarop ik me heb aangemeld voor de Ponca Heights buurtwacht. In het kort vertel ik over de veranderingen in de verhouding tussen Roger Mallory en mij, van vriendschap naar ruzie. Wanneer ons bier komt, heffen we het glas op het nieuwe jaar.

Na een indrukwekkende slok veegt Maya Lamb haar lippen en zegt: 'Nabijheid is misschien de belangrijkste voorwaarde voor het ontstaan van vriendschap.'

'O?' Ik heb geen idee wat ze daarmee bedoelt.

'Natuurlijk biedt nabijheid ook mogelijkheden tot aanvallen, verkrachten en moorden. Myers. *Exploring Psychology.*'

'Wie?'

'Het boek waar we op College uit leerden. Om de een of andere reden herinner ik me die passage nog steeds.'

'College,' zeg ik. Ik glimlach. 'Wanneer was dat? Vorig jaar?'

'Bedankt voor het compliment. Ik ben negenentwintig.'

Ik besluit mee te gaan met haar citaat en het bod te verhogen met eentje van Roger: je eigen veiligheid staat op het spel wanneer het huis van de buren in brand staat. Terwijl ik dat doe, treft het me op een plezierige manier dat onze omgeving zo toepasselijk is: een voormalige brandweerkazerne.

'Dat moet je verwerken in je verhaal,' zeg ik. 'Ironie valt altijd goed.'

'Ik weet het niet, hoor. Ik zie meer in de Lolita-invalshoek.'

'Clichés vallen ook altijd goed.'

'Bovendien moeten we aan de situatie denken waarin jij je bevindt. Denk je dat ironie goed valt bij de jury?'

'Wat bedoel je daarmee?'

'Je kunt nog schuldig worden bevonden,' zegt Maya Lamb. 'Voor zover ik weet zou je zelfs schuldig kunnen zíjn.'

'Dat is waar.'

'En ik weet dat er genoeg kijkers zijn die vinden dat Roger Mallory's organisatie zich als meer dan nuttig heeft bewezen.'

'Er zijn vast genoeg kijkers die van alles en nog wat vinden.'

'Kijk eens naar de getallen.' Ze schuift haar glas naar opzij en leunt naar voren. 'In de zeven jaar sinds Mallory die buurtverenigingen en buurtwachten heeft georganiseerd onder het vaandel van Veiliger Leefomgeving, is het aantal misdrijven in bijna alle categorieën in woonwijken...'

'O,' zeg ik. 'Dat soort getallen.'

Ze telt de categorieën toch op haar vingers af, alsof ik haar niet heb onderbroken. 'Vernieling. Autodiefstal. Inbraak. Insluipen, door het raam loeren, huisdierenoverlast. Jezus, zelfs geluidsoverlast!' Ze maakt een handgebaar alsof ze dat allemaal uitwist. 'In de afgelopen zeven jaar hebben in alle categorieën minder misdrijven en overtredingen plaatsgevonden.'

'Dat klinkt precies als zo'n perscommuniqué van Roger.'

'Hij hééft ook veel goeds gedaan. Ik heb de gegevens van de organisatie vergeleken met die van de plaatselijke politie.' Ze houdt haar hoofd schuin. 'Wist je dat volgens de laatste evaluatie de gevallen van huiselijk geweld binnen de onder de organisatie vallende buurten ongekend zijn verminderd?'

Dat wist ik niet.

'Ondertussen gaat het de makelaars hier ongekend voor de wind.' Ze kijkt me uitdagend aan, zo van: zoek het maar op als je me niet gelooft. 'Vooral bij nieuwbouw. En dat in een tijd waarin de rente hoog staat, het hoofdelijk inkomen is gestagneerd, en de huizenmarkt in vergelijkbare plaatsjes op z'n gat ligt.'

Ik neem een grote slok bier, lik het schuim weg dat als een snor op mijn bovenlip zit, en vraag me af of ik misschien toch iets stoms doe. Voor de eerste keer komt het in me op dat er misschien meer speelt dan de ambities van een jonge verslaggever.

Waarom is Maya Lamb eigenlijk de enige verslaggever die me achtervolgt?

Misschien had Roger haar als eerste benaderd? Misschien was dit plan al bij hem opgekomen lang voordat ik eraan dacht. Misschien heeft hij in Maya Lamb een persoonlijk woordvoerder voor Veiliger Leefomgeving gevonden. Of misschien betaalt Veiliger Leefomgeving de zender een fors bedrag voor die reclame-uitingen in het publiek belang.

'Dus je snapt nu zeker wel dat sommige kijkers het als sarcastisch zouden opvatten als we Veiliger Leefomgeving zouden vergelijken met een voormalige brandweerkazerne.' Ze neemt een teug bier en kijkt me aan. 'Niks te ironie, dus.'

Ik hoor Douglas Bennetts woorden ruisen in mijn hoofd: kom onmiddellijk hier, waar je geen kwaad kunt. Het was bijna een smeekbede, maar ik wilde niet luisteren.

'Wat ík graag zou willen weten,' zegt Maya, 'is waarom je drie weken geleden een aanklacht tegen Roger Mallory hebt ingediend wegens schending van je privacy.'

'Oké.' Ik drink van mijn bier. 'Hij heeft je daar zeker al alles over verteld, hè?'

'Niemand heeft me iets verteld.'

'Hoe weet je er dan van?'

'Ik weet ervan omdat ik de proces-verbalen van de politie heb doorgenomen van na half juli. Om te kijken of jullie adres erin voorkwam.'

Ik zie er zeker verbaasd uit. Maya Lamb kijkt me met opgetrokken wenkbrauwen aan.

'Waarom zou je zoiets doen?'

'Dat zei ik toch? Ik dacht dat er wel een verhaal in zou zitten. Daar heb ik een neus voor.'

'Nee, even serieus nu.'

'Kom op, Paul.' Ze grijnst zelfgenoegzaam. 'Nu? Je zou me net zo goed kunnen vragen waarom ik de enige verslaggever in Clark Falls ben die die inbraak bij jou geen zuivere koffie vond.'

'Hè?'

'Weet je, ik heb vorig jaar al die verhuisinbraken verslagen. Jezus, ik heb zelfs die term verzonnen! Het kan me niet schelen wat er in het verslag van de politie staat. De buurtwacht heeft er een eind aan gemaakt, niet de politie.'

'Ik snap het niet.'

'En veertien maanden later is er opeens weer zo'n verhuisinbraak? Eentje maar? Terwijl mijn tante Jamie je zou kunnen vertellen dat die plaatsvond in de maand dat de huizenverkoop op zijn laagst is?' Ze trekt een gezicht. 'Tegenover het huis van de man die aan het hoofd staat van Veiliger Leefomgeving? Kom op, zeg! Dat is wel erg toevallig.'

Terwijl ik naar haar luister, vraag ik me af waarom het zo lang duurde voordat ik dit alles zelf had uitgevogeld. Wanneer Maya het zegt, klinkt het allemaal zo voor de hand liggend. En ze is nog niet eens uitgesproken.

'Wist je dat volgens de dossiers van Veiliger Leefomgeving er in juli het laagste aantal vrijwilligers sinds drie jaar was ingeroosterd?'

Dat wist ik ook niet.

'Het is een feit. Wat vind je van je bier?'

Ik kijk naar mijn glas. 'Niet slecht.'

'Dan bestel ik volgende keer zo eentje,' zegt ze.

'Grappig, ik keek naar jouw glas en dacht precies hetzelfde.'

'Dan denken we hetzelfde.' Ze lacht. 'Je wilde me iets vertellen over Roger Mallory?'

Buurtovertreders

28

Ik had de hond de schuld kunnen geven.

Sinds het midden van september ging het al niet goed met Wes. Zelfs voordat het bekoelde tussen Roger en mij was het me al opgevallen dat de hond mank liep. Uiteindelijk ging hij zo achteruit dat hij Roger niet meer vergezelde op diens ochtendwandelingen in het bos.

Op een ochtend had ik Wes achter Roger aan naar buiten zien komen om de krant te halen. De hond trok zich vooruit, zittend, alsof zijn achterpoten hem in de steek hadden gelaten. Hij was toen ook niet meer zindelijk, en daarom had hij een mand en een kacheltje gekregen in Rogers garage. Hij blafte niet meer, en zijn tanden vielen uit. Tegen de tijd dat de bladeren vielen, hadden de eekhoorns, konijnen, opossums en wasbeertjes vrij spel in het gebied dat ooit werd bewaakt door *Tyrannosaurus Wes*.

Ik heb altijd begrepen dat bejaarde honden het voelen wanneer hun einde nadert. Mijn eigen jeugdvriend, een zachtaardig vuilnisbakkie dat Bruce Banner heette, was zestien toen hij op een avond de bossen van New Jersey in strompelde om nooit meer terug te komen.

Maar de oude Wes had het nog niet opgegeven. Toen het frisser werd, ontwikkelde hij de gewoonte zich achter Rogers Yukon aan te slepen wanneer Roger achteruit de garage uit reed.

Ik had daarover lopen nadenken. Hield de invalide herdershond zich vast aan het ingefokte instinct waardoor een ongetrainde jonge herdershond achter auto's aan jaagt? Snapte de bejaarde hond dat zijn baasje er ver op uit zou trekken, een grotere afstand dan hijzelf te poot kon afleggen? Of klonk het brullen van de motor te hard in de garage?

Wat de reden ook was, het resultaat was hetzelfde elke keer dat Roger gemotoriseerd het huis verliet.

Stap 1: In z'n achteruit de garage uit.

Stap 2: Daar komt Wes.

Stap 3: De hond onderbreekt het onzichtbare veiligheidssignaal, waardoor de deur tot stilstand komt en weer omhooggaat.

Stap 4: De auto laten stoppen, Wes pakken en hem terug naar binnen brengen.

Stap 5: De garagedeur binnen afsluiten.

Stap 6: Door de voordeur weer naar buiten komen.

Twee van de tien keer haalde Wes de garagedeur niet voordat die weer dicht was, of hij was niet wakker geworden. Dan kon Roger zonder gedoe weggaan om te doen wat hij moest doen.

Daar had ik ook over lopen nadenken.

Waarom sloot Roger de hond niet op? Zo moeilijk kon dat toch niet zijn. Was die twintig procent kans dat Wes niet uit het donker kwam aangescharreld echt de moeite waard om alle andere keren dat hele proces te herhalen?

Of hield Roger zich vast aan die tachtig procent? Misschien moedigde die hem aan Wes als een doorzetter te beschouwen, waarmee het nog niet zo slecht was gesteld. Misschien bracht Roger voor de hond het optimisme op dat hij kennelijk niet opbracht voor zijn buren. Of misschien wilde hij het oude beestje gewoon niet vastleggen.

Waarom was ik zo goed op de hoogte van Rogers komen en gaan, en of Wes achter hem aan kwam of niet?

Ik hield hem zeker in de gaten.

Op een grauwe middag in november ging Roger gehaast weg. Hij moest afgeleid zijn geweest, want hij bleef niet wachten op Wes, en het bleek een van Wes' goede dagen te zijn.

Tegen de tijd dat Roger de draai had gemaakt om het veldje heen en was weggereden over Sycamore Drive, had Wes zich naar het einde van de inrit gesleept. Daar kwam hij min of meer overeind en strompelde over straat achter de auto aan.

Het was een rustige weekdag in Sycamore Court. Sara was nog op haar werk. De Sewards en de Firths waren ook op hun werk. De tweeling van de Firths waren naar de crèche, Brit was op school, en ik had Michael naar zijn restaurant zien vertrekken toen ik een kwartier geleden terugkwam van mijn laatste college van die dag.

Het was dus Wes en ik tegen de rest van de wereld.

Met de ruzie tussen Roger en mij had de hond niets te maken. Ik pakte mijn jasje, ging naar de keuken en haalde een paar brokjes hacheevlees uit de verpakking die ik onderweg naar huis had gekocht. De arme Wes was al bijna bij de stenen zuilen bij de ingang van het hofje gekomen toen ik bij hem kwam. Hij was op zijn flank gaan liggen en had zijn kop op de grond gelegd.

'Hé daar, ouwe jongen.' Ik krieuwelde hem even en streelde zijn doffe vacht. Zijn staart klopte op het trottoir. 'Braaf.' Ik bukte en nam hem in mijn armen. 'Kom op, dan breng ik je naar huis.'

Hij woog onrustbarend weinig voor zo'n grote hond. Ik voelde zijn botten door zijn huid heen. Ik kwam overeind en droeg de hond over de stoep. In Rogers garage legde ik Wes in zijn mand en stak mijn hand uit. Het hacheevlees kon hij niet weg krijgen, maar ik hield het hem voor en hij likte mijn hand en mijn vingers af.

Een viezige lucht steeg op, een beetje zoetig en een beetje ranzig. Ik keek naar beneden en zag iets glimmends en nattigs op mijn jasmouw.

Wes had geplast. Zodra ik dat had gemerkt – en ook had gevoeld aan het warme plekje op mijn arm – werd de stank overweldigend. Ik moest mijn gezicht wegdraaien om niet te gaan kokhalzen.

Met een bedroefde en vermoeide blik keek Wes naar me op, alsof hij zich verontschuldigde. Zo gaat het nou met me, leek hij te zeggen, de ene verdomde vernedering na de andere.

Ik liet de brokjes vlees achter op de betonnen vloer, waar hij erbij kon. Na even gezocht te hebben vond ik een rol vuilniszakken. Ik scheurde er eentje los en trok uiterst omzichtig mijn jasje uit. Vervolgens liet ik het in de vuilniszak vallen en bond die dicht.

'Zo, ouwe jongen.' Ik krieuwelde de hond nog een laatste keer op zijn kop. 'Doe maar lekker rustig aan.'

Wes jankte even en kwispelde toen.

Ik liet de garagedeur naar beneden komen en liep het huis in.

Als je buiten staat, bijvoorbeeld bij de schommels op het veldje, en ons huis vergelijkt met dat van Roger, zou je waarschijnlijk meer verschillen zien dan overeenkomsten.

Hoewel ze allebei zijn opgetrokken uit baksteen, lijken ze zo op het oog weinig op elkaar. Ooit heeft Roger de bovenverdieping uitgebouwd, en op de begane grond heeft hij in de loop der jaren ook het een en ander toegevoegd. Zijn schoorsteen staat aan de noordkant, de onze aan de zuidkant. Voor zijn ramen zitten luiken en hij heeft pannen op het dak. Onze ramen zijn kaal, en ons dak is van hout.

Maar het was me opgevallen dat onze twee huizen ongeveer tegelijkertijd moeten zijn gebouwd, waarschijnlijk door dezelfde aannemer. Als je goed naar Rogers huis kijkt, zie je tussen alle verbouwingen door dat de basis ongeveer hetzelfde is als die van mijn huis.

Onze huizen waren ooit elkaars spiegelbeeld. Om de waarheid te zeggen, en als je zestig jaar van vooruitgang negeert, verschillen onze huizen niet veel van de nieuwe panden die nu verrijzen in South Ponca. Allemaal beginnen ze als een kavel, met zo te zien allemaal min of meer hetzelfde grondplan.

Voor die middag was ik nog nooit bij Roger binnen geweest.

Ik was niet van plan te gaan snuffelen. Dat kwam pas toen ik onderweg naar de voordeur langs een plank met trouwfoto's kwam. Ik bleef staan om naar de veel jongere Roger te kijken: knap, atletisch, klaar voor wat er voor hem in het verschiet lag. Clair Mallory, voorheen Clair Stockman, volgens de uitnodiging voor de bruiloft die erbij stond, was een mooie bruid geweest. Haar ogen leken te stralen. Glanzende donkere krullen omlijstten haar gezicht.

Voordat ik het wist liep ik door de woonkamer om de foto's te bekijken. Een paar gezichten die voorkwamen in de huwelijksfoto's kwam ik ook tegen in kiekjes van Roger met collega's van toen hij nog bij de politie was. Ik zag de getuige, nog een paar bruiloftsgasten, en de vader van de bruid, op de ene foto in smoking, op de andere in uniform.

Ik voelde me niet op mijn gemak zo rondlopend in Rogers huis, en niet alleen omdat ik niet was uitgenodigd binnen te komen. De sfeer deed me denken aan het oude huis van mijn grootmoeder in Cresskill, nadat mijn grootvader was overleden: uit de tijd, te stil, te netjes, geen kussentje niet op zijn plaats.

Maar wie was die man? Roger Mallory, wie wás hij eigenlijk?

In de keuken hingen geen etensluchtjes. De woonkamer zag er vreemd onbewoond uit. Zelfs de lucht daar rook bedompt en muf. Althans, zo kwam die op mij over.

Ik bleef een beetje staan in een hoek, bij een ingebouwde boekenkast vol familiekiekjes. Er waren foto's van Roger en Clair in het ziekenhuis met hun pasgeboren zoontje. Er waren foto's van een jongetje dat rond- kroop in luiers en met een cowboyhoed op. Er waren foto's van een joch met kuiltjes in de wangen.

Er waren foto's van de feestdagen, van vakanties, van de eerste school- dag. Er waren foto's van kerstcadeautjes die werden uitgepakt op de plek waar ik stond. Op een van de foto's stond Brandon Mallory toen hij een jaar of zeven was, met een feestmuts op zijn hoofd vol warrig haar, en met een puppy die probeerde uit zijn armen te komen. Een Duitse herder. Op de foto lacht Brandon Mallory stralend in de lens. De puppy Wes likt hem in het gezicht. Clair Mallory lacht, ze staat maar half op de foto, met haar ene hand in haar zij en de andere voor haar mond geslagen.

Op dat moment leek mijn vete met Roger ontzettend triviaal. Natuur- lijk was het onredelijk van Roger om te denken dat hij iedereen in de buurt zijn wil kon opleggen. Maar het was misschien ook onredelijk om eten te blijven verspillen aan een stervende hond.

Wanneer ik terugdenk aan dat moment, wanneer ik terugdenk aan hoe ik me voelde toen ik keek naar de vervaagde foto's van alles wat Roger Mallory was kwijtgeraakt, weet ik dat ik mijn best zou hebben gedaan om op betere voet te komen staan met hem als Wes niet was gaan blaffen.

Ik heb de hond nooit de schuld gegeven.

29

Eerst raakte ik in de war van het blaffen. Het blaffen stelde niet veel voor, het was eerder een soort janken. Maar het kwam van boven, niet uit de garage.

Ik ging kijken bij Wes. Hij sliep met zijn bek open, zijn tong hing eruit. Met een voorpoot maakte hij flauwe bewegingen. Ik stelde me zo voor dat hij in een droom de buurtkonijnen en -wasbeertjes achternazat. Terwijl ik naar hem keek, kwam er een jankend geluidje uit hem, dat eindigde in een blafje. Ik hoorde het hier, en tegelijkertijd ook achter me.

Ik deed de deur dicht en liep terug het huis in, waar ik op het geluid af ging, naar boven. De eerste deur op de overloop was dicht. Op de tweede deur hing een verkleurde poster van het Iowa Hawkeye footballteam. Aan de hard geworden plekken op de hoeken kon ik zien dat de poster ooit met plakband had vastgezeten. Ooit moest de poster zijn losgeraakt en daarna opnieuw bevestigd met punaises. Ik keek naar de donkerblauwe politiesticker erboven, ongeveer op ooghoogte, met erop geschreven: BRANDON.

De deur zat op slot. Het wedstrijdschema op de Hawkeye-poster was van elf jaar geleden.

Aan de andere kant zat ook zo'n donkerblauwe sticker op de deur, met in een jeugdig handschrift erop geschreven: MAM EN PAP. Die deur zat ook op slot.

Ik hoorde Wes nog een keertje grommen, toen werd het stil. Ik liep naar de derde deur, duwde die open en stak mijn hoofd om de deur.

Rogers werkkamer. Boekenplanken, archiefkasten, stapels papier. Een prikbord met van alles en nog wat erop. Zelfs een prullenbak met rommel erin. Afgezien van Wes' hoekje in de garage was dit tot nog toe de enige ruimte in het huis die er bewoond uitzag.

Onder de schuine zoldering stond een groot, oud, houten bureau. Op het bureau stonden een computer, een nietapparaat, een plakbandroller en een bureaulamp.

En een Graco-babyfoon, die klaarblijkelijk signalen opving uit de garage.

Ik glimlachte. Een verdieping lager blafte Wes weer. Op de babyfoon gloeide een rood lichtje op, en ging vervolgens weer uit.

Ik keek om me heen. Aan de andere kant stonden onder de schuine zoldering een bank en een salontafel, en een klein televisietoestel. Het leek een beetje op het leeshoekje in mijn eigen werkkamer, alleen lag er bij Roger een laken op de bank, een kussen tegen de armleuning, en een oude lappendeken.

Aan het verkreukte beddengoed kon ik zien dat dit niet alleen Rogers werkkamer was. Hier sliep hij ook.

Ik keek naar de muren. Er waren diploma's van de middelbare school, College, de politieacademie. Er was een ingelijste politiepenning van Roger, en de strepen van een brigadier, tegen blauw fluweel afgezet. Ik zag een paar oorkonden die hem waren uitgereikt vanwege zijn verdiensten voor de Organisatie voor een Veiliger Leefomgeving. Een ingelijste brief, ondertekend door de gouverneur van de staat. Groepsfoto's van burgers die bij Roger op cursus waren geweest. Foto's van Roger in een net pak, handenschuddend met belangrijke mensen.

Nu voelde ik me echt een indringer.

Er was geen enkele reden voor mij om hier te zijn, ik was hier sowieso al veel te lang. Maar geroerd door de foto's beneden liep ik naar Rogers bureau en ging op zijn stoel zitten. Ik was van plan een kort briefje achter te laten: Wes was buiten. Ik hoorde de babyfoon en kwam kijken of alles in orde was. Kunnen we eens een babbeltje maken? Paul.

Terwijl ik zocht naar een papiertje om dat op te schrijven, vond ik een afschrift van mijn creditcard onder de plakbandroller. Even wist ik niet goed wat ik zag. Mijn naam en adres stonden bovenaan. Het was een afschrift, ik had dat bedrag onlangs voldaan.

Ik had dat afschrift verscheurd en in de vuilnisbak gedaan, want die middag werd alles opgehaald.

Beetje bij beetje werd ik kwaad. Ik keek naar wat Roger heel secuur had gedaan: de verscheurde snippers met plakband aan elkaar plakken. Ik werd helemaal warm.

Ik schrok me rot toen ik plotseling een motor hoorde brommen, en een metalig geluid. Op de babyfoon gloeiden rode lichtjes op.

Shit.

Roger was thuisgekomen.

30

Mijn opties: ik kon naar beneden rennen en naar buiten glippen in de hoop dat Roger me niet zou zien. Ik kon naar beneden gaan, Roger in de garage tegen het lijf lopen en hem het afschrift van mijn creditcard voor zijn neus houden. Ik kon boven blijven en me onder het bureau verstoppen.

Ondertussen werd het brommen van de motor harder en toen zachter. Ik hoorde wat klonk als staal op staal. En wat klonk als het rammelen van een ketting.

Wat deed hij daar beneden? Het huis slopen? Ik ging naar het raam en schoof het gordijn een beetje opzij.

Beneden op straat zag ik de grote groene wagen van de vuilnisophaaldienst de ronde rond het veldje maken. Twee mannen in oranje hesjes sprongen eraf en trokken de vuilnisbakken van het trottoir voor het huis van Pete en Melody. Ik hoorde het geluid van brekend glas. Ik hoorde zelfs stemmen. De mannen in de oranje hesjes waren onderling aan het praten.

Het klonk bijna alsof ze binnen waren. Ineens drong het tot me door dat ik hun stemmen niet hoorde via de babyfoon.

Naast Rogers bureau was een nis. Ik keek daarin en merkte voor het eerst een deur op.

Deze deur was anders dan de andere deuren op deze verdieping. Er waren gaten in geboord en er waren dingen op vastgemaakt, en deze deur was ongeverfd. Langs de rand zag ik bedieningspanelen voor niet één, geen twee, maar voor drie afzonderlijke sloten.

De deur stond op een kier.

Roger was echt in allerijl vertrokken.

Je zou een thesis kunnen schrijven over magische deuren in de literatuur: poorten waardoor iemand in een andere wereld terechtkomt en de vertrouwde omgeving achter zich laat.

Aan de andere kant van Rogers deur trof ik een zolder aan waarvan een soort geheime kamer was gemaakt. Die was iets van drie bij anderhalve meter, onder het schuine dak. Het rook er naar isolatiemateriaal en hout.

Er stond een stoel voor een werktafel waarop een laptop stond die was verbonden met allerlei externe harde schijven. Het geluid van de vuilniswagen klonk uit een speakerbox aan de muur.

Toen ik op die stoel ging zitten, zag ik de vuilnismannen buiten op de batterij monitoren die Roger daar had neergezet. Er waren er negen, en ze waren opgesteld min of meer volgens de lay-out van Sycamore Court.

Op het grootste scherm in het midden waren in kleur beelden te zien van het veldje. Om dit scherm heen waren kleinere monitoren opgesteld die in paren zwart-witbeelden toonden. Van elk paar monitoren liet de bovenste beelden zien van de voorkant van een huis, en de onderste beelden van de achtertuin.

Ik keek naar de als de wijzerplaat van een klok opgestelde monitoren, en zag mijn huis op de plek van acht uur. Het huis van Pete en Melody stond op de plek van tien uur. Dat van Trish en Barry op twaalf uur, en dat van Michael op twee uur.

Het grommende gebrom van de vuilniswagen zwol aan via de speaker toen hij het bovenste scherm van het laatste paar monitoren in reed. De vuilniswagen stond recht voor Rogers huis, op vier uur.

De speaker kraakte en floot.

Zonder erbij na te denken raakte ik de touchpad van de laptop aan. Meteen kwam het computerscherm tot leven. Toen stond ik er niet bij stil, maar achteraf is het ironisch dat er geen wachtwoord was ingesteld. Wie heeft er ook een wachtwoord nodig met drie goede sloten op de deur?

Er waren mappen voor elk huis van het hofje. In elke map waren video's opgeslagen, gesorteerd op datum, per maand. Het zag ernaar uit dat Roger de beelden van de bewakingscamera's keurig archiveerde.

Ik rolde de stoel naar voren en stootte per ongeluk tegen iets zwaars onder de tafel. Dat bleek een geldkist te zijn. Ik ging op mijn knieën zitten en trok het kistje eruit. Er zat een witte sticker op geplakt: SYCAMORE

COURT 36. Onder het adres stond een naam: SEWARD1. Ik trok het kistje daarnaast naar me toe. SEWARD2.

In de ruimte onder de tafel stonden nog veel meer kistjes, allemaal met een sticker erop, keurig gelabeld, net zoals de mappen op de laptop, volgens het adres.

Eindelijk kreeg ik het kistje te pakken met onze naam erop. Het was alsof ik in een absurdistische dimensie was gestapt, iets van drie bij anderhalve meter groot, ergens achter de muur van de realiteit.

Piep, bonk, brom. De vuilniswagen reed weg van de stoeprand, uit het beeld van de monitor. Het brullen vervaagde, en er klonk geen lawaai meer uit het zwarte speakertje. De plotselinge stilte galmde in mijn oren.

Aan de andere kant van de wand hoorde ik Wes janken in zijn slaap.

Ik maakte het kistje open waarop CALLAWAY stond en volgde mijn eigen konijn in het hol.

31

'Hm,' zei de ene agent.

'Ziet u nou?' zei ik.

De andere agent keek naar de boom en krabde op zijn hoofd. 'Hm,' beaamde hij.

Ze leken allebei achter in de veertig te zijn, misschien begin vijftig. De ene agent was lang en mager, de andere klein en dik. Ik stelde me zo voor dat ze gezamenlijk hun ronde zouden doen totdat ze de pensioengerechtigde leeftijd bereikten.

Met z'n drieën stonden we bij het hek dat onze tuin scheidde van het natuurpark. Een kwartier op Rogers zolder was alles wat ik kon verdragen. Daarna had ik de politie gebeld wegens schending van privacy. Afgezien van een kwijtgeraakte golfclub was ik na de inbraak van juli min of meer onder de indruk van de plaatselijke politie. Zelfs mijn laatste gesprek met rechercheur Harmon, hoewel frustrerend, versterkte mijn algehele indruk van daadkracht en professionaliteit.

Maar die middag was een heel ander geval. Het was alsof de politie van Clark Falls Abbott en Costello uit de kast hadden gehaald, hen in uniform gehesen en bewapend, en naar mijn huis gestuurd.

'Ze staan helemaal rondom het hofje opgesteld.' Ik maakte een hoofdgebaar naar alle kanten.

'Aha,' zei de Lange.

De Bolle knikte. 'Oké.'

Hoewel er bijna geen bladeren meer aan de bomen zaten, had ik toch bijna een half uur moeten zoeken voordat ik had gevonden wat ik op dat moment aan de agenten liet zien: een draadloos cameraatje, ongeveer zo groot als een spel kaarten, gemonteerd in de vork van een tak van een *hackberry* net buiten het hek. De klamp en de camera waren allebei van een camouflagekleurtje voorzien. Vanuit de tuin was het geheel moeilijk te zien, zelfs als je wist waar je moest zoeken.

Ik keek de twee agenten aan. 'En?'

Ze keken elkaar aan, zo van: wat nu?

De Lange zei: 'Staat hij wel aan?'

'Ik zie geen lichtje,' zei de Bolle. 'Er zou een lichtje moeten zijn.'

'Hij staat aan,' zei ik. Ik vertelde hun in het kort wat mijn ervaringen in Rogers huis waren geweest: de hond, het briefje, de open deur, de monitoren. 'Als Roger nu thuis was, zou hij ons hier kunnen zien staan.'

De Lange keek de Bolle aan. 'Mag dat?'

De Bolle dacht diep na. Uiteindelijk zei hij: 'Ik denk dat het overheidsbezit is.'

'De camera?'

'De boom.'

'Kom op, jongens.' Ik kon het nauwelijks geloven. Het leek wel alsof we ieder een andere taal spraken. 'Er bestaat een wet. Iets met privacy. Inbreuk op de privacy, zoiets. Toch?'

De Lange leek te begrijpen waar ik mee zat. 'Dat zou je denken, ja.'

'Het veldje en de stoep zijn publiek terrein,' zei de Bolle. 'Volgens mij mag je best een camera op publiek terrein gericht hebben staan.'

'Dit is geen publiek terrein,' zei ik. 'Dit is mijn achtertuin.'

De Bolle tuurde naar de camera, en draaide zich toen om om naar het huis te turen. Tegen niemand in het bijzonder zei hij: 'Kunnen er opnamen worden gemaakt door het raam heen?'

'Als u die camera nou ín huis had aangetroffen,' zei de Lange, 'dan zouden we er iets mee kunnen.'

Of deze twee staken de draak met me, of ze wisten echt niet wat ze eraan moesten met een camera in een boòm. Hoe dan ook, ik verwachtte niets meer van hen. 'Kunnen jullie misschien iemand anders bellen?'

'Bellen?'

'Om te kijken in de verordeningen of zo. Je kunt toch niet zomaar camera's ophangen om je buren mee te begluren?'

'Weet u, het zit zo...'

'Leef je eens in mij in. Jullie hebben toch ook een huis? Een gezin?' Ik wees naar de camera. 'Hoe zouden jullie dit vinden?'

De Bolle keek nog eens naar de boom. Toen keek hij weer naar het huis. Vervolgens keek hij naar de achtertuin van Pete en Melody, waar ik hun een soortgelijke camera had laten zien, in de onderste takken van een olm.

'Het is wel een beetje een eng idee,' zei hij uiteindelijk. 'Daarin moet ik u gelijk geven.'

De Lange zei: 'Hebt u het hierover met de buren gehad?'

'Nog niet, maar dat komt nog. Daar kunt u van op aan. Ik heb die dingen nog maar pas gevonden, en iedereen is op zijn of haar werk.'

'En u bent freelancer of zoiets?'

'Wat heeft dat er verdomme mee te maken?'

'Niks,' zei de Bolle. Hij keek de Lange tersluiks aan.

'Ik geef college aan de universiteit,' zei ik. Ik was niet van plan geweest mijn geduld te verliezen. 'Willen jullie mijn curriculum vitae zien voordat jullie iets voor me kunnen doen?'

'Neem ons niet kwalijk, meneer Callaway, maar mijn collega wil gewoon wat achtergrondinformatie.'

'Wat is een curriculum vitae?' vroeg de Lange.

Ik was er klaar mee. 'Wat voor achtergrondinformatie hebben jullie nodig? Ik heb jullie al verteld dat Roger Mallory díé camera…' Ik wees naar de camera, en toen naar de boom. 'In díé boom heeft opgehangen. Zonder toestemming van mij, en zonder mij ervan op de hoogte te brengen. Zonder mijn vrouw ervan op de hoogte te brengen.'

De Bolle knikte meelevend. Hij begreep het. Hij zou me helpen. Hij zei: 'Weet u misschien waarom meneer Mallory zoiets zou doen? Als u er een slag naar moest slaan?'

'Hij gebruikt hem om opnames te maken voor een realityprogramma. Hij is stapelverliefd op mijn vrouw. Hij is psychotisch en denkt dat hij generalissimo Francisco Franco is.' Ik hief mijn handen. 'Hoe moet ík nou weten waarom Roger een camera ophangt in een boom?'

'Meneer Callaway…'

'Als ik er een slag naar moest slaan, zou ik zeggen dat hij het heeft gedaan om ons te kunnen begluren zonder dat wij dat wisten.' Ik legde mijn wijsvinger tegen mijn kin, een nadenkende pose. 'Het is de camouflage van de camera. Helemaal goed verstopt in de boom.'

De Bolle rechtte zijn rug.

De Lange leek me iets nauwkeuriger te bekijken.

Ik zuchtte eens. Strak plan, de politie bellen. De halvegare sukkels…
'Jongens, het spijt me. Ik ben gewoon een beetje van slag door deze ontdekking. Ik wil niet lastig zijn.'

'Snap ik,' zei de Lange.

De Bolle knikte. 'Het is een ongebruikelijke situatie.'

'Ik wil gewoon dat die camera daar wordt weggehaald. Evenals de camera die op de voorkant van mijn huis staat gericht, waar die ook mag wezen.'

Natuurlijk wilde ik meer dan dat, maar ik moest op mijn tellen passen. Ik kon deze agenten niet om de oren slaan met alles wat ik al snuffelend in Rogers huis had aangetroffen. Ten eerste had ik rondgesnuffeld in Rogers huis. En ten tweede klonk ik al bijna alsof ik zwaar gestoord was.

Maar ik kon wel wijzen op het gecamoufleerde spionagecameraatje dat ik in de boom achter ons huis had ontdekt, en deze twee agenten konden het met eigen ogen zien. Dat was een begin.

'Uiteraard snappen we het,' zei de Bolle.

'We zouden graag willen weten of u meneer Mallory hebt gevraagd de camera te verwijderen?' vroeg de Lange.

'Ik heb toch gezegd dat ik er nog maar net achter ben gekomen?'

'O. Nou, we zullen ook eens een babbeltje gaan maken met meneer Mallory.'

Terwijl hij dat zei, hoorde ik een auto komen aanrijden. Even later zag ik Rogers GMC tussen de bomen van Sycamore Drive flitsen.

'Als je van de duivel spreekt…' zei ik.

Roger bleek onverwacht van huis te zijn geroepen. Een van de bejaarde bewoners onder aan de heuvel had een nare smak gemaakt op het stoepje achter haar huis, en in plaats van het alarmnummer te bellen, was ze naar de dichtstbijzijnde telefoon gekropen en had Roger gebeld.

Tja. Waarom ook niet?

De Lange bleek Bill te heten. En de Bolle heette Stump.

Waarom had ik daar niet bij stilgestaan? Uiteraard kenden ze Roger goed. Hij had bij de politie gezeten. Drie agenten, plus een oud dametje dat haar enkel had gebroken en niemand had om haar te helpen.

En dan was ik er ook nog.

'Paul,' zei Roger, alsof ik zijn gevoelens had gekwetst. 'Wat is er aan de hand?'

'Dat zou ik ook graag willen weten.' Ik deed mijn best hem met een blik duidelijk te maken dat hij Bill en Stump maar eens moest vertellen wat er aan de hand was.

'Maar je hebt het servicecontract toch getekend?' Roger keek achterom. 'Ik heb het bij mij thuis liggen.'

Bill vroeg: 'Servicecontract?'

Ik schudde mijn hoofd. 'Kom op, zeg, Roger.'

Mijn vijandelijke gedrag leek Roger echt te kwetsen. 'Ik weet niet wat ik moet zeggen.'

'Dat servicecontract,' zei Bill. 'Herinnert u zich dat u dat hebt getekend?'

'Ik heb geen idee waar hij het over heeft,' antwoordde ik.

'Sorry, Rodge,' zei Stump, 'maar kun je misschien...'

'Ik heb niets getekend over een camera in een boom, of waar dan ook. Dat weet ik heel zeker.'

Bill stak zijn hand op. Stump wierp me een waarschuwende blik toe. Tegen Roger zei hij: 'Misschien kun je het even uitleggen?'

Ik had niets aan te merken op deze agenten. Ze deden gewoon hun werk. En Roger had overal een antwoord op.

Eerst legde hij uit dat alle huizen in het hofje werden bewaakt met een alarmsysteem van Sentinel One Incorporated. 'Het bedrijf van John Gardner. Hebben jullie Johnny Gardner nog gekend voordat hij met pensioen ging?'

John Gardner. Ik dacht aan de kale man met de haviksneus die ik een paar weken eerder in het kantoortje van rechercheur Harmon had ontmoet. Dus dat was Rogers oude maatje bij de politie. Ik dacht aan de manier waarop hij die dag op het parkeerterrein naar me had gekeken.

'Inspecteur Gardner,' zei Bill. 'Tuurlijk.'

'Nou, die zit in de directie,' zei Roger. 'En ik adviseer Sentinel One soms. Dit moet je niet aan Johns andere klanten vertellen, maar hij verzorgt voor ons hier een extraatje.'

'O?'

'Videobeelden van het hele hofje,' zei Roger. 'Sentinel verzorgt de apparatuur, ik controleer de boel en maak thuis back-ups.'

'Dus de andere buren zijn op de hoogte van de camera's?'

'Op de hoogte?' Roger grinnikte. 'Jezus, ze betalen ervoor!'

De twee agenten keken me aan. Ik voelde me leeg. 'Niemand heeft mij iets over camera's verteld,' zei ik.

'Paul, ik weet niet wat ik hierop moet zeggen.'

Roger kon goed toneelspelen. Ik keek naar hem.

'Ik dacht dat je wel wist waar je je handtekening onder zette.' Hij slaakte een zucht. 'Het spijt me echt. Als Sara en jij willen dat die camera's worden weggehaald, halen we ze meteen weg.'

'Vast.'

Op dat moment reed Melody Seward in haar Acura het hofje in, op weg naar huis na gedane arbeid op de bank. Ze zette grote ogen op toen ze langs mij en de twee agenten op de inrit van Big Brother Mallory's huis reed. Ik dacht aan een van de video's die ik op zijn laptop had bekeken. Een zaterdagavond, drie weken geleden. Als je snel doorspoelde, leek het alsof Melody naar ons huis jogde, daar een uur bleef, en dan terugrende naar haar eigen huis.

'Het speet me nog veel meer dat de makelaar geen camera wilde laten installeren toen jullie huis te koop stond,' zei Roger. Hij vertelde Bill en Stump in het kort over de inbraak bij ons, en legde toen uit dat de vorige eigenaars geen alarmsysteem van Sentinel wilden, hoewel deze buurt er korting op kreeg. 'Als er die nacht wel een camera was geweest, hadden we die klootzak misschien te pakken kunnen krijgen.' Uitdagend keek hij me aan, zo van: wat heb je daarop te zeggen?

'Ongelooflijk.' Ik richtte me tot de agenten, niet langer in staat mijn mond te houden. 'Hij doorzoekt ook onze vuilnisbakken.'

'Pardon?'

'Ik heb een afschrift van mijn creditcard op zijn bureau aangetroffen.' Mijn stem ging de hoogte in, al deed ik nog zo mijn best als redelijk man over te komen. 'Dat afschrift heb ik gisteravond verscheurd, en hij heeft alles met plakband weer aan elkaar geplakt.'

Vanaf dat punt ging het bergaf met de conversatie. Volgens Roger hadden er wasbeertjes aan ons vuilnis gezeten. Er had die nacht een straffe wind gestaan, en de rotzooi was zijn tuin in gewaaid.

'Misschien ben ik wel ietsje te ver gegaan.' Hij keek er schaapachtig bij. 'Dat geef ik grif toe.'

De agenten knikten bemoedigend en wachtten op meer.

'Paul,' zei Roger. Hij had het tegen mij, maar eigenlijk toch meer tegen Bill en Stump. 'Ik wilde dat ding teruggeven aan Sara en jou, de volgende keer dat ik jullie zag. Ik dacht dat ik jullie misschien zou kunnen overhalen een papierversnipperaar aan te schaffen.' Hij zuchtte eens diep. 'Ik wilde jullie laten zien hoe makkelijk het is voor anderen om persoonlijke informatie te verkrijgen. Je weet nooit wat iemand van plan is.'

'Tegenwoordig niet, nee,' zei Bill.

'Ik heb zo'n ding voor mijn vrouw gekocht,' gaf Stump toe. 'Een papierversnipperaar, bedoel ik. Die kun je voor een habbekrats krijgen.'

Op dat moment, toen ik zag dat Bill en Stump Rogers belachelijke verklaring voor zoete koek slikten, besefte ik dat deze twee ezels alles wat hij zei voor waar aannamen.

Vraag hem maar eens waarom hij dossiers bijhoudt over al zijn buren, wilde ik hun vragen. Vraag hem maar eens hoe hij aan onze burgerservicenummers komt. Vraag hem maar eens waarom hij een kopie uit de bibliotheek van NYU van mijn doctoraalproefschrift in huis heeft. En als jullie toch bezig zijn, vraag hem dan ook even naar een gozer die Darius Calvin heet. Over hem zou ik zelf ook graag meer willen weten.

Maar het was drie tegen een. Ik stond tegenover een gedeeltelijk bewapende overmacht. De zegevierende krijgsman wint eerst...

'Jullie gaan er dus niets mee doen?' vroeg ik.

Stump richtte zich tot mij. 'Ik zal heel eerlijk zijn: op dit moment zou ik niet weten wat u wilt dat we doen.'

'Wat ik ervan begrijp,' voegde Bill eraan toe, 'is dat u eigenlijk niet degene bent om iemand te beschuldigen van schending van privacy.'

Allebei keken ze Roger aan.

Roger schudde zijn hoofd. 'Nee, jongens, ik wil geen aanklacht indienen.'

'Zeker weten, Roger?'

'Volgens mij berust alles op een misverstand.' Weer schudde Roger nadrukkelijk zijn hoofd. 'Wat mij betreft heeft Paul me juist een dienst bewezen.'

'O?'

'Wie weet waar Wessie zich naartoe zou hebben gesleept.' Roger keek de agenten aan. Vervolgens keek hij mij aan, en met zijn blik nog steeds op mij gericht, zei hij: 'Ik ben alleen maar blij dat iemand de boel in de gaten hield.'

32

Een uur nadat de politie was vertrokken, kwam Sara terug van haar werk op de universiteit en trof me aan op onze inrit, goed te zien vanuit Rogers huis, waar ik de draadloze camera aan diggels hakte met een bijl uit de garage. Ze bleef even kijken en vroeg toen: 'Zware dag achter de rug?'

'Dag lieverd.' Ik gaf haar een zoen. 'Er staat een stoofpotje op het fornuis.' Vervolgens nam ik de camera weer te grazen.

Wist iedereen die aan het hofje woonde dat er camera's op hun huis stonden gericht? Hadden ze daar echt voor getekend? Gevoelsmatig kon ik het nauwelijks geloven, maar toen nam de logica het over. Roger zou nooit iets beweren wat zo gemakkelijk door feiten zou kunnen worden gestaafd of ontzenuwd. Het was toch niet te geloven dat gedurende al die avonden waarin ik met Pete, Michael of zelfs Barry Firth de ronde had gedaan door de buurt, niemand ooit enige bezorgdheid had getoond over deze camera's. Was ik de enige die dat onverdraaglijk vond?

Terwijl ik daarover nadacht, kwam ik tot de conclusie dat het niet verrassend was dat Barry zich niet had beklaagd, want hij hunkerde naar Rogers goedkeuring. Het leek erop dat Pete Seward zich een beetje had teruggetrokken na die eerste keer op de golfbaan, toen ik dat gesprek had afgeluisterd tussen Roger en hem bij het clubhuis. Maar daar had Pete zo zijn redenen voor. Om de waarheid te zeggen had ik me ook een beetje teruggetrokken in mezelf, sinds die avond met Melody die ik graag had willen terugdraaien.

Ik besloot naar Michael te gaan zodra die thuiskwam uit het restaurant. Als ik te heftig op dit alles reageerde, zou Michael me dat zeker vertellen.

Ondertussen was ik nog niet klaar met afreageren. Het was dan wel bevredigend om die camera aan gort te slaan, maar het had ook iets kinderachtigs, en het prettige gevoel duurde dan ook niet lang.

Ik overwoog naar de overkant te gaan en de brokstukken van de camera bij Roger op de stoep te deponeren. Maar toen kreeg ik een beter idee. Ik ging naar binnen en zocht het adres op van Sentinel One Incorporated. Onderweg naar buiten gaf ik Sara een zoen en zei dat ik voor het eten terug zou zijn. Vervolgens reed ik naar het pand van Sentinel One aan Dewberry Street.

'Het spijt me,' zei de receptioniste. Ze had een brede mond en steil bruin haar, en volgens mij was er iets aan mijn gedrag wat haar schrik aanjoeg. 'Meneer Gardner is al weg.'

'Heeft hij u dat gezegd?' Ik maakte een hoofdgebaar in de richting van de telefoon, die ze net op de haak had gelegd. 'Bel maar terug en zeg dat Paul Callaway hier is. Ik ben een buurman van Roger.'

'Ik heb hem gezegd wie u bent, meneer Callaway.'

Ik glimlachte. 'En u zei dat hij al weg was?'

De receptioniste verbleekte. Haar ogen schoten alle kanten op. Er was verder niemand in de lobby, alleen zij en ik.

'Oké,' zei ik. Kwaad als ik was, kon ik toch medelijden met haar opbrengen. Ze deed gewoon haar werk. Ik hief het plastic tasje van de Save-More, waarin de restanten zaten van de camera bij onze achtertuin. 'Zeg maar tegen meneer Gardner dat we geen prijs meer stellen op het speciale pakket voor Sycamore Court 34.'

De receptioniste deinsde achteruit toen ik de tas met een klap op de balie zette. Ze knipperde met haar ogen. Ze keek naar het tasje. Ze pakte een pen en schreef iets op een memoblaadje. Ik draaide me om en liep de deur uit waardoor ik was binnengekomen.

De dagen werden korter. Het schemerde al en het werd snel donker. Toen ik over het parkeerterrein voor klanten reed, achter het pand van Sentinel One, gingen opeens de haartjes in mijn nek overeind staan. Een vertrouwd gevoel. Ik keek achterom.

In een verlicht raam, achter de open jaloezieën, zag ik een gestalte naar me kijken. Ik kon diens kale kop nog net zien. Bijna zodra ik me omdraaide om te kijken, ging het licht uit. Het glas weerspiegelde alleen nog de diepblauwe lucht.

Hij was al weg… Mooi niet!

Sara zuchtte toen ik klaar was met het beschrijven van de gebeurtenissen van die middag. 'Paul,' zei ze.

'Ik? Wat is er met mij?' Ik wees achterom, in de richting van de buurt buiten, en vooral van Rogers huis aan de andere kant van het hofje. 'Hem zul je bedoelen.'

Hoofdschuddend schonk ze wijn voor ons in. 'Ik weet het niet, hoor.'

Op de tafel tussen ons in lag het servicecontract met Sentinel One, dat ik boven had gevonden. Sara pakte het op, bladerde erin en las de clausule over camerabewaking nog eens door. Die clausule kwam er echt in voor, met mijn paraaf ernaast, precies waar Roger had gezegd.

Zachtjes vroeg ze: 'Jij was toch hier toen ze de boel installeerden?'

Natuurlijk was ik toen hier geweest. Ik had moeten zorgen dat ik niet in de weg liep, ik had mijn best gedaan de herrie te negeren, en toen de lui van Sentinel One klaar waren, had ik getekend waar me werd gezegd dat te doen. Vervolgens had ik de mannen bedankt en de deur achter hen dichtgedaan. Wat mij betrof had dit alles er niets mee te maken.

'Of er nou wel of geen camera's hangen, doet er niet toe.' Ik bladerde door het contract. 'Niets wat in dit contract staat, doet iets af aan het feit dat Roger een kistje vol met persoonlijke informatie in zijn huis heeft verstopt.' Ik dronk mijn glas in één slok half leeg. 'Die klojo weet misschien meer over ons dan ik in de gauwigheid kan bedenken.'

Ze fronste haar voorhoofd. 'Had hij daar nog een verklaring voor?'

'Wie? Roger?'

'Wat zei hij toen je hem erop aansprak?'

'Ik was niet geïnteresseerd in een verklaring van Roger,' antwoordde ik. 'Het ís niet te verklaren.'

Sara speelde met haar wijnglas. Ze beet op haar lip, iets wat ze altijd doet wanneer ze diep nadenkt over wat ze zal zeggen.

Ik wachtte zo lang mogelijk, toen vroeg ik: 'Wat?'

'Niks,' zei ze. Toen haalde ze haar schouders op. 'Ik moest alleen om de een of andere reden aan Larry Anders denken.'

Ik kon er niets aan doen dat ik even geërgerd keek. Larry Anders was in Newton onze buurman geweest. 'Dit lijkt in de verste verte niet op...'

'Weet je nog dat hij langskwam en ons die firma aanbeval die gazons maait?' Het klonk nogal nostalgisch, alsof ze de herinnering terugzag in haar wijnglas. 'Hij gaf je hun visitekaartje. En een kortingsbon, geloof ik.'

'Sara…'

'Je zei dat hij kon oprotten,' bracht ze me in de herinnering. 'Heel grof. En toen heb je de tuin de hele zomer verwaarloosd.'

'Larry Anders was een hufter,' bracht ik haar in de herinnering. 'Jij hebt hem ook nooit gemogen.'

'Klopt,' zei ze. 'Maar ik maakte geen persoonlijke, gezworen vijand van hem.' Zodra ik mijn mond opende om een tegenwerping te maken, wuifde ze mijn commentaar weg. Deze opmerking kan worden geschrapt, edelachtbare… 'Wat zei de politie?'

'Ik zei toch dat ze het in alles met Roger eens waren…'

'Niet over de camera's,' zei ze. 'Ik bedoel over dat kistje vol dingen dat je had gevonden.'

'Daarover heb ik ze niks verteld.'

Ze keek me aan. 'Mag ik vragen waarom niet?'

'Wat moest ik dan zeggen? Hoor eens, agenten, terwijl ik rondsnuffelde in Rogers huis heb ik dit allemaal gevonden?' Ik dronk mijn glas leeg. 'Echt, ze waren ervan overtuigd dat ík het probleem was.'

Ik betrapte Sara erop dat ze een blik wierp op het servicecontract, zo te zien per ongeluk, maar ze keek gauw weg. En zei niets.

Beetje bij beetje zag ik in dat wat ik zei, niet erg overtuigend moest overkomen op Sara, ook omdat ik haar nooit alles had verteld over mijn vete met Roger. En nu werd ik gedwongen mijn positie te heroverwegen.

Ik kon Sara niet alles vertellen. Niet zonder haar alles te vertellen.

Sara gedeeltelijk de waarheid vertellen, zou tegen haar liegen zijn. Net zoals ik al weken tegen mezelf loog door net te doen alsof wat er tussen Melody en mij was gebeurd, op die niet meer terug te draaien avond van stommiteiten, eigenlijk helemaal niet had plaatsgevonden.

Ik loog tegen mezelf door me voor te houden dat het een niets te maken had met het ander. Door me voor te houden dat ik mijn huwelijk beschermde door net te doen alsof ik haar niet had verraden.

'Ik heb je niet alles verteld,' zei ik.

Ze glimlachte flauwtjes. 'Is er dan nog meer?'

Ik voelde me alsof ik met een te zwaar beladen vliegtuig laag over de grond moest scheren. Ik knikte in de richting van haar glas. 'Drink nog maar wat.'

Ze keek me streng aan.

Dus vertelde ik haar over de paperassen die ik had aangetroffen. Gegevens over het arbeidsverleden, gekopieerde kopieën van identiteitsbewijzen, zelfs een kopie van een geboortebewijs, allemaal keurig gearchiveerd in Rogers kistje met het label: SYCAMORE COURT 34. Van een man die Darius Calvin heette. Onze wolf.

Ik keek naar Sara's gezicht terwijl dit zware geschut op haar af kwam, zwevend aan de zorgvuldig geconstrueerde parachute van mijn verhaal. Toen ik klaar was met vertellen, keek ze niet meer naar mij.

'Vier maanden,' zei ik terwijl ik over de tafel heen mijn hand uitstak. 'Vier maanden, en de politie doet alsof ze over geen enkele aanwijzing beschikt.'

Haar hand voelde stijf in de mijne.

'Hoe is het mogelijk dat Roger Mallory een heel dossier over die klojo heeft,' zei ik, 'een klojo die de politie maar niet op het spoor kan komen, in een kistje met ónze naam erop?'

Sara keek naar haar glas. Ik had mijn wijn al op, en zij moest het eerste slokje nog nemen.

Ik wachtte.

Na een lange stilte rechtte ze haar rug, trok achteloos haar hand terug en zei: 'Paul, ik weet niet wat je daar hebt gezien.'

'Ik vertel je net wat ik heb gezien.'

'Maar wat jij me vertelt, is onzinnig.'

'Juist.'

Nog meer stilte. Ik kon de uitdrukking op haar gezicht niet duiden. Ik zei: 'Zeg iets.'

Behoedzaam liet ze de wijn in haar glas draaien. Eindelijk keek ze me weer aan.

Ik hield haar blik vast. 'Nou?'

'Je zei het zelf.' Ze zuchtte eens diep. 'Het was maanden geleden.'

'En?'

'We waren allebei doodsbang. Het gebeurde allemaal als in een flits.'

Ik snapte waar dit naartoe ging. Ik voelde me vanbinnen verschrompelen.

Sara vroeg: 'Weet je zeker dat je hem zou herkennen? Als je hem nu zou zien?'

Ik flapte er zomaar uit: 'Jij?'

Ze kreeg een harde uitdrukking op haar gezicht. Vervolgens rechtte ze haar rug, zette het wijnglas op tafel en vouwde haar handen.

'Het spijt me,' zei ik. 'Maar ik denk dat we ons allebei die nacht nog heel goed herinneren.'

'Ik weet niet wat je daar hebt gezien,' zei ze. In tegenstelling tot mij leek ze haar woorden zorgvuldig te kiezen. 'Ik was er niet bij. Ik heb het niet met eigen ogen gezien.'

'Maar je denkt dat ik niet…'

'Ik denk dat dit helemaal niet over Roger gaat,' zei ze. 'En ook niet over de camera's, of een kistje, of over de buurtwacht, of ook maar iets van dat alles.'

'Nee?' Er was een tegendraadse toon in mijn stem gekomen die zelfs mij niet beviel. 'Waar denk je dat het dan over gaat? Vertel het me alsjeblieft. Want ik zou niet…'

'Ik weet dat je hier niet gelukkig bent,' zei ze, en nu wist ik de uitdrukking op haar gezicht wel te duiden. Ze was bedroefd. 'Ik weet dat je het me een beetje kwalijk neemt dat ik deze baan heb aangenomen, ook al heb je het goed verborgen gehouden.'

Ik denk dat het eerder de uitdrukking op haar gezicht was dan wat ze zei dat me zo trof. Toch kwam het als een onverwachte klap. Wanneer had Sara deze theorie bedacht? Ik had het niet zien aankomen. Ik kon me niet verdedigen.

'Hè?' zei ik.

'Ik kan het je niet eens kwalijk nemen,' zei ze. 'Ik kan het je niet kwalijk nemen dat je je gefrustreerd voelt. Sinds we zijn verhuisd, zijn we allebei niet onszelf geweest. Zeker niet na het kindje.'

'Sara.'

'Je bent zo ver weg,' zei ze. 'Ik ben ook zo ver weg. En ik geef geen van ons beiden daar de schuld van.'

'Stop eens even.'

Ze hief haar hand, waarmee ze mij onderbrak. 'Ik weet niet wat er tussen jou en Roger speelt. Je hebt me nooit echt antwoord gegeven toen ik vroeg waarom je was gestopt met de buurtwacht. Dat is prima. Ik weet niet wat hij heeft gedaan waardoor je je zo vijandig tegenover hem opstelt, en dat is ook prima.' Ze nam een lange teug wijn. 'Ik weet niet wat je daar hebt aangetroffen.'

Ik probeerde haar hand weer te pakken. Ze trok die weg, zodat ik er niet bij kon. 'Sara, toe nou.'

'Ik weet alleen maar dat we hulp nodig hebben,' zei ze.

Ik trok mijn hand terug en keek haar aan.

Zij keek naar haar glas.

'Voor jou komen de tentamens eraan,' zei ze uiteindelijk. 'En ik heb ook van alles te doen. We moeten het feestje nog organiseren.' Na nog een slok wijn te hebben genomen, zette ze haar glas op tafel. 'Maar zodra dit semester eindelijk achter de rug is, wil ik op zoek naar een goede relatietherapeut.'

Hoe was het gesprek deze richting uit gegaan?

'En daarna,' zei Sara, 'kunnen we ons misschien zorgen gaan maken over Roger.'

Ik wist niets te zeggen.

Zij ook niet.

We zaten daar maar elkaar aan te kijken.

Later die avond kreeg ik een mailtje van Roger. Ik had hem nooit mijn e-mailadres gegeven, en toch kreeg ik een mailtje van hem.

Paul,

Je hebt je jasje hier gelaten. Sorry van Wes, en nogmaals bedankt. Ik heb het jasje naar de stomerij gebracht, en ik betaal er natuurlijk voor. Ze zeiden dat het 16 december klaar zou zijn.

RM

Ik bleef boven een hele tijd naar het scherm staren terwijl ik me voorstelde dat Roger aan de overkant naar het zijne staarde.

Uiteindelijk boog ik me over het toetsenbord en schreef een paar uitstekend verwoorde, subtiele dreigementen met betrekking tot mijn vieze jasje, en vooral met betrekking tot 16 december, wanneer het klaar zou zijn. Ik bleef nog een hele poos zitten terwijl ik nadacht over welke reactie me het beste beviel. Uiteindelijk verwierp ik ze allemaal en tikte:

Roger,

Je bent niet goed bij je hoofd.

Paul

Nog later, lang nadat Sara alle ramen en deuren had gecontroleerd en naar bed was gegaan, en nadat ik zeker wist dat ze sliep, ging ik terug naar boven en printte een plattegrond die ik van internet had gehaald. Ik ging naar beneden en pakte mijn oude weekendtas die in de kast onder de keldertrap stond.

Vervolgens ging ik naar de garage, stapte in mijn auto en reed naar een pakhuis vol medische benodigdheden in het zuiden van het plaatsje.

33

Volgens de gegevens die ik in Rogers dossiers had aangetroffen, werkte Darius Calvin in ploegendienst in het magazijn van Missouri Valley Medical Shipping & Warehousing Incorporated.

Toen ik in de auto zat op het donkere parkeerterrein van een voormalig bedrijf in auto-onderdelen, had ik een prima uitzicht over het terrein en het grootste gedeelte van de personeelsparkeerplaatsen.

Ik zocht in het handschoenenvakje, vond het zaklantaarntje en ging een boek lezen terwijl ik wachtte. Het was het laatst verschenen deel in de serie over die potige zwerver, en ik dacht dat ik daaruit wel inspiratie zou kunnen opdoen. Ik deed net alsof het een zelfhulpboek was.

Tegen de tijd dat er een nieuwe ploeg aantrad, was de held in het boek onderweg naar een vuurgevecht bij een afgelegen en landelijke enclave van een ondergronds opererende militie, die een gigantisch methamfetaminelab runde om hun terroristische praktijken mee te financieren. Ik maakte een vouw in de bladzij en startte de motor. En wachtte.

Uiteindelijk stapte Darius Calvin naar buiten, in het licht. In zijn ene hand had hij een thermosfles, in de andere een werkjas. Ik had hem nog slechts één keer gezien, en dat was nog wel onder stressvolle omstandigheden geweest. Maar ook op een afstand van honderd meter herkende ik de man die Sara had aangerand in onze eigen slaapkamer.

Hij draaide met zijn schouders en strekte zijn hals. Even leek hij me recht aan te kijken, hoewel ik wist dat hij me in het donker niet kon zien. Toch?

Toen knikte hij naar een paar mannen en liep de andere kant op, naar een roestige Ford Tempo die op het personeelsparkeerterrein stond.

Ik volgde hem naar een verzakt huisje waarvan de verf afbladderde, bij het spoor. Het was geen Veiliger Leefomgevingbuurt.

Darius Calvin had geen alarmsysteem van Sentinel One Incorporated. Hij had helemaal geen alarmsysteem. Hij had niet eens gordijntjes voor de ramen.

Hij lag te slapen op een mottige bank, met de oude tv afgestemd op een herhaling van *Barney Miller* toen ik tegen zijn voet schopte. Hij schrok wakker, nog in werkkleding, en zag een gestoorde blanke indringer met een aluminium softbalknuppel voor zich staan.

'Godverdomme, wat moet dat voorstellen?' zei hij.

'Doe je de voordeur nooit op slot?' Het was eigenlijk wel prettig opwindend, op een stoere manier. Hier te zijn, de overhand te hebben. Ik deed mijn best net zo te klinken als de held in mijn boek. 'Geen veilig idee.'

Calvin wreef in zijn ogen en keek me toen eens goed aan. Langzaamaan zag ik aan hem dat hij me herkende. Hij zei: 'Nee, hè?'

'Dus je weet nog wie ik ben? Dat dacht ik al.'

Hij deed een poging om overeind te komen op de bank. Zodra hij dat deed, hief ik de knuppel, alsof ik aan slag was. Mijn hart klopte in mijn keel. Ik was een beetje duizelig. Die knuppel was niet meer uit mijn weekendtas gekomen sinds het softbalteam van Dixsons faculteit Engels ter ziele was gegaan.

Ik rechtte mijn rug en zei: 'Je bent gewaarschuwd. Ik heb altijd al beter met een knuppel overweg gekund dan met een golfclub.'

Darius Calvin sloot zijn ogen en zuchtte alsof hij een band was waar de lucht uit liep.

34

Hij vertelde me alles. Over het akkefietje met een agent die Stockman heette. Over wat Roger Mallory met hem had geregeld. Over de duizend dollar contant, die Roger hem blijkbaar had betaald om zijn mond te houden.

Achteraf begreep ik dat onze tere, nieuwe worteltjes in Clark Falls waren bemest door dit ene aangrijpende voorval: die nacht waarin ik Darius Calvin aantrof in onze slaapkamer, met zijn hand op Sara's mond. Maar van alles wat Darius Calvin me die nacht vertelde, bleef vooral die ene uitspraak me bij: 'Ik kon merken dat ze een spelletje speelden.'

'Een spelletje speelden?' Ik had mijn knuppel toen al weggelegd. 'Hoe bedoel je dat?'

'Nou, ze leken mot te hebben,' antwoordde hij. 'Die agent en die hoe heet hij ook alweer?'

'Roger?'

'Is dat die kerel van de tv?'

'Ja.'

'O, nou.' Darius haalde zijn schouders op. 'Hij was de baas, niet die agent. Die agent leek trouwens behoorlijk zenuwachtig, vond ik.'

'Ze hadden mot,' zei ik, en vervolgens vroeg ik hem: 'Wat zeiden ze dan tegen elkaar?'

'Jezus, man, daar hield ik me buiten.'

De volgende ochtend bleef ik een half uur op internet hangen en bracht vervolgens een heel uur door in de ruimte waar de *Clark Falls Telegram* de microfiches bewaart. In die periode had ik een verlovings- en huwelijksaankondiging van Roger Mallory en Clair Stockman opgeduikeld. Ik vond de overlijdensadvertenties van Brandon en Clair Mallory. Ik vond voldoende achtergrondinformatie over de ontvoering van Brandon Mallory om de overeenkomsten te zien tussen het verhaal van Darius Calvin, de foto's van Rogers gezin, en de politie van Clark Falls. Ik wist zeker dat de agent die Darius kende als Stockman, een motoragent was die Van Stockman heette. Brandons oom, Clairs broer, Rogers getuige.

Waarom hadden Van en Roger mot gehad in aanwezigheid van Darius Calvin? Ik dacht terug aan wat mijn vader van het huwelijk vond. Die barstjes die je pas kunt zien wanneer er iets gebeurt. Waren er barstjes ontstaan in de verhouding tussen Roger en zijn vroegere collega?

Kon ik zo'n barstje verder openwrikken, kon ik er iets in ontdekken?

Ik wist alleen maar dat ik Roger niet in m'n eentje aankon. Ik had vrijwilligers nodig voor de verzetsgroep, en het zou een meesterzet zijn als Van Stockman de eerste zou zijn die zich aansloot bij het verzet.

Ik zegde de colleges voor die dag af en reed naar Stockmans gele twee-onder-een-kapwoning bij Expedition Park. Ik zette de auto weg onder een treurwilg, liep het stenen paadje over en klopte op de deur met Stockmans naam erop.

Een vrouw van middelbare leeftijd, gekleed in sweatshirt en spijkerbroek, deed open. 'Wat kan ik voor u doen?'

'Goedemiddag,' zei ik. 'Bent u mevrouw Stockman?'

Ze droogde haar ruwe en rode handen aan een theedoek en nam me eens goed op. 'Ik ben Valerie Stockman. Wat kan ik voor u doen?'

'Ik wilde Van eigenlijk even spreken.' Die leugen had ik onderweg bedacht. Een variatie op de leugentjes van Maya Lamb. 'Ik ben van de *Des Moines Register*. We zijn bezig met een artikel over de Organisatie voor een Veiliger Leefomgeving.'

'Och, natuurlijk,' zei ze. Ze glimlachte. 'Uiteraard.'

'Sorry dat ik zo onverwacht kom binnenvallen. Ik had beter eerst kunnen bellen.'

'Geeft niet, hoor.'

'Is uw man thuis?'

Ze leek in verwarring gebracht.

'Mevrouw Stockman,' zei ik, 'ik weet dat hij 's nachts werkt, daarom leek het me het beste het 's middags eens te proberen.'

'U hebt het toch over Van, hè?'

'Het spijt me,' zei ik. 'Ik had moeten bellen om een afspraak te...'

Lachend hield ze de deur open. 'U kunt wel een beetje hulp gebruiken bij uw artikel.'

'O?'

'Van is mijn broer,' zei ze. 'Hij woont aan de andere kant. Kom binnen.'

'O.' Ik deed mijn best beschaamd te kijken, maar eerlijk gezegd hoefde ik daar niet heel erg mijn best voor te doen. Blijkbaar had ik mijn huiswerk toch niet heel goed gedaan. 'Sorry, dan ga ik daar wel naartoe.'

'Dat hoeft niet, er is een tussendeur. Ik ga hem wel even zeggen dat u er bent.' Ze ging me voor door een gangetje naar een kleine woonkamer, waar een bejaarde man in pyjama in een makkelijke stoel naar een spelletjesprogramma op tv zat te kijken. 'Wilt u een kopje koffie of zo?'

'Nee, dank u.'

'Nou, maak het u gemakkelijk. Ik haal Van wel even. Pa, dit is... Hoe heet u ook weer?'

Ik flapte er de eerste de beste naam uit die in me opkwam. 'Ben Holland.'

'Dit is Ben Holland, pa. Hij is bezig met een artikel over Roger.'

De bejaarde vertrok zijn gezicht zonder zijn blik ook maar een moment af te wenden van het televisiescherm. Valerie keek geërgerd, maakte een bozig gebaar en wierp me een verontschuldigende blik toe, zo van: hij is toch zo koppig, hè? 'Ik kom zo terug.'

'Dank u,' zei ik. 'Ik red me wel.'

Ze verdween de hoek om en een gang in. In haar afwezigheid daalde er een ongemakkelijke stilte neer in de woonkamer. De bejaarde, Clair Mallory's vader, veronderstelde ik, leek te zwemmen in zijn pyjama. Tegen zijn neus zat een doorzichtig slangetje geplakt. Het slangetje liep over de deken naar een zuurstoffles naast de stoel. De tafel naast hem stond vol medicijnpotjes en gebruikte tissues.

Op een ander tafeltje zag ik een draagbare luchtbevochtiger, net zo eentje als ik vroeger als kind had gehad totdat ik op de leeftijd van twaalf jaar over mijn astma heen was gegroeid. Ik zag een blauw pompje liggen. Zoiets gebruikten de Firths ook als de tweeling verkouden was, om hun neusjes open te houden.

Er waren nog meer spullen waarvan ik de naam niet kende. Ze zagen er allemaal medisch uit. In de kamer rook het zurig en muf, de geur van ouderdom en ziekte.

'Goedemiddag.' Ik knikte beleefd naar de bejaarde. 'Hoe maakt u het?' Hij hoestte. Het was een naar, rochelend geluid. Het begon langzaam en kwam vervolgens goed op gang, totdat hij er bijna in bleef. Na verloop van tijd lag hij zowat dubbel in zijn stoel. Toen de deken van hem af gleed, zag ik bleke enkels met blauwe aderen, en iets wat eruitzag als een stoma tussen zijn in sloffen gestoken voeten. Hij spuwde iets in een tissue, keek ernaar, fronste zijn wenkbrauwen en wierp de tissue op tafel, bij de andere.

'Ik ga dood,' zei hij zonder me aan te kijken. 'Hoe maakt u het?'

Ik stond daar als verstomd.

'Maak een foto,' zei hij. 'Dan kunt u er later nog naar kijken.'

Snel keek ik weg, beschaamd. Ik liet mijn blik door de woonkamer dwalen. Een vitrinekastje in de hoek. Een slingeruurwerk boven de tv. Een reproductie van een beroemd schilderij boven de bank: Jezus, biddend in de hof van Getsemane, zijn gelaat opgeheven naar een lichtstraal uit de hemel, met op de achtergrond de slapende discipelen. Mijn ouders hadden een kleinere reproductie daarvan in de logeerkamer hangen.

Ergens in het huis hoorde ik stemmen, gevolgd door voetstappen die zwaarder klonken dan die van Valerie Stockman toen ze wegging.

Even later was ze terug. 'Ben,' zei ze, 'dit is mijn broer Van.'

Achter haar verscheen een man in de deuropening. Hij was een kleerkast, ergens achter in de veertig, met een forse snor, heel kort grijzend haar, en donkere, oplettende ogen. Gekleed in een nylon pilotenjack leek hij sterk op een agent, of misschien op een footballcoach. Zodra ik hem zag, kreeg ik het gevoel dat ik hem eerder had gezien, al wist ik niet meer waar en waarom.

'Brigadier Stockman,' zei ik. Eigenlijk had ik al spijt van mijn list om me voor te doen als verslaggever. Ik snapte niet hoe Maya Lamb hier haar beroep van kon maken. 'Het spijt me dat ik u lastigval. Maar ik was in de buurt om te…'

'Valerie heeft het me verteld.' Met een glimlach liep hij in drie passen naar me toe en bood me zijn hand aan. 'Je valt me totaal niet lastig, Ben. Roger is familie van me, ik doe het graag.'

'Je ziet eruit alsof je ergens naar op weg bent.'

'Naar m'n werk,' zei hij. 'Maar ik heb nog wel een kwartiertje. Verderop zit een aardige koffietent. Ga je mee?'

'Graag,' antwoordde ik.

Hij liep naar de gemakkelijke stoel, bukte en drukte de bejaarde een zoen op het voorhoofd. 'Hou je haaks, pa.'

Zonder zijn blik af te wenden van het tv-scherm hief de bejaarde een beverige hand en wreef even over de onderarm van zijn zoon.

'En wees een beetje aardig tegen Val. En neem je medicijnen wanneer ze het zegt. Goed begrepen?'

De oude man maakte een rochelend geluid.

Van Stockman keek geërgerd, net zoals zijn zuster een poosje geleden. 'Kom op.'

Ik richtte me tot Valerie Stockman. 'Bedankt.'

'Graag gedaan,' zei ze.

Ik liep achter haar broer aan het huis uit, de treetjes af en door de tuin naar een grote, glanzende Dodge Ram pick-up die op de inrit aan de andere kant van het pand stond. Toen we bij de auto waren, grinnikte hij.

'Hoor eens,' zei ik.

'Des Moines.' Hij draaide zich om en keek me hoofdschuddend aan. 'Zo slim ben je anders niet voor een professor, hè?'

Ik weet niet meer wat ik daarop zei. Waarschijnlijk stond ik daar maar niet zo slim te kijken.

'Je herkent me niet, hè?' Hij glimlachte koeltjes.

In elk geval deed ik mijn best me hem te herinneren.

Van Stockman bleef zijn hoofd maar schudden. Maar toen veranderde er iets in zijn blik. Ik dacht aan iets wat Darius Calvin had gezegd, dat die smeris naar hem had gekeken met een blik waarvan zijn ballen ineenkrompen. Op dat moment, terwijl ik naar Stockman keek, begreep ik min of meer waar Darius op had gedoeld.

'Pas maar op,' zei Stockman. 'Professor.'

Met die woorden liep hij om de auto heen, stapte in en liet me daar staan.

Later die nacht zat ik rechtop in bed. Sara vroeg slaperig: 'Wat is er?'

'Een snor.'

'Watte?'

'Hij heeft een snor.'

Ze geeuwde, wreef even over mijn been en draaide zich om. 'Je hebt gedroomd. Ga maar weer slapen.'

Ik wist dat ik niet had gedroomd omdat ik niet had geslapen. De wekker gaf aan dat het drie uur was. Zo lang had het geduurd voordat het tot me was doorgedrongen waarom Van Stockman me die middag zo bekend was voorgekomen.

Niet omdat ik zijn gezicht had gezien op de foto's van Rogers familie, of in de krantenartikelen van de *Telegram*. Ik had hem in levenden lijve gezien. Hier, in ons huis. In de nacht dat we waren verhuisd.

In de duisternis van onze slaapkamer zag ik de stevige agent voor me die met mijn golfclub de deur uit was gelopen. Toen hij dat deed, had hij naar me geknikt. Ik had hem slechts heel even gezien, maar toen ik hem eenmaal kon plaatsen, viel het me op dat ik hem heel duidelijk uit mijn geheugen kon oproepen, zoals wel vaker met de details van die nacht.

Van middelbare leeftijd. Gladgeschoren. Zelfde bolle gezicht, zelfde pokdalige wangen, zelfde onderzoekende blik.

In gedachten tekende ik een snor op zijn gezicht.

Veiliger Leefomgeving: 1 - het verzet: 0.

Maandag 19 december, 15.45 uur

35

Terwijl ik aan het woord ben, wordt het steeds drukker in The Firehouse. Maya Lamb en ik hebben ons bier op en bestellen er nog ieder een.

Ik kan mezelf wel slaan omdat ik te ver ben gegaan. Het was mijn bedoeling haar op te warmen met het verhaal over Rogers camera's en mijn avonturen van die ochtend in de Loess Point Mall. Het was niet mijn bedoeling het over Van Stockman te hebben, en al helemaal niet over Darius Calvin. Nog niet, althans. Maar ik ging helemaal op in het verhaal, en zo is het gekomen.

'Je meent het,' zegt ze. 'Je houdt me voor de gek, hè?'

Ik haal mijn schouders op. 'Was het maar zo.'

Wanneer ze naar beneden kijkt, dringt het tot me door dat ze er geen woord van gelooft. Ik weet niet of ik het zou geloven als ik haar was.

Dan kijkt ze op en zegt: 'We moeten die viezerik van een leraar eens stevig aan de tand voelen voordat de advocaten dat doen.' Ze tovert een notitieboekje en een pen tevoorschijn. 'Brand, zei je toch? Timothy Brand? Zo heet hij?'

'Wacht even,' zeg ik. Ik steek mijn handen op, verrast door haar reactie. 'Wacht nou even... We hadden een afspraak, weet je nog?'

Maya doet haar best er geduldig uit te zien. Maar ze staat al in de startblokken. Ze zegt: 'Paul, luister nou eens, dan vertel ik je wat er gaat gebeuren.'

'Ik help jou als jij mij helpt,' zeg ik. 'Dat hadden we toch afgesproken?'

'Jawel, en daarom...'

'Hoe helpt het mij als je Timothy Brand eens stevig aan de tand voelt?'

'Dat wil ik nou net...'

'Ik mag straks zeker van geluk spreken dat mijn raadsman me niet laat vallen als hij heeft gehoord dat ik met jou heb gesproken.'

'Luister nou even. Wil je naar me luisteren?'

Ik houd mijn mond en drink bier.

'Of eigenlijk wil ik liever dat je antwoord op iets geeft,' zegt ze. 'Je zei toch dat Roger Mallory je vertelde dat hij wilde dat je verhuisde uit de buurt? Toch?'

'Klopt.'

'Wat zei jij toen?'

'Ik lachte hem uit.'

'Oké. En nu even over die leraar, die Brand. Meneer B. Zo noemde dat meisje McNally hem toch?' Ze houdt haar handen op ter vergelijking; ik op de ene hand, meneer B op de andere. 'Brittany is helemaal hoteldebotel van een klootzak van een leraar die graag foto's maakt. Ze durft het haar ouders niet te vertellen, dus wendt ze zich tot Roger Mallory. Roger Mallory besluit haar een schandaal te besparen. Hij wil haar niet zoiets laten meemaken als in *The Scarlet Letter.*'

Die literaire verwijzing kan ik wel waarderen. Zij was zeker zo'n meisje dat altijd vroeg op school was en vooraan ging zitten.

'Dus gaat Mallory even langs bij die leraar, zoals hij ook bij jou langs is gekomen. Hoe denk je dat dat bezoekje is verlopen?'

'Geen idee. Ik was er niet bij.'

'Kennelijk is Timothy Brand niet meer als geschiedenisleraar verbonden aan Bluffs View Middle School.' Ze neemt een slokje bier. 'Ik denk dat Mallory hem de stuipen op het lijf heeft gejaagd.'

'Ik snap nog steeds niet waar je naartoe wilt.'

'Het ligt allemaal erg voor de hand,' zegt ze. 'Timothy Brand neemt ontslag en verhuist, de stad uit. Als dat de voorwaarde was om door Roger Mallory met rust te worden gelaten, waarom zou hij dan nu opbiechten?'

'Nou, hij zou als getuige kunnen worden opgeroepen.'

'Maar waarom denk je dat hij dan met de waarheid op de proppen zal komen?'

'Omdat hij wel moet. Volgens Rachel McNally...'

'Bedoel je die meid die je iets heeft verteld omdat je een iPod van vierhonderd dollar voor haar hebt gekocht? Die Rachel McNally?'

'Wacht eens...'

'Heb je iets om haar verhaal met bewijs te staven? Een andere bron?' Ze trekt haar wenkbrauwen op. Ze schudt haar hoofd, zo van: dacht ik al. 'Wat je hebt is een verhaal van een dertienjarig meisje dat je hebt omgekocht om je te woord te staan. En je hebt een ander dertienjarig meisje dat jóú heeft aangewezen als de maker van die foto's.'

Voor zover ik weet, heeft ze groot gelijk. Ik krijg het gevoel dat ik tot over mijn oren in de problemen zit.

'Trouwens,' zegt Maya Lamb, 'je hebt die leraar helemaal niet nodig. Brit Sewards tatoeage pleit je vrij wat het maken van die foto's betreft. Die had je niet kunnen maken omdat je niet hier was.'

'Dat lijkt me wel duidelijk.'

'En dan nu over je raadsman.' Ze wijst op me. 'Ik kan je op een briefje geven dat hij op dit moment alleen denkt aan wat er op je computer is aangetroffen. Daar heeft die leraar niets mee te maken. Dus wat kan die leraar je schelen?'

'Als meneer B geen reden heeft om de waarheid te vertellen, zal hij zeker geen verslaggever te woord willen staan.'

'Het zou je verbazen wat ik allemaal uit mensen weet te trekken,' reageert ze. 'Mits je ze voor de camera op het verkeerde been zet.'

'Als jij het zegt.'

'Ik kreeg jou toch ook voor de camera aan de praat?'

Daar kan ik niets tegen inbrengen.

Maya lijkt te begrijpen dat ik me niet op mijn gemak voel en houdt op me aan een verhoor te onderwerpen. 'Hoor eens, ik heb je mijn woord gegeven. Misschien geloof je het niet, maar ik ben zo'n merkwaardig persoon die vindt dat je je daaraan moet houden.' Even speelt ze met haar doorweekte bierviltje. 'Zeg, zullen we wedden?'

'Pardon?'

'Jij belt je raadsman. Kijken of hij Timothy Brand al heeft gevonden.'

'Maar vertel me dan eerst…'

'Bel hem nou maar.'

Wat maakt het ook uit? Ik pak het mobieltje dat ik van Douglas Bennett heb gekregen. Het is inmiddels veel drukker geworden in The Firehouse. Om ons heen staan mensen te praten en te lachen, ze proosten op de feestdagen. Ik sta op, loop naar een rustig hoekje en bel Bennett.

'Paul,' zegt hij. 'Waar ben je?'

'Weet je al iets meer over Timothy Brand?'

'Debbie is ermee bezig,' antwoordt hij. 'Ik heb net een gesprek met de openbaar aanklager achter de rug. Wat hoor ik nou over dat je een iPod hebt gekocht voor Rachel McNally?'

Ik verbreek de verbinding en ga terug naar ons tafeltje.

'En?' vraagt Maya Lamb.

'Ze zijn ermee bezig.'

'Oké. Doe je mee?'

'Als je me eerst vertelt waar de weddenschap over gaat.'

'Als jouw raadsman die Timothy Brand eerder vindt dan ik, houd ik me gedeisd. In het andere geval is het wie het eerst komt, wie het eerst maalt.'

Ik denk na over de voorwaarden. Debbie, de stagiaire, heeft een voorsprong van vijf uur. Ze heeft er de hele middag aan gewerkt. In elk geval heeft Maya wel gelijk dat meneer B niet zo'n kaartje voor me is met: VERLAAT DE GEVANGENIS ZONDER BETALEN.

'Oké,' zeg ik. 'Als je dat zo graag wilt, maken we er een weddenschap van. Ik ga naar de plee.'

Ik ga naar de plee. Wanneer ik terugkom, zit Maya Lamb te telefoneren. Haar laptop staat voor haar op tafel. Ze ziet me komen, beëindigt het gesprek en klikt haar mobieltje dicht. Vervolgens sluit ze de laptop, stopt die terug in de tas, en staat op.

'Hebbes,' zegt ze.

'Je meent het!'

Maya Lamb grijnst breed. 'Ga je mee om toezicht te houden?'

36

Op de een of andere manier is het Maya Lamb gelukt binnen een uur te achterhalen waar Timothy Brand uithangt, te kijken of hij zijn vaste telefoon wel opneemt, en via haar tv-zender een Ford Explorer te ritselen, met Motorola-portofoon met groot bereik, en een cameraman die Josh heet. Het is fascinerend haar aan het werk te zien.

'Timothy Brand,' zegt ze in de portofoon. Op de achtergrond hoor ik Blondie: '*Gonna getcha, getcha, getcha.*'

Ik rij in mijn eigen auto achter de Explorer aan. Ik druk op een knopje van de portofoon. Het voelt bijna alsof ik weer de ronde doe met de buurtwacht. 'Besef je wel dat het middernacht is wanneer we daar aankomen?'

Piep. Kraak. Dan Maya's stem. 'Josh hier kan er de vaart in zetten. Zorg dat je ons bijhoudt!'

Wanneer we de rand van het plaatsje naderen, raken we ook uit het drukke verkeer van de maandagmiddag, wanneer iedereen terug naar huis gaat. Na drie kwartier in zuidelijke richting te hebben gereden, zie ik de Flying J, het truckersrestaurant waar ik nog maar twee dagen geleden met Douglas Bennett en Darius Calvin heb gezeten. Deze keer nemen we de afslag niet, maar rijd ik achter Josh en Maya de I-80 op, naar het oosten.

Maya's snelle research heeft onthuld dat Timothy Brand in een huurhuis in Iowa City woont, aan de andere kant van de staat. Het is vijf uur rijden, ongeveer dezelfde rit die Sara en ik vijf maanden geleden in omgekeerde richting hebben gemaakt. Toen bleven we slapen in de Holiday Inn langs de snelweg. Onze laatste halte voor Clark Falls.

Maya Lamb, Josh de cameraman en mij lukt het om de hele afstand af te leggen zonder te hoeven stoppen of door de politie aan de kant te worden gezet. Om even na half elf arriveren we in de stad. Ik heb een stijve rug en ik moet ontzettend nodig. Waarschijnlijk zou ik aan het stuur in slaap zijn gevallen als ik niet zo vreselijk moest pissen.

Ik hoor Maya via de portofoon. 'Josh moet naar de wc. Verderop is een Kwik Star.'

Ik druk het knopje in. 'Ik ga mee.'

Piep. Kraak. 'Hoge nood.'

Kwart voor elf.

We parkeren langs de stoeprand in een rustige woonwijk in het oostelijke gedeelte. Timothy Brands huis is opvallend omdat het het enige pand in de straat is dat niet is omhangen met lichtjes en andere kerstversieringen.

Het is koud, maar niet snijdend. Er zweven een paar sneeuwvlokjes langzaam in de richting van de kale grond. Volgens het weerbericht krijgen we een witte kerst.

'Zeg...' Josh knikt in de richting van mijn hybride auto terwijl hij de camera uit de Explorer haalt. 'Hoeveel kilometer haal je daarmee?'

'O, dat heb ik nooit zo bijgehouden,' antwoord ik. 'Jij?'

'Ik heb voor zeventig dollar in de tank gestopt.'

'Best een heel eind.'

'De zender betaalt voor de benzine,' zegt Maya. 'En nou koppen dicht, jongens. We gaan aan de slag.'

Over het trottoir lopen we naar Timothy Brands onversierde huurhuis. Boven schijnt de blauwige gloed van een tv-scherm door de gordijnen.

'Jij kijkt alleen, maar zegt niks,' zegt Maya. 'Oké?'

'Jij bent hier de baas.'

'Zeg Josh, doe eens een hoes over de camera.'

Josh kijkt naar de lucht. 'Het is geen sneeuwstorm!'

'Die sneeuw kan me niet schelen, het gaat om het logo op de camera. En zet je pet achterstevoren.'

Schouderophalend draait Josh zijn pet met het logo van Channel Five erop, en haalt dan een zwarte hoes uit zijn schoudertas.

We lopen de treetjes op naar de veranda. Maya gebaart met haar hand, en Josh sluipt naar links terwijl hij de camera op zijn schouder zet. We zouden een literair media-arrestatieteam kunnen zijn dat zich klaarmaakt de deur in te beuken. Ik besluit de treetjes af te gaan en beneden te wachten.

'Daar gaan we,' zegt Maya. 'Klaar?' Josh steekt zijn duim op en drukt zijn oog tegen de zoeker. Maya belt aan.

Er gebeurt niets. We staan daar maar.

Maya belt nog eens, en ergens in het huis blaft een hond. Even later floept het buitenlicht aan, zo plotseling dat het me verblindt. De gordijnen bewegen. Minstens een hele minuut lang gebeurt er verder niets.

Dan het geluid van sloten waarin een sleutel wordt omgedraaid.

Iedereen lijkt te schrikken wanneer ze de man zien die in de deuropening verschijnt. Josh haalt zelfs even zijn oog weg bij de zoeker. Dit is de eerste keer dat ik Maya heb zien aarzelen. Het duurt even voordat ze een glimlach opzet. 'Meneer Brand?'

'Ja?'

Misschien had ik een engerd met vet haar verwacht. Brittany's volleybaltrainer blijkt iemand van ongeveer mijn leeftijd te zijn. Hij blijkt een knappe, sportieve man te zijn.

Hij ziet eruit alsof hij aan het herstellen is van een vliegtuigongeluk. Hij houdt de deur open met een hand die in een soort gipsverband zit. Met de andere hand steunt hij op een wandelstok met vier poten. Naast hem staat een middelgroot vuilnisbakkie naar ons te loeren.

Het is vooral zijn gezicht dat onze aandacht trekt. Timothy Brand ziet er niet uit met al die verwondingen. Onder zijn ene oog zit een deuk, alsof zijn jukbeen als een leeg blikje fris in elkaar is getrapt. Het oog zelf zweeft een beetje op eigen houtje rond. Door de verwondingen aan zijn onder- en bovenlip lijkt zijn mond gedeeltelijk dichtgenaaid te zijn.

'Wat kan ik voor jullie doen?'

Uiteindelijk vindt Maya haar stem terug. Nog steeds met die lach zegt ze: 'Het spijt ons dat we u zo laat lastigvallen. Ik werk voor Channel Nine Iowa City, en we hadden gehoord dat…'

'Hé, ken ik u niet ergens van?' Hij kijkt eens goed, en zet stijfjes een pas naar voren. Zijn badjas hangt open, waardoor we een oud T-shirt zien, een verkleurd sportbroekje, pezige benen en slippers. Op zijn beide knieën zie ik ook nog verdikte littekens, net wormen. 'U bent toch Maya Lamb?'

'Dat klopt,' zegt ze. 'Ik voel me gevleid. U kijkt zeker vaak.'

'Meestal kijk ik naar Eleven.' Brand glimlacht. 'Maar ik heb u in Clark Falls vaak gezien. Channel Five, toch? Hoe lang bent u al hier?'

'Dit is mijn eerste reportage,' antwoordt ze.

'Wauw. Dan moet ik me ook maar gevleid voelen.'

Is dit stevig aan de tand voelen? Ik had een spervuur aan vragen verwacht. Na een rit van vijf uur had ik gedacht dat we deze gozer het vuur na aan de schenen zouden leggen. *Shock and awe.* We zouden alles uit hem trekken. Maya Lamb lijkt niet tot een goede zet in staat.

Maar ze blijft glimlachen. 'Hebt u in Clark Falls gewoond?'

'Ik ben daar leraar geweest,' zegt hij. 'Tot juni van dit jaar.'

Er is iets merkwaardigs met Brands lach. Drie of vier voortanden lijken witter dan de rest. En te regelmatig, te vierkant. In het schijnsel van de buitenlamp vang ik bij een hoektand een glimp op van metaal. Meteen weet ik waarom zijn voortanden zo merkwaardig lijken: hij heeft een plaatje. Ik doe mijn best hem zonder dat plaatje voor te stellen. Ik zie een enorm gat voor me. Er ontbreekt een aantal voortanden.

Brand verplaatst zijn gewicht naar zijn andere been. Wanneer hij tegen de deur leunt, zie ik bij de hals van het t-shirt nog een roze litteken. Een horizontaal litteken, met in het midden een bobbel.

Zo'n litteken heb ik al eens eerder gezien. Een van de dichters indertijd op Dixson kreeg er zo eentje nadat hij een virale hersenvliesontsteking had opgelopen, en de grootmoeder van mijn eerste vrouw had er ook een, maar ik heb nooit kunnen achterhalen waarom. Dit litteken toont aan dat Timothy Brand in het recente verleden aan de beademing heeft gelegen.

De hond blaft, alsof hij het baasje eraan wil herinneren dat het laat is voor bezoek. Vervolgens verdwijnt hij in het huis.

'Sorry,' zegt Brand, 'maar waarover maken jullie ook weer een reportage?'

'Vandalisme in deze wijk,' antwoordt Maya. Ze is er niet helemaal bij met haar hoofd.

'Ik heb niets gehoord over…'

'Hoor eens, meneer Brand, nu ik toch hier ben… Zou u er bezwaar tegen hebben als ik u iets vroeg wat niets met het onderwerp te maken heeft?'

Echt, ze klinkt heel amateuristisch. En Timothy Brand begint achterdochtig te worden.

'Ik ben namelijk ook bezig met een serie,' zegt ze. Dit zuigt ze allemaal ter plekke uit haar duim. Ik ga me bijna schamen. 'Over de nasleep van ongelukken. Voor Lifestyle. Het spijt me als dit opportunistisch klinkt, maar het viel me op dat u het een en ander moet hebben meegemaakt.'

'Ik was betrokken bij een auto-ongeluk,' legt hij uit. Het klinkt alsof hij het uit het hoofd heeft geleerd, alsof hij zelfs in de supermarkt nog wordt bestookt met vragen. 'Niet lang nadat ik hiernaartoe was verhuisd.'

'Wat akelig,' zegt Maya. 'Mag ik u vragen wat er…'

'De bestuurder van de auto reed door. Ik heb drie weken in het ziekenhuis gelegen, ik krijg elke dag fysiotherapie, en nee, ik heb geen interesse. Ik wil niet optreden in zo'n programma.'

'Allemachtig,' zegt Maya.

Vanuit mijn ooghoeken zie ik het gordijn bewegen. De hond staat nu achter het benedenraam, met zijn voorpoten op de rugleuning van de bank. Hij kijkt naar ons.

Waf, waf.

Elke keer dat de hond blaft, wordt Timothy Brand wantrouwiger.

'Waarom maakt hij nog opnamen van me?'

'Hebben ze de kerel ooit gepakt die u heeft aangereden?'

De lach is van Brands gezicht verdwenen, en hij kijkt ons op zijn hoede aan. 'Hoe weet u hoe ik heet? Ik heb niets gehoord over vandalisme in de wijk. Hoe komt u aan mijn naam?'

Ik krijg het koud van al dat buiten staan. Timothy Brand heeft dat verhaal van die aanrijding zo vaak verteld dat het heel gelikt klinkt. Natuurlijk heb ik geen enkel bewijs, maar ik weet gewoon wat hem is overkomen.

'We hebben het een en ander vernomen,' zeg ik.

'Wie ben jij nou weer?'

Maya kijkt me kwaad aan.

Wanneer ik de treetjes op loop, kijkt ze waarschuwend. En wanneer ze ziet dat ik iets uit mijn binnenzak wil halen, schudt ze heftig met haar hoofd.

'We hebben vernomen dat deze man vernielingen heeft aangericht in deze wijk.' Vernielingen aangericht... Best goed verwoord, al zeg ik het zelf. 'Hebt u hem ooit gezien?'

Ik geef hem de foto die ik heb gevonden op de website van de politie van Clark Falls, en die ik heb geprint voordat ik op weg ging naar mijn afspraak met Maya Lamb in The Firehouse. De laserprinter in de Residence Inn had dringend nieuwe toner nodig, dus de foto is nogal wazig, en de politiepenning is niet te zien. Maar het gezicht van Van Stockman wel.

Toen ik de foto aan Maya Lamb liet zien, maakte die lang niet zo'n indruk op haar als nu op Timothy Brand. Het lijkt wel alsof ik hem een levende wurgslang in handen heb gedrukt. Hij spert zijn ogen open. Hij verstijft over zijn hele lichaam. Wanneer hij me over het papier heen aankijkt, zie ik het papier trillen in zijn hand.

Ik knik. 'Ja, dus. Hoe hebt u dat verhaal over die aanrijding eigenlijk kunnen verkopen aan de artsen? Hij heeft u met een bumper of zoiets in elkaar geslagen, hè?'

Ik ben al gewend aan de blik die ik in Brands ogen zie verschijnen. Die heb ik ook in Darius Calvins ogen gezien, toen hij na een lange werkdag wakker werd op de bank en een softbalknuppel zag. Ik had die blik ook in Sara's ogen gezien, die nacht dat Darius Calvin zijn hand over haar mond hield.

Timothy Brand doet het bijna in zijn broek. En daar is slechts één blik voor nodig op een wazige print van een oude foto van een agent die Van Stockman heet.

'O, dat zou ik bijna vergeten,' zeg ik. 'Roger Mallory wenst u prettige feestdagen.'

'Ga alsjeblieft weg.' Hij strompelt naar binnen en doet de deur dicht.

De hond verdwijnt bij het raam.

Het buitenlicht floept uit.

'Heb je dat allemaal?' vraag ik aan Josh.

Iets hards raakt me op mijn bovenarm. Het is de vuist van Maya Lamb. Haar ogen schieten vuur. 'Wat was dat nou, verdomme?'

'Je zei toch iets over toezicht?'

Ik krijg weer een stomp op dezelfde plek. De tweede keer komt het pijnlijker aan. 'Kijken en je kop houden. Zo moeilijk is dat toch niet?'

'Kom op, zeg, hij had ons toch al door. Ik móést iets doen.'
'Je bent een echte lamstraal,' zegt ze.

We gaan naar een tent in een zijstraat van Dubuque Street die dag en nacht open is en waar het warm is. Er is koffie, er zijn zes soorten taart, uit de jukebox schalt Chet Bakers 'Winter Wonderland', en er zijn nog meer nachtbrakers.

Als man met een kostbare opleiding in de Amerikaanse letterkunde achter de rug, ben ik me ervan bewust dat ik me in Iowa City bevind, een stad van grote academische betekenis. In dit kleine universiteitsplaatsje hebben beroemde Amerikanen in de vorige eeuw stof voor verhalen opgedaan: O'Connor, Irving, Roth, Vonnegut, Timothy Brand... Een lange en interessante lijst.

'Ik ben echt pissig op je,' zegt Maya Lamb. Met een diepe frons kijkt ze naar haar mobieltje. 'Middernacht, en we zitten verdomme taart te eten.'

Ik vraag me af of Raymond Carver hier ooit de taart heeft geprobeerd. Even verwacht ik dat Maya me over de tafel heen nog een stomp gaat verkopen.

Ze laat haar vork vallen en zegt: 'Ik heb een handtekening van mijn redacteur vervalst onder het formulier om deze auto te krijgen. Besef je dat wel? En morgen kom ik in de uitzending. Of nee, wacht.' Ze kijkt op het scherm van haar mobieltje. 'Vandáág kom ik in de uitzending.'

'Ik vond het toch al geen verstandige zet,' breng ik haar in herinnering.
'O, onverstandig was het zeker. Dat jij mee mocht, bedoel ik.'

Wat mij betreft hebben we allebei de weddenschap gewonnen. Ik weet alles wat ik wil weten over Timothy Brand. De rest moet Douglas Bennett maar uitzoeken. Maya Lamb heeft heel veel informatie waarover andere verslaggevers niet beschikken. Ze heeft geen andere baan.

Ineens lacht ze hardop. 'Weet je wat ik zo interessant vind?'
'Nee.'
'Jij beweert dat ze een val voor je hebben opgezet. Dat je vals bent beschuldigd van het klooien met een dertienjarig meisje.'
'"Klooien", Maya?' vraag ik met mijn vork nog op weg naar mijn mond. 'En ik "beweer" dat?'
'Heb je er ooit bij stilgestaan dat die Brand zich in precies dezelfde positie bevindt als jij?'

'Hou toch op.'

'Hoezo? Wat heb je voor bewijs tegen hem? Het verhaal van een dertienjarig meisje?' Ze grijnst meewarig. 'Ander meisje, ander verhaal. Dat is het enige verschil.'

'Je hebt zijn gezicht gezien toen ik hem die foto van Stockman liet zien.'

'Daar gaat het nu niet om.'

'Je weet net zo goed als ik wat hier aan de hand is.' Ik neem de laatste hap taart en drink van mijn koffie. Misschien neem ik nog zo'n stuk taart. 'Je had gelijk, Maya. Roger heeft hem de stuipen op het lijf gejaagd. En toen stuurde hij zijn eenmansteam van wrekers eropaf om het nog eens goed duidelijk te maken.'

'Je snapt echt niet waarover ik het heb, hè?'

'Misschien wilde Roger Brittany voor een schandaal behoeden, maar die klojo kon hij niet met rust laten. Daar zou de leefomgeving niet veiliger van worden.'

'Laat maar.' Maya staat op. 'Ik ga kijken of er nog berichten zijn binnengekomen.'

Zodra ze weg is, kijk ik Josh aan. Hij hangt boven zijn lege bord, met een lodderige blik in de ogen. 'Het is nog een hele rit naar huis,' zeg ik.

Hij zucht, en wrijft in zijn ogen.

'Krijgen jullie hier nog last mee?'

'Waarschijnlijk vliegen we eruit,' zegt hij. 'Maar omdat wij het zijn, maken we nog een kans.'

'Hè?'

'Die meid weet zich overal uit te praten.' Josh haalt zijn schouders op. 'Ik doe alleen maar wat me wordt gezegd.'

Terwijl Maya Lamb bezig is te kijken of er nog berichten zijn binnengekomen, haal ik het mobieltje dat ik van Douglas Bennett heb gekregen uit mijn zak. Uren geleden al heb ik dat uitgezet omdat ik doodmoe werd van de ringtone. Ik heb heel veel gemiste gesprekken, de meeste afkomstig van Bennett & Partners.

Boven aan de lijst staan een paar nummers van buiten de stad. Ik herken ze allemaal.

Sara heeft een paar uur geleden gebeld vanuit het huis van haar moeder. Twee keer. Blijkbaar heeft ze mijn nummer aan mijn ouders gegeven, want die hebben rond dezelfde tijd als Sara gebeld, vanuit New Jersey. Bij hen is het nu over enen.

Er staat zelfs een nummer uit Boston op de lijst. Iemand die rond dezelfde tijd heeft gebeld. Het nummer herken ik als dat van mijn vriend Charlie Bernard.

Wat is er toch zo belangrijk?

Dat zit ik me af te vragen wanneer Maya Lamb terugkomt. Ze gedraagt zich heel anders. Of ze is niet meer boos op me, of ze heeft zich meer problemen op de hals gehaald dan ze had verwacht.

Ik drink mijn kopje leeg. 'Wat is er?'

Ze kijkt me aan met een uitdrukking op haar gezicht die ik niet goed kan duiden.

'Kom op,' zegt ze tegen Josh. 'We moeten terug.'

'Nu?'

'Nu meteen.'

Wanneer ik opsta, heeft ze haar jas al aan. De energie straalt van haar af. Maar het is een ander soort energie dan toen ik met haar op de stoep stond voor Timothy Brands huis. Ik krijg er een naar gevoel van.

'Wat is er?'

Ze doet haar mond open om iets te zeggen, en dan doet ze iets wat ik totaal niet had verwacht. Ze wrijft over mijn arm, op de plek waar ze me had gestompt.

Dan laat ze me alleen met de rekening voor de koffie en de taart. Ze grijpt haar tas beet, ze grijpt Josh beet, en beent naar de uitgang.

37

Wanneer ik wegga, heb ik al de berichten op mijn voicemail afgeluisterd.
Maya en Josh reageren niet wanneer ik het knopje indruk van de portofoon, die nog in het handschoenenvakje van de auto ligt. Ik tuur voor me uit over de weg of ik de Ford Explorer van Channel Five nergens zie, maar het lukt me niet ze in te halen.

Vijfentwintig kilometer ten noorden van Clark Falls bevindt zich de Decatur-tolbrug waarmee je via Highway 175 de Missouri kunt oversteken.

Het duurt nog twee uur voordat het gaat schemeren wanneer ik daar ben. Vijfhonderd meter verderop heeft de politie de weg afgezet, ik kan niet verder. Achter het kordon van licht wemelt het van de mensen. Er staan patrouillewagens en voertuigen van de hulpdiensten. Het geraamte van steunbalken en dwarsliggers werpt lange, bewegende schaduwen tussen de wirwar van rode en blauwe zwaailichten.

Vanaf de weg zie ik de busjes van nieuwszenders van Clark Falls en Sioux City. Midden op de brug zie ik een bekende zilverkleurige Lexus-suv, dwars over de weg, met open portieren.

Er cirkelt een helikopter die een zoeklicht als een verblindende kolom gericht houdt op het snelstromende donkere water. Langs de oever zijn heen en weer schietende lichtbundels van zaklampen te zien.

Ik denkt steeds: nee! Maar dat verandert niets aan de zaak.

Dinsdag 20 december, 7.15 uur

38

Twintig kilometer verderop, net even ten noorden van het Loess Hills Observatory, wordt ze gevonden.

Net na zonsopgang halen duikers Brit Sewards naakte stoffelijk overschot uit het ijskoude water. Ze zeggen dat het een bof was voor de reddingsoperatie dat ze bleef haken aan een val die onder water was uitgezet, niet ver van de oever. Omdat het water zo snel stroomt, het zo koud is en er sneeuw wordt voorspeld, zou ze wel eens helemaal niet kunnen zijn gevonden.

Maya Lamb is ter plekke, met een parka van North Face aan en oorwarmers op. Slierten zwart haar worden door de harde wind in haar gezicht geblazen. Je kunt niet aan haar zien dat ze de hele nacht geen oog heeft dichtgedaan. Een heel eind achter haar tillen reddingswerkers een witte lijkenzak op een knalgele brancard.

Het lijkt allemaal heel onwerkelijk, dit op tv te zien. Twee uur geleden stond ik bij de rivier die ik nu op het scherm zie. Terwijl ik naast mijn auto stond, langs de weg, rook ik het water, hoorde ik het ronken van de helikopter, voelde ik het zinderen. Nu zit ik in bed met een whisky, en lijkt het op alles wat je zo vaak op het nieuws ziet.

Sommige feiten zijn bekend, volgens Maya Lambs verslag ter plaatse.

Op 19 december gaven Peter en Melody Seward, woonachtig te Clark Falls, hun dertienjarige dochter Brittany Lynn als vermist op.

Het gezin had een groot deel van die dag doorgebracht op het kantoor van een advocaat te Clark Falls. Laat in de middag had Brittany zich geëxcuseerd omdat ze naar de wc moest. Toen ze na lange tijd nog niet terug was, ging Melody Seward een kijkje nemen. Mevrouw Seward trof de toiletten verlaten aan, merkte dat de autosleuteltjes niet meer in haar tasje zaten en dat hun auto niet meer op het parkeerterrein stond.

Om ongeveer half zes vaardigde de politie van Clark Falls een opsporingsbevel uit voor een zilverkleurige Lexus RX 350. Ongeveer vijf uur later belde een automobilist het alarmnummer om te melden dat er op de Decatur-tolbrug een verlaten voertuig stond, met daarbij een bergje kleding.

Om ongeveer kwart voor elf was er een motoragent ter plaatse, die het nummerbord herkende als dat van het opsporingsbevel.

Door de sneeuw en de gladheid was het verraderlijk zoeken. De reddingswerkers hadden de hele nacht doorgewerkt.

Ooit had ze tegen me gezegd dat ze van grappige verhalen hield, maar dat ze verdrietige verhalen echter vond.

Ik had haar aangeraden eerst de grappige te lezen omdat er nog tijd genoeg was voor de verdrietige.

Welk boek had ze toen meegenomen?

Het doet er niet toe. Maar ik had het me graag willen herinneren.

'Ik stuur Debbie naar je toe om je op te pikken.' Douglas Bennett brengt het vriendelijk, maar wil van geen nee horen. 'De kamer staat op onze naam, dus als je niet opendoet, vraagt ze het personeel dat te doen.'

'Misschien ben ik er niet,' zeg ik.

'Ik denk dat je er wel zult zijn.'

'In dat geval doe ik de deur open.'

Stilte.

'Het is een klotedag,' zegt Bennett dan. 'Maar daar kun jij niks aan doen, Paul.'

Ik leg het mobieltje op het nachtkastje. Ik vul mijn glas bij, maar raak het verder niet aan.

'Vergeet niet...' zegt de Roger van de tv. Op het scherm draagt hij een trui en een spijkerbroek, en hij staat op een grasveld, voor een schommel. 'Eenvoudige veiligheidsmaatregelen, een bewustzijn van de gevaren, en een portie gezond verstand kunnen van uw buurt een veiliger leefomgeving maken.'

Terug naar Maya Lamb, die op de bevroren grond voor een snelstromende rivier staat. De camera zwaait naar opzij, en we zien de sheriff en een paar hulpsheriffs met een grimmig kijkend en dodelijk vermoeid echtpaar een steile helling op gaan. De gezichten van de man en de vrouw zijn zo getekend door verdriet dat ik hen nauwelijks herken als Pete en Melody, totdat er een tekst onder in beeld verschijnt die niet erg fijngevoelig is: OUDERS VAN TE PLETTER GESPRONGEN TIENERMEISJE.

Ik schrik wanneer mijn mobieltje trilt. Door dat trillen beweegt het over het nachtkastje en botst tegen het glas. Er ontstaan kringen in de whisky. Ik moet denken aan de kringen die de rotorbladen van de helikopters in het water maakten.

Ik neem op. 'Ik ga nergens naartoe, Bennett. Stuur haar maar terug.'

Een stilte. 'Ik ben het.'

Ik ben zo verrast Sara's stem te horen dat ik het bijna niet kan verdragen. Het is alsof mijn laatste restje wil uit me wegstroomt.

'Paul?' Weer zo'n stilte. 'Ben je daar nog?'

Ik schraap mijn keel en ga rechtop zitten. Op de achtergrond hoor ik lawaai. 'Waar ben je?'

'Op Philadelphia International.'

Ik stel me Sara voor op de luchthaven, met haar koffer op wieltjes naast zich en haar mobieltje tegen haar oor gedrukt. 'Kom je naar huis?'

'Ik doe mijn best.'

'Wanneer kom je aan?'

'Geen idee. In Chicago en Minneapolis sneeuwt het zwaar. De vlucht is al twee keer gecanceld. Ik sta op stand-by via Dallas, maar alles zit vol.'

Ik stel me haar voor op de luchthaven, zuchtend vanwege de lange rijen. Het spijt me dat ze niet verder praat. Ik zou haar nog de tekst op de borden willen horen voorlezen als ze verder niets te zeggen zou hebben.

Een poosje zwijgen we allebei. Het is geen vijandige stilte. Alleen maar verschrikkelijk.

'Hoe is het met je?' Dat vraag ik om die ellendige stilte te verbreken.

'Ik zit vast op de luchthaven.' Ze slaakt een sidderende zucht. 'Mijn moeder probeert te bellen, ik zit vast op de luchthaven en mijn hart gaat uit naar een vrouw die ik nu eigenlijk zou moeten haten.'

Ik weet niet wat ik daarop moet zeggen.

'Jezus, Paul.' Haar stem breekt. 'Die arme Brit…'

Er wordt op de deur geklopt.

'Lieverd, hou je taai.' Ik druk het mobieltje tegen mijn andere oor, loop de slaapkamer uit en naar de deur. Halverwege wordt er weer geklopt, ditmaal harder. Ik tuur door het kijkgaatje.

Debbie de stagiaire heeft plankgas gegeven.

In een krocht van het pand van Bennett & Partners is een vergaderzaaltje verstopt. Debbie zet haar tas op een stoel aan de lange tafel. Ik zie dozen vol dossiers, stapels paperassen en archiefkaarten, keurig opgesteld.

'Meneer Bennett is er momenteel niet,' zegt ze. 'Hij heeft me gevraagd u te verzoeken hier te wachten. Is dat goed?'

'Best.'

Debbie de stagiaire lijkt vanochtend iets minder de pest aan me te hebben. 'Wilt u iets drinken?'

Ik heb al in geen dertig uur meer geslapen. Het is dinsdag, en sinds zaterdagavond heb ik niets meer gegeten dan een stuk taart aan de andere kant van Iowa. Het is half negen 's ochtends, en ik kan bijna niet meer. 'Nee,' zeg ik. 'Dank je wel.'

Ze kijkt naar de koffiepot op het lage tafeltje in de hoek. 'U mag zelf inschenken, hoor. Meneer Bennett zal zo wel komen.'

Zodra Debbie weg is, dringt het tot me door dat die koffie toch wel erg lekker ruikt. Ik trek mijn jas uit en schenk mezelf in. Terwijl ik op Bennett wacht, ga ik zitten en kijk eens naar alles wat op tafel ligt.

Misschien kan Bennetts stagiaire niet zo snel een adres achterhalen als Maya Lamb, maar verder weet ze van wanten. In één werkdag heeft ze ontzettend veel informatie bij elkaar gesprokkeld.

Net zoals Maya heeft ze kopieën van proces-verbalen in handen weten te krijgen waarin ons adres voorkomt, te beginnen met mijn klacht met betrekking tot Roger van drie weken geleden, en teruggaand tot de inbraak bij ons op 12 juli.

Maar Debbie is nog verder terug in de tijd gegaan. Er is een derde proces-verbaal, van acht jaar geleden.

Ik zie een naam staan: Webster, Myrna, Sycamore Court 34. Ik buig me erover.

Myrna Webster heb ik gesproken. Ik heb haar twee weken geleden gebeld om informatie over Roger uit haar te trekken. Myrna en haar echtgenoot James – inmiddels zijn ze gescheiden – worden vermeld als eigenaar van Sycamore Court 34. Ze komen voor op de website van het kadaster, en dat heb ik Douglas Bennett laten zien op de computer in zijn werkkamer.

Ik lees het relevante gedeelte van het proces-verbaal.

M. Webster (37) verklaart dat James Webster (echtgenoot, 39) al sinds 2 juni afwezig is. M. Webster vermoedt dat echtgenoot zijn dreigement heeft waargemaakt door haar te verlaten voor een vrouwelijke collega met wie hij een langdurige verhouding heeft.

R. Mallory (gepensioneerd brigadier, Sycamore Court 40) heeft M. Webster aangeraden alimentatie voor de twee kinderen (12 en 10) te eisen.

M. Webster verklaart geen contact te hebben met J. Webster en niet te weten wat zijn huidige verblijfplaats is.

Debbie heeft Rogers naam met geel gemarkeerd. In groen heeft ze de handtekening gemarkeerd van de agent die het proces-verbaal heeft opgesteld: agent T. Harmon. Het is dezelfde handtekening als die ze in dezelfde kleur groen heeft gemarkeerd op het proces-verbaal van de inbraak bij ons: rechercheur T. Harmon.

Ik krijg kippenvel wanneer ik de handtekeningen van Harmon zie. Alleen de rang is anders. Acht jaar geleden was hij agent Harmon, toen hij het proces-verbaal opmaakte van Myrna Webster. Toen hij het onze opmaakte, was hij rechercheur.

Debbie gebruikt een eenvoudig doch duidelijk systeem. Ze heeft kleurtjes aangebracht zodat ik met één blik de overeenkomsten ontdek. Elke naam heeft een eigen kleur gekregen. Zo is Roger bijvoorbeeld geel, en rechercheur Harmon groen. Elke kleur correspondeert met de archiefkaarten waarop Debbie aantekeningen heeft gemaakt.

Bij het proces-verbaal van Myrna Webster zijn aanvullingen gehecht, met in hemelsblauw de naam van degene die de zaak heeft behandeld: inspecteur J. Gardner.

Ik ga van blauw naar blauw, en kom uit bij een kopie van het handelsregister van Clark Falls. Ze heeft van alles over Sentinel One Incorporated geprint, de firma van ons alarmsysteem. De naam van de eigenaar is gemarkeerd: John J. Gardner. Mijn blik wordt getrokken naar het knalgeel halverwege de bladzij. Boven aan een lijstje consultants van Sentinel One staat: Roger M. Mallory.

Ik hoor het Roger nog vragen aan agent Bill en agent Stump, toen op de inrit voor zijn huis, twee weken geleden: hebben jullie Johnny Gardner nog gekend? Ik kan John Gardner nog zien staan achter het raam van zijn kantoor, naar me kijkend door de jaloezieën.

Ik ga terug naar wat er aan Myrna Websters proces-verbaal is gehecht. Na een drie weken durend onderzoek werd James Webster officieel tot vermist persoon verklaard, en de zaak werd overgedragen aan de sociale dienst van Iowa vanwege de alimentatie voor de kinderen. In het paars wordt de naam gemarkeerd van de politiefunctionaris die de zaak heeft behandeld: districtscommandant Gaylon Stockman.

Mijn hart gaat sneller slaan. Ik weet uit eigen onderzoek dat Gaylon Stockman de vader is van Clair Mallory. Ik denk aan de bejaarde man in de gemakkelijke stoel, met de stoma tussen zijn benen en de rochelende ademhaling. Ik vind de archiefkaart met een paarse stip in de hoek, de-zelfde kleur als die waarmee de naam van districtscommandant Stock-man is gemarkeerd. Er staat slechts één aantekening op de kaart: Mercy General Hospital, kamer 242.

Er komt een hand neer op mijn schouder. Ik schrik er zo van dat de koffie uit mijn mok stroomt, op de archiefkaart. De inkt waarmee Debbie zo keurig aantekeningen heeft gemaakt, vloeit uit.

'Pas op,' zegt Douglas Bennett. 'Straks vermoordt Debbie je nog.'

Ik kijk naar hem op.

Hij glimlacht. 'Sorry. Het was niet mijn bedoeling je te laten schrik-ken.'

Weer kijk ik naar de archiefkaarten op tafel. Bennett kijkt ook en zegt dan: 'Als je ze zo naast elkaar legt, is het een gezellig clubje, vind je ook niet? Misschien iets te close, allemaal.'

Net zoals de inkt van Debbies aantekeningen in de gemorste koffie, vloeien mijn gedachten in elkaar over. Rechercheur Thomas Harmon. Inspecteur John Gardner, gepensioneerd. Districtscommandant Gaylon Stockman, gepensioneerd. Brigadier Van Stockman.

Brigadier Roger Mallory, gepensioneerd.

Sycamore Court 34.

Ik kijk Bennett aan. 'Wat heeft het allemaal te betekenen?'

'Dat zou ik niet weten.' Bennett pakt een kaart op en kijkt er met schuingehouden hoofd naar. Dan haalt hij zijn schouders op. 'Voorlopig proberen we de verbanden te ontdekken. Waarschijnlijk is het gewoon toeval. Clark Falls in een klein plaatsje.' Het klinkt niet alsof hij het zelf gelooft. 'In elk geval is het erg leerzaam voor Debbie.'

Mijn mond is droog. Ik neem een slok koffie.

'Op dit moment hebben we wel belangrijker dingen aan ons hoofd.' Bennett gaat zitten. 'Hoe is het nou met je?'

'Moet ik daar eerlijk antwoord op geven? Of wil je horen dat het prima gaat?'

'Het is een zware dag.' Hoofdschuddend kijkt hij weg. 'En voor Pete en Melody Seward wordt dit geen vrolijk kerstfeest.'

Ik vermoed dat ze van nu af aan elk jaar Kerstmis met een witte lijkenzak zullen associëren. 'Niet erg vrolijk, nee.'

'Ik ben hier niet goed in thuis,' zegt Bennett, 'maar als je erover wilt praten, hebben we daar de tijd voor.'

Wat moet ik zeggen? 'Gebeurd is gebeurd.'

'Ja...'

Ik leun naar achteren. Ik wend mijn blik af van wat er voor me op tafel ligt. 'En nu?'

Hier is Bennett wel in thuis, en hierbij voelen we ons meer op ons gemak. 'De politie wil je spreken.'

'Waarom willen ze mij spreken?'

'Het is wel duidelijk wat er is gebeurd, maar de officiële weg moet worden bewandeld. Gezien de omstandigheden zullen ze precies willen weten waar je gisteren was.'

De omstandigheden... 'Je bedoelt dat ze me willen ondervragen.' Die mogelijkheid was nog niet bij me opgekomen. 'Verdenken ze mij?'

'Gewoon routine, Paul. Ik heb geregeld dat je je vanmorgen op het politiebureau vrijwillig laat ondervragen, om half elf.'

Ik kijk op mijn horloge. Het is kwart voor negen.

'Misschien kun je ondertussen een iPod kopen voor Rachel McNally. Dat is een goed punt om te beginnen.'

39

Een rechercheur brengt ons de lunch. Een rondje cheeseburgers met friet van Petrow's.

Douglas Bennett en ik eten in het verhoorkamertje, dat beschikt over vast tapijt en een plant in de hoek, plus zo'n doorkijkspiegel zoals je ze in de film ziet. Verder is het een beste plek om te lunchen. Ik vraag me af of rechercheur Bell aan de andere kant van het glas ook een cheeseburger zit te eten.

De vorige keer dat ik rechercheur Bell heb gezien, was toen hij me kwam arresteren. Afgezien van het arrestatiebevel, de overjas en de agenten met taserpistolen ziet hij er precies zo uit als ik me hem herinner. We zijn net klaar met eten wanneer hij terugkomt in de verhoorkamer en tegenover ons plaatsneemt aan het tafeltje. Bell bestudeert zijn aantekeningen en zegt dan: 'Gistermiddag. Wanneer zei u dat u uit Clark Falls vertrok?'

Zo gaat het nog twee uur door. Ik volg Douglas Bennetts raad op en beperk mijn verklaringen tot de 'onvoorziene' ontmoeting met Rachel McNally in het winkelcentrum, en mijn daaropvolgende rit om een bezoekje af te leggen bij Timothy Brand. Ik zeg niets over brigadier Van Stockman. Ik zeg niets over Roger Mallory. En uiteraard roer ik het onderwerp Darius Calvin niet aan.

Ik vertel waar ik gisteren tussen vijf uur 's middags en tien uur 's avonds ben geweest. Dat is ongeveer de tijd waarin het opsporingsbericht voor de Lexus van de Sewards werd uitgevaardigd, tot aan het moment waarop de auto verlaten werd aangetroffen op de Decatur-tolbrug. Ik zeg dat Maya Lamb van Channel Five Clark Falls dit alles kan bevestigen. En dat is het dan.

Bell stelt vragen en ik geef antwoord. Af en toe stelt hij een vraag nogmaals, en daar geef ik dan nogmaals antwoord op.

We komen tot de conclusie dat omdat ik door naar Iowa City te gaan de staatsgrens niet heb overschreden, ik me heb gehouden aan de voorwaarden waarmee ik op borgtocht ben vrijgekomen. We komen tot de conclusie dat ook al heb ik Rachel McNally gesproken in een openbare ruimte, ik me heb gehouden aan het verbod van de rechter om contact op te nemen met Brit. Misschien zoek ik er te veel achter, maar ik heb het gevoel dat Bell het jammer vindt.

Op een gegeven moment komt de rechercheur die de lunch heeft gebracht binnen met een laptop. De gegevens van de bank dreigen mijn verhaal gedeeltelijk te onderschrijven, want gisteravond om half elf is mijn pinpas gebruikt bij een benzinestation van Kwik Star in Iowa City. Zelfs ik weet dat niet kan worden bewezen dat ík die pinpas in de gleuf stopte ten tijde van de transactie, maar toch lijkt deze informatie rechercheur Bell er ten minste tijdelijk van te weerhouden nog meer te vragen over waar ik was in het bewuste tijdsbestek.

Af en toe wordt er een pauze ingelast. Dan gaat rechercheur Bell weg en komt hij weer terug. Dan komt hij met nieuwe vragen en stelt nog een paar oude, voor het geval ik dit keer met een ander antwoord op de proppen kom. Maar dat is niet het geval.

Eindelijk, even na tweeën, bedankt Bell me voor mijn medewerking en waarschuwt ons dat we een vervolggesprek kunnen verwachten.

'Mijn cliënt staat tot uw beschikking,' zegt Bennett.

'Met dat verhaal van hem is dat ook wel nodig,' reageert Bell.

Degene die persconferenties belegt, heeft er eentje belegd om vier uur vanmiddag. Uit een kast in zijn kantoor kiest Bennett een stropdas met een subtiel patroontje en strikt die handig, op het gevoel.

'We houden de media een uurtje bezig,' zegt hij. Hij krabbelt iets op een blocnote en scheurt het velletje los. Hij geeft me het, samen met een setje sleutels. 'Gefeliciteerd. Je mag vrij rondlopen door de stad.'

'Hè?'

'Eric komt over drie weken thuis. Mijn zoon.'

Ik knik om aan te geven dat ik nog weet wat hij me over Eric heeft verteld. Ik denk aan Van Stockmans niet al te subtiele dreigement aan het adres van Bennett en diens gezin. Ik zou hem graag vragen hoe hij denkt zijn zoon te beschermen wanneer die terugkomt. Maar dat doe ik niet.

'We hebben het gastenverblijf voor hem in orde gemaakt. Dit zijn de sleutels.' Bennett knikt in de richting van het velletje papier. 'En dat is het adres, en de code voor het hek. Ik heb Cheryl al ingeseind dat ze je kan verwachten.'

'Gastenverblijf?'

'Sara en jij zijn er welkom.' Bennett trekt het jasje aan dat bij zijn pak hoort, zet de kastdeur open en kijkt naar zichzelf in de spiegel. Dat is niet nodig, hij ziet eruit als om door een ringetje te halen. 'Het is geen paleis, maar ook niet de Residence Inn. En ik denk dat je daar de komende dagen minder last zult hebben van verslaggevers.'

'Aardig van je.'

'Och, zakelijk beleid.'

Het dringt tot me door dat hij niet wil dat ik op eigen houtje rondloop. Dat kan ik wel begrijpen. Terwijl ik kijk naar de sleutels van Bennetts gastenverblijf, besef ik dat het gerechtelijk bevel alleen maar inhoudt dat ik bij Brit Seward uit de buurt blijf. Maar Brit Seward woont niet meer aan Sycamore Court. Eigenlijk zou ik nu naar huis kunnen.

Voor de eerste keer die dag voel ik me niet uitgeput en als verdoofd. Ik ben woedend.

'Haal je spullen maar op en breng ze naar het gastenverblijf,' zegt Bennett. 'Eet iets en probeer een beetje te slapen. Heb je nog iets van Sara gehoord?'

'Ze neemt de vlucht van half vier.' Ik kijk op mijn horloge. 'Overstappen in Dallas, een paar uur wachten. Ze zou hier vanavond moeten zijn.'

'Mooi zo.' Bennett kijkt me veelbetekenend aan en zegt net zo veelbetekenend: 'Je kunt wel een avondje thuis gebruiken.'

Ik pak mijn tassen en neem afscheid van de Residence Inn. Wanneer ik door de lobby loop, voel ik de blikken van het personeel in mijn rug prikken. Ze hebben me op het nieuws gezien.

Iets eten is een goed idee. Gaan slapen is een goed idee. Bijna alles is een beter idee dan naar Darius Calvin te gaan.

Maar ik kan niet stilzitten. Elke keer dat ik niets doe, moet ik denken aan die rivieroever. Aan een witte lijkenzak op een knalgele brancard. Ik zie Brit voor me, opgekruld op de bank bij mij thuis, in het leeshoekje, terwijl ze haar tong naar me uitsteekt. En daar krijg ik buikpijn van.

Ik moet iets doen om die buikpijn weg te krijgen, en dat zal niet lukken door iets te gaan eten. Ik wil Sara terug. Ik wil mijn leven terug. Maar wat er ook nog allemaal gaat gebeuren, één ding weet ik zeker terwijl ik onderweg ben naar Darius Calvins vervallen houten huis aan de verkeerde kant van de stad: ik zal Roger Mallory krijgen.

Ik zet de auto weg voor het huis, loop de treetjes naar de vermolmde veranda op en klop op de krakkemikkige deur. Ik denk na over wat ik ga zeggen, hoe ik Darius Calvin ga overreden zich aan te sluiten bij het verzet. Wanneer de deur niet wordt opengedaan, trek ik mijn handschoen uit en klop nog harder.

Calvin heeft nachtdienst. Hij hoeft pas over een uur op zijn werk te zijn. Of hij slaapt nog, of hij staat onder de douche. Waar de deurbel hoort te zitten, steken twee roestige snoertjes uit een gat.

Ik klop nogmaals. Ik bonk wel tien tellen lang op de deur voordat me te binnen schiet dat hij de deur nooit op slot doet.

Het is koud in het huisje.

De kasten zijn leeg.

Op de keukentafel ligt een briefje voor de huisbaas, samen met vijf biljetten van twintig dollar en de sleutels. Calvin is 'm gesmeerd.

Ik kan het hem niet kwalijk nemen.

'Mevrouw Webster?'

'Ja?'

'Met Ben Holland. Ik heb u een week geleden gesproken.'

Myrna Webster herinnert zich nog wie ik ben, en haar stem klinkt hartelijk als ze zegt: 'O, dag Ben.' Op de achtergrond hoor ik gerammel van potten en pannen. 'Hoe gaat het met je artikel?'

Ik zeg dat het vordert. Myrna Webster denkt dat ik verslaggever ben en een artikel schrijf over Roger Mallory en de Organisatie voor een Veiliger Leefomgeving. Dat is hetzelfde smoesje dat ik gebruikte toen ik Van Stockman benaderde, en waar hij niet in trapte. Sindsdien heb ik er toch veel aan gehad. Geen van de voormalige eigenaars van Sycamore Court 34 heeft ook maar iets in twijfel getrokken wanneer ik belde om hun te vragen me meer over Roger Mallory te vertellen. 'Het spijt me dat ik u lastigval zo vlak voor het eten, maar ik heb nog een paar vraagjes. Schikt het?'

'Ja hoor, prima.' Ik geloof dat ik het lawaai hoor van een mixer in een roestvrijstalen kom. 'Wat kan ik voor je betekenen?'

'Nou, ik kwam iets tegen waar ik graag bevestiging van zou willen hebben. Maar ik wil ook graag van u weten of u bezwaar hebt dat ik het gebruik.'

'O? Dat klinkt interessant.'

'Nou ja, het ligt misschien een beetje gevoelig. Zegt u het maar als u vindt dat het niet mijn zaken zijn. Ik wil niemand in verlegenheid brengen.'

'Ik kan me er niets bij voorstellen. Waar gaat het dan over?'

'Het heeft te maken met uw echtgenoot. Met James.'

'O.' Verbeeld ik het me, of klinkt er echt meer geraas van de mixer? 'Zo noemen we hem hier nooit. Wij hebben het over die hufter. Wat is er met hem?'

'Voordat u uit Clark Falls vertrok, heeft Roger u toen geholpen hem als vermist op te geven? De hufter?'

'Hemeltje.' Het geraas sterft weg. 'Dat was ik al helemaal vergeten.'

'Ik heb begrepen dat Roger u heeft geholpen alimentatie voor de kinderen te krijgen?' Myrna lijkt me een aardige vrouw. Ze verdient het niet om zo gemanipuleerd te worden. 'Klopt dat?'

Meer geraas, dan het geluid van water in de gootsteen. 'Nou, niet helemaal.'

'Nee?'

'Er was een soortement alimentatie voor de kinderen, als je het zo zou willen noemen.' Borden die worden gestapeld. 'De hufter liet de documenten voor een studiefonds achter op de hoofdkussens van de jongens toen hij ertussenuit kneep.'

'O ja?'

'Hij was het dus al een poos van plan.' Myrna snuift. 'In elk geval wist ík niks van dat geld. Maar zodra ik het zag, besefte ik dat we die hufter nooit meer zouden terugzien.'

'O.'

'Ik heb dat nooit aan Roger verteld. Hij mocht James graag. En James…' Weer zwijgt ze. De stilte klinkt terughoudend. Uiteindelijk zucht ze eens diep. 'Mijn echtgenoot was een hufter, maar hij nam vrije dagen op toen ze naar Brandon zochten. Dat betekende veel voor Roger.'

Ik ga uiterst behoedzaam verder. 'Zeg, dit heeft niets met het artikel te maken, maar mag ik vragen waarom u hem als vermist hebt opgegeven?'

'Waarschijnlijk klinkt dat nu een beetje raar als ik het uitleg,' zegt ze. 'Maar toen, na wat er met Brandon was gebeurd...'

Ze zwijgt.

'Mevrouw Webster?'

'Het spijt me. Ik vind het nog steeds een aangrijpend onderwerp.'

'Daar hoeft u zich toch niet voor te verontschuldigen?'

'Weet je, ik paste vaak op Brandon. Mijn oudste was ongeveer van dezelfde leeftijd, en met mijn jongste scheelde het maar twee jaar. Daar moet ik soms aan denken.'

'Dat begrijp ik.'

'Ze speelden veel samen, alle drie. Ze renden door het bos en ze fietsten door de stad. Brandon bleef heel vaak bij ons slapen voordat...' Weer zwijgt ze even. 'Nou ja.'

'Het spijt me dat ik dat nu allemaal oprakel.' Dat is niet gelogen. Ik heb er geen fijn gevoel bij, bij dit spelletje dat ik met deze vrouw speel. Maar ik denk dat ik er wel mee kan leven. En ik kan niet leven met deze buikpijn.

'Volgens mij zijn ze er allebei nooit echt overheen gekomen. Mijn zoons, bedoel ik.' Ze klinkt gespannen. 'Ik loog toen ik je de eerste keer vertelde dat ik het huis om financiële redenen niet kon aanhouden nadat die hufter 'm was gesmeerd. Ik wilde daar niet meer wonen.'

'Heel begrijpelijk.'

'En voor mijn zoons was het ook goed om weg te zijn uit dat huis. Weg bij dat bos.'

'Dat kan ik me voorstellen.'

'Nou ja...' Ze lijkt zich in gedachten los te rukken van het bos en wat ze zich voor mij weer heeft herinnerd. 'Zeg hier maar niets over in je artikel, maar eerlijk gezegd heb ik die hufter eerder vanwege Roger als vermist opgegeven dan voor mezelf.'

'Vanwege Roger? Hoezo?'

'Hij was zo bezorgd,' zegt ze. 'Omdat James zomaar ineens de benen had genomen, zonder ook maar iemand er iets over te vertellen... Nou ja. Roger had daar ervaring mee.'

'Ja, dat is natuurlijk zo.'

'Hij wilde me geruststellen dat die hufter niks was overkomen.' Myrna schraapt haar keel. 'Ik dacht dat als ik hem als vermist opgaf, zoals Roger zo graag wilde, Roger het van zich af zou kunnen zetten. Dat Roger er dan niet meer zo over in zou zitten.'

'Aha.'

'Ik ben blij dat je eerst hebt gebeld,' zegt ze. 'Ik zou niet willen dat Roger dit na al die jaren in de krant zou moeten lezen. Zo'n aardige man.'

Ik kan het niet over mijn hart verkrijgen daartegenin te gaan. 'Ik ben ook blij dat ik u heb gebeld.'

'Blijkbaar kun je tegenwoordig niet meer echt geloven wat er staat,' zegt ze.

'Nogmaals bedankt, mevrouw Webster. Ik stel uw medewerking zeer op prijs.'

'Vrolijk kerstfeest, Ben.'

40

Terwijl ik door het plaatsje rijd, denk ik aan wat Myrna Webster heeft gezegd. Ze vond haar man een hufter. Maar hij had wel vrije dagen opgenomen om te helpen zoeken naar Brandon...

Wat ik denk, kan onmogelijk waar zijn. En toch kan ik niet vergeten wat Roger me heeft verteld, toen die dag dat hij me naar de open plek bracht die met de dollekervel was overwoekerd.

Er was een theorie over dat de dader zelf meedeed met zoeken. Dat had Roger gezegd. Dat de dader zich bij de vrijwilligers zou kunnen hebben gevoegd, dat hij daardoor zijn sporen kon uitwissen.

Afgaand op de data in het proces-verbaal waarin Myrna haar echtgenoot als vermist opgaf, had James Webster zijn gezin pas lang na Brandon Mallory's vermissing in de steek gelaten. Meer dan twee jaar nadat het lijk van de jongen was aangetroffen in het bos achter Sycamore Court.

Er waren nog andere theorieën, had Roger gezegd. Maar die konden ook niet worden bewaarheid.

Ik stop bij de winkel op de hoek van Fifth en Van Dorn. In de elektronica-afdeling vind ik wat ik zoek, bij de camera's, de cd-roms en de batterijen. Ik ga in de rij staan om te betalen, loop terug naar de auto en rij weer verder.

Wat ik denk, kan onmogelijk waar zijn. En toch moet ik steeds denken aan die eerste zaterdagochtend in Clark Falls. De dag nadat er is ingebroken in ons huis door Darius Calvin, het schaap in wolfskleren.

Ik zie Roger voor me, die over het veldje loopt om ons uit te nodigen voor de spoedbijeenkomst van de Ponca Heights buurtvereniging. Hij wist dat onze wolf nep was, een maskerade die hij zelf had georganiseerd.

Hij wilde dat we ons welkom voelden, had hij gezegd.

Ik stel me Roger acht jaar geleden voor terwijl hij over dat veldje loopt. Toen Myrna Webster daar nog woonde met haar zoons, nadat haar echtgenoot James hen in de steek had gelaten.

Hij wilde haar geruststellen dat de hufter niets was overkomen.

Wat ik denk, kan onmogelijk waar zijn.

En toch moet ik steeds denken aan het feit dat er vier handtekeningen staan op het proces-verbaal waarin Myrna Webster haar man als vermist opgeeft.

Eentje ervan is van mijn buurman. Een andere is van de eigenaar van het bedrijf dat ons alarmsysteem heeft geïnstalleerd, meteen na die inbraak. Een andere is van een familielid van de overleden echtgenote van mijn buurman, en de laatste is van onze eigen rechercheur Harmon.

Van al die handtekeningen is er maar eentje van iemand van wie ik redelijkerwijs mag aannemen dat die me niet echt van gezicht kent. Volgens Debbie kan ik hem vinden in kamer 242 van het Clark Falls Mercy General Hospital.

'Kan ik iets voor u doen?' De verpleegkundige lijkt me te herkennen, maar ze weet niet goed waarvan. Volgens het naamplaatje op haar jasje heet ze Harriet.

'Ik ben Ben,' zeg ik. 'Een vriend van de familie.'

'Och ja, uw gezicht kwam me al zo bekend voor.'

'Hoe is het met hem?'

Harriet lacht vriendelijk. 'We doen wat we kunnen om het hem zo gemakkelijk mogelijk te maken.'

Een groepje jeugdige lidmaten van de plaatselijke kerken gaat al kerstliedjes zingend van kamer naar kamer. Op dit moment zingen ze 'O Little Town of Bethlehem' in kamer 242.

'Mag ik even bij hem wanneer ze klaar zijn? Ik blijf niet lang.'

'Natuurlijk.' Harriet raakt even mijn arm aan. 'Het zou kunnen dat hij u niet herkent. Vanwege de pijnbestrijding.'

'Dat geeft niet, ik wil hem alleen maar even zien.'

'Hij zal uw gezelschap zeker op prijs stellen.' Ze kijkt me nog eens aan, lacht weer en loopt dan weg. Ondertussen is het koortje bezig met een opzwepende, vierstemmige vertolking van 'We Wish You a Merry Christmas'.

Zodra ze klaar zijn, drommen ze lachend de kamer uit en wensen me een vrolijk kerstfeest. Ze hebben allemaal sjaals om, mutsen op en wanten aan, alsof ze door een buurt trekken en op besneeuwde stoepen zingen. Bij een jongen gutst het zweet van zijn voorhoofd.

Ik wacht totdat ze allemaal weg zijn en stap dan naar binnen. Het is er donker, afgezien van het bewegende licht van de tv aan de muur, die geen geluid geeft. Het is er stil, afgezien van af en toe een piepje uit een apparaat naast het bed, en het gedempte geluid van het kerstkoortje in een andere kamer.

De bejaarde man in het bed is vel over been. Zijn ogen zijn geopend, maar hij lijkt niets te zien. Zijn mond staat open.

Sinds de vorige keer dat ik de vader van Van Stockman heb gezien, is hij erg achteruitgegaan. Twee weken geleden zat hij nog in een makkelijke stoel tegen onbekenden te grauwen. Acht jaar geleden zat hij nog bij de politie. Hij kan niet veel ouder dan zeventig zijn.

Is het kanker? Kanker en nog een stuk of vijf ongeneeslijke ziektes? Waar hij ook aan doodgaat, hij gaat er dood aan.

'Commandant Stockman?'

In het schemerige licht zie ik hem met zijn ogen knipperen. Dan draait hij zijn gezicht langzaam in de richting van het geluid van mijn stem.

Ik loop naar het bed toe. Met een van zijn handen omklemt hij het hekje. De andere ligt op zijn gezwollen buik. Tussen zijn knokige vingers hangt een rozenkrans met een crucifix eraan. Met doffe, ingevallen ogen kijkt hij me aan.

Ik knik. 'Vrolijk kerstfeest.'

Hij zegt iets, maar heel zacht en hees. Wanneer ik me over hem heen buig, laat hij het hekje los en gebaart zwakjes naar het kastje op wieltjes naast het bed. Daar staat een halfvol flesje water, met de naam van het ziekenhuis erop. Ik leg mijn jas weg, pak het flesje en houdt het rietje bij de lippen van de bejaarde man.

Hij drinkt. Er loopt een straaltje water uit zijn mondhoek, langs een huidplooi in zijn hals en dan op het kussen. Ik zet het flesje terug op het nachtkastje.

Clair Mallory's vader schraapt zijn keel. 'Jij bent die verslaggever.'

'Dat klopt.' Hij kent me dus toch van gezicht. Hij weet alleen niet wie ik echt ben. 'Ik ben de verslaggever.'

Hij hoest. Het klinkt als een spade die over vochtige aarde schraapt. Hij richt zijn blik op het plafond. De kluiten natte aarde zwerven door zijn borst wanneer hij ademt. 'Wat mot je?'

Ik haal het digitale recordertje uit mijn zak, het apparaatje dat ik onderweg heb gekocht. Ironisch genoeg is dat precies het soort apparaatje dat een echte verslaggever zou kunnen gebruiken. Brandon Mallory's grootvader kijkt naar me. Zijn blik beweegt naar het rode lichtje dat aanfloept wanneer ik op het knopje druk om opnamen te maken.

'Ik wil u iets vragen over James Webster,' zeg ik. 'Die woonde vroeger tegenover uw dochter.'

Stockman kijkt me aan.

'Acht jaar geleden heeft de echtgenote van James Webster hem als vermist opgegeven. U hebt uw handtekening gezet bij het proces-verbaal. Herinnert u zich dat nog?'

Hij blijft me even aankijken, dan laat hij zijn blik naar het plafond dwalen.

'James Webster. Sycamore Court 34. Het huis tegenover dat van Clair en Roger. En van Brandon.'

Ik hoor de kralen zachtjes tegen elkaar klikken. De hand waarin de bejaarde man de rozenkrans houdt, beweegt en blijft dan stil liggen.

Wat ik denk, kan onmogelijk waar zijn. En toch weet ik ineens dat mijn duisterste vermoedens op waarheid berusten. Het is bijna alsof de bejaarde man op me heeft gewacht. Hierop heeft gewacht.

'U herinnert het zich nog, hè?' zeg ik. 'Ja, toch?'

Stockman haalt adem. Onderweg naar buiten loopt de lucht vast in de klei. Impulsief neem ik zijn andere hand in de mijne. Ik sta bij zijn bed naar hem te kijken, het ziekenhuislaken al als een lijkwade.

Zijn hand is koud. De knokkels voelen als knikkers onder zijde. Op de een of andere manier voel ik door deze fysieke band waar deze stervende man behoefte aan heeft. In een andere, betere wereld zou ik de priester zijn. Of misschien de ziekenhuispastor.

Maar ik ben het maar.

'Vertel me wat er met James Webster is gebeurd.'

Stockman kijkt naar het recordertje. Even lijkt hij gebiologeerd door het geduldige rode lichtje.

De kralen klikken tegen elkaar aan.

Het crucifix beweegt. Drie zwakke tikjes, het kruis komt omhoog en trekt de zachte stof van het operatiehemd met zich mee.

'We hebben hem in het bos begraven,' zegt hij.

Er wordt beweerd dat een oude hond het weet wanneer zijn einde nadert. Misschien hield Gaylon Stockman zich vast aan de instincten die hem als jongeman noopten de eed af te leggen dat hij zich zou inzetten voor het nut van het algemeen. Misschien beseft hij dat hij is geketend aan een paal en de wolf in de kaken kijkt.

Ik houd mezelf voor dat ik hem een gunst heb bewezen. Ik heb hem toestemming gegeven zich los te rukken voordat de wolf zijn tanden in hem zet.

Om de waarheid te zeggen heb ik een angstige bejaarde om de tuin geleid om me een geheim te vertellen. Zijn wolf heeft honger.

De zegevierende krijgsman wint eerst.

'Ik heb hem laten wachten,' zegt hij.

Twee jaar lang waren ze op de hoogte van wat James Webster had gedaan. Iedere vrijwilliger was ondervraagd, als onderdeel van het onderzoek, en net als bij alle anderen rustte er geen enkele verdenking op James Webster. Maar toen, in de verschrikkelijke zomer daarna, toen Brandon was gevonden en Clair Mallory zich van het leven had beroofd, waren de wasbeertjes gaan wroeten in de vuilnisbak van de Websters.

'God moge me vergeven voor wat ik die man heb aangedaan,' zegt Stockman. Eerst denk ik dat hij James Webster bedoelt, maar dan besef ik dat hij het over Roger heeft. 'Ik heb hem laten wachten.'

Terwijl de bejaarde praat, houdt hij zijn blik gericht op de verre hoek, alsof hij kijkt naar een oude, stoffige diavoorstelling die daar wordt vertoond. Hij kan niet meer dan een paar woorden achter elkaar uitbrengen zonder buiten adem te raken, en hij klikt voortdurend op het knopje voor de morfine. Op een gegeven moment is hij niet meer helemaal helder en haalt hij dingen door elkaar. Hij weet niet meer goed waar hij is gebleven, hij vervalt in herhalingen. Soms leeft zijn oudste dochter nog en soms is ze dood.

Brandon is aldoor dood. Hij blijft maar twaalf.

En het zijn altijd wasbeertjes die in de vuilnisbak wroeten.

Zo kwam het dat Roger een proefwerk vond met Brandons naam erop.

Soms is er ook een schoen, en soms is er ondergoed. Stockman vertelt dit allemaal een paar keer, en elke keer is het belastende bewijsstuk iets anders. Maar het zijn altijd de wasbeertjes die het vinden.

Twee jaar lang hadden ze het geweten. Twee jaar lang had Roger aan de overkant gewoond van de man die hij verdacht van het vermoorden van zijn zoon. Twee jaar lang had hij hem in de gaten gehouden, twee jaar lang had hij gewacht.

'Rodge hield die hufter goed in de smiezen.' Stockman vindt de kracht om te knikken. 'Geloof dat maar. God weet wat dat met hem heeft gedaan.'

Ik weet nog dat Myrna Webster zei dat Roger haar had willen geruststellen dat de hufter niets was overkomen.

'Een paar jaar later gaat die hufter midden op de dag door de stad rijden. Langs speelplaatsen. Snap je wat ik bedoel?'

Wat ik zie wanneer ik mijn ogen sluit, zijn Pete en Melody Seward op de oever, hun gezichten als maskers.

Tegen de tijd dat de bejaarde klaar is met vertellen, zou ik durven zweren dat zijn gezicht is veranderd. We hebben hem in het bos begraven... Het is alsof er een masker van zijn gezicht is gevallen. Daaronder ziet hij er bijna vredig uit. Hij heeft zijn krachten verbruikt, en is dankbaar voor de rust.

Dat houd ik me in elk geval voor wanneer ik de deur achter me hoor dichtgaan.

Ik draai me om in de verwachting een verpleegkundige te zien. Dan merk ik hoe stom ik ben geweest.

Van Stockman heeft zeker geen dienst. Hij heeft een spijkerbroek aan en een geruit jack. Hij draait zich om, met zijn hand nog op de deurknop en een duistere blik in de ogen.

De man naast hem gaat gekleed in een pak en een overjas. Zijn stropdas is niet gestrikt, en het bovenste knoopje van zijn overhemd staat open. Ik zie het doffe glinsteren van een goudkleurige politiepenning aan zijn riem. Zijn gezicht hoef ik niet te zien om te beseffen dat ik niet de zegevierende krijgsman ben.

'Goed nieuws,' zegt rechercheur Harmon. 'We hebben de kerel te pakken gekregen die bij jullie heeft ingebroken.'

41

Voordat Harmon mijn handen voor mijn buik in de boeien slaat, kijkt hij naar Van Stockman.

Van Stockman kijkt naar zijn stervende vader. Na een poosje kijkt hij naar de grond en schudt zijn hoofd.

Harmon legt zijn hand op zijn schouder. 'Oké.'

Ik heb het gevoel of ik zweef. Als ik niet naar beneden had gekeken, zou ik niet hebben geweten dat mijn voeten de grond raken. Terwijl ik naar beneden kijk, doet rechercheur Harmon die handboeien om mijn polsen, zo strak dat het pijn doet.

'Sta ik onder arrest?' Mijn stem lijkt van ver te komen, gesmoord, alsof ik onder water ben.

'Zoiets.' Hij pakt de ketting tussen de handboeien en trekt eraan. De handboeien snijden in mijn polsen. Het doet zo'n pijn dat ik meteen weer met beide voeten op de grond sta, nee, bijna met beide knieën.

Harmon trekt me een paar stappen mee en blijft staan bij de deur. Hij propt mijn recordertje in zijn zak, draait zich om naar Van Stockman en zegt: 'Neem er gerust de tijd voor.'

Van Stockman blijft me maar aanstaren. Hij ziet eruit alsof hij van alles wil doen. Van alles waarmee vergeleken het erop zou lijken dat Timothy Brand over een bloemetje is gestruikeld en in een berg kussens beland.

'Van…'

Eindelijk wendt Stockman zijn blik af.

Harmon maakt een hoofdgebaar.

Van Stockman haalt diep adem. Dan draait hij zich om en loopt naar het bed.

'Pa,' hoor ik hem zeggen terwijl hij de hand van de bejaarde pakt.

Ik hoor iets zoemen, net een insect dat tussen de gordijnen is terechtgekomen. Harmon houdt mijn keten met zijn ene hand vast en haalt met de andere een mobieltje uit zijn zak. Hij klikt het open en houdt het bij zijn oor. Even luistert hij, dan zegt hij: 'Oké.'

Het dringt tot me door in wat voor situatie ik me bevind. Ik ben niet meer als verdoofd, ik ben weer kwaad. Wanneer rechercheur Harmon zijn mobieltje dicht klikt, zeg ik: 'Volgens mij zijn die apparaatjes hier verboden.'

Hij glimlacht. Die glimlach verschilt niet veel van de glimlach die ik vijf maanden geleden in onze woonkamer heb gezien, toen hij ons hielp. Hij buigt zich naar me toe en fluistert in mijn oor: 'Nog meer goed nieuws. Je vrouw is thuis.'

De buikpijn komt in alle hevigheid terug, en ik word helemaal koud vanbinnen.

Bij het bed staat Van Stockman over het hekje gebogen en drukt een zoen op het voorhoofd van de bejaarde. Die wrijft over Stockmans arm.

De zoon gaat rechtop staan. Ik zie zijn vuisten naar zijn ogen gaan. Met gebogen hoofd blijft hij even staan. Dan trekt hij het gordijn om het bed heen, tussen zijn vader en hem. Wanneer hij opkijkt, zijn zijn ogen rood en vochtig.

'Dit gaan we doen,' zegt Harmon terwijl hij me fouilleert. Hij ontneemt me mijn mobieltje, mijn autosleuteltjes en mijn portemonnee. 'Jij loopt naar buiten met neergeslagen ogen en je mond dicht. Je moet goed meewerken. Als je meewerkt, wordt Sara morgen weer wakker. Kunnen we het daarover eens worden?'

Ik knik zeker, want rechercheur Harmon kijkt tevreden. Hij draagt me over aan Stockman. 'Je weet wat je te doen staat.'

Stilte.

'Van?'

Stockman recht zijn rug.

'Bel Roger en zeg dat jullie onderweg zijn.'

Nog een laatste keer kijken de twee mannen elkaar aan. Ik besef dat Harmon niets heeft gezegd over of ík morgen wel wakker word.

Dan pakt Van Stockman me bij mijn elleboog beet en doet de deur open. Rechercheur Harmon blijft achter in de ziekenhuiskamer.

Het kerkkoortje is allang van deze verdieping af. Het is wij en de verpleegkundigen, die kijken en fluisteren wanneer ik langs de verschillende verpleegstersposten loop. Onderweg naar de liften komen we zuster Harriet tegen, die in snelle pas komt aangelopen van de andere kant, op weg ergens naartoe. Ze kijkt me fronsend aan en zwaait met haar vinger, zo van: ik ben niet zo stom als je denkt, vriend van de familie.

In de kelder, op weg naar de parkeergarage, waar geen beveiligingscamera's te zien zijn, trekt Van Stockman me om een dikke betonnen pilaar heen. Hij duwt me tegen het portier aan de passagierskant van zijn Dodge Ram, en zet zijn elleboog in mijn rug terwijl hij de autosleuteltjes uit zijn broekzak vist.

Ik haal adem. 'Hoor eens…'

'Zei je wat, klootzak?'

'Laat Sara alsjeblieft met rust…'

Ik zie zijn hoofd naar het mijne komen. Het voelt alsof er een betonblok in mijn gezicht vliegt. Een explosie van pijn. Dan wordt alles donker.

Wanneer ik bijkom, heb ik het koud.

Ik voel dat mijn ogen open zijn, maar ik zie niets. Opeens word ik zo hard door elkaar geschud dat mijn tanden ervan klapperen. Wanneer mijn achterhoofd neerkomt op de grond, bijt ik zo stevig op mijn tong dat ik bloed proef. Even denk ik dat ik er weer van langs krijg.

Dan merk ik dat ik in beweging ben. Ik rol naar opzij en voel dat ik op een soort roestig metaal lig. Ik hoor een brommend geluid, zo doordringend dat het bijna op stilte lijkt.

Ik ga weer op mijn rug liggen en kom tot de conclusie dat ik achter in Van Stockmans pick-up moet liggen, onder de klep. Mijn handen zijn nog geboeid. Ik voel bloedkorsten op mijn pijnlijke gezicht, en ik kan geen adem halen door mijn neus. Mijn jas en handschoenen zijn nog in het ziekenhuis, of misschien is rechercheur Harmon zo gis geweest om ze mee te grissen nadat hij klaar was met een kussen op Gaylon Stockmans gezicht te drukken, of hem een overdosis morfine toe te dienen, of hoe je ook een oude hond afmaakt zonder het er verdacht te laten uitzien.

De pick-up mindert vaart en komt vervolgens tot stilstand. Even later sterft het gebrom weg. De stilte lijkt veel harder te klinken dan dat gebrom.

Ik hoor een portier opengaan en dan worden dichtgeslagen. De pick-up wiebelt een beetje.

Ik hoor schuifelende voetstappen, in de richting van de achterkant van de pick-up. Dan zacht gerinkel van sleutels, en een klikje van een slot dat in de buurt van mijn voeten wordt geopend. Het geluid van de klepbevestiging die wordt ontgrendeld, klinkt versterkt in deze holle ruimte.

De klep gaat open en dan opeens weer dicht. Ik hoor een auto voorbij-rijden. Waar zijn we? Als ik andere auto's kan horen, en we niet van een verharde weg zijn gegaan, kan het hier niet erg afgelegen zijn. Heel even komt er een sprankje onredelijke hoop in me op. Misschien is me gratie verleend. We bevinden ons ergens langs de snelweg, een heel eind van de bewoonde wereld vandaan, en daar word ik vrijgelaten.

De klep gaat open en ik zie een donkere lucht. Het sneeuwt.

'Eruit.'

Met moeite werk ik me op een elleboog en dan op mijn knieën. Wanneer ik over de rand kijk, herken ik de omgeving meteen.

Ik ben bijna thuis.

Van Stockman maakt mijn linkerhand los en klikt de handboei vast om zijn eigen pols. Uit de pick-up haalt hij een tas die hij over zijn schouder hangt. Er komt het geluid uit van metaal tegen metaal.

Stockman doet de klep weer op slot en zet het alarm aan. Hij kijkt naar links en naar rechts langs Sycamore Drive. Dan, zonder iets te zeggen, loopt hij over de berm naar het bos, waarbij hij mij achter zich aan trekt.

Ik kijk naar de lucht. Er vallen witte vlokjes uit het eindeloze donker. Omdat ik omhoogkijk, struikel ik over mijn voeten. Van Stockman blijft doorlopen, en even vraag ik me af of hij van plan is mijn schouder uit de kom te trekken. Ik besluit van nu af aan maar voor me uit te kijken.

Wanneer we het bos in lopen, valt er minder sneeuw om ons heen. Boven lijkt de lucht met de wolkjes een versleten lappendeken; de maan schijnt helder door een plek waar het lapje is verdwenen en zet de skelet-achtige bomen in een zilverig licht.

Het pad is te smal om naast elkaar te kunnen lopen. Stockman gaat voorop en vertraagt geen moment zijn pas. Elke keer dat ik struikel, snijdt het staal van de handboei in mijn pols. Wanneer ik struikel over een boomwortel en op mijn knieën val, sleept hij me achter zich aan. Tegen de tijd dat ik ben opgekrabbeld, druipt er bloed van mijn pols.

Het is niet meer zo venijnig koud. Maar toch is het geen avond om zonder jas een boswandeling te maken. Ik blijf dan wel warm omdat het een hele inspanning is om Stockman bij te houden, maar mijn vingers en tenen zijn gevoelloos geworden van de kou. Mijn neus voel ik ook niet, maar dat is waarschijnlijk een zegen. Ik hoor alleen het geluid van mijn ademhaling, en af en toe het knappen van een tak onder onze voeten, het geritsel van de berijpte bladeren waar we doorheen lopen, en het metalige gerinkel van wat Stockman in die tas heeft zitten die hij meedraagt om zijn schouder.

Moet ik iets zeggen? Moet ik smeken om mijn leven? Ik kan me niet voorstellen dat zoiets zal uitmaken, maar toch, er moeten andere mogelijkheden zijn dan me stilletjes steeds dieper het bos in te laten sleuren.

Aan de andere kant, de laatste keer dat ik iets zei, in de parkeergarage van het ziekenhuis, reageerde Stockman direct door met zijn voorhoofd mijn neus te verbrijzelen. Ik ben niet zo stoer. Het deed flink pijn. Afgaand op de blik die hij toen in zijn ogen had, hield hij zich in.

Om de waarheid te zeggen ben ik doodsbang voor wat deze kerel me gaat aandoen. Zo eenvoudig ligt het. Ik wil het allemaal echt niet nog erger maken.

Dus houd ik mijn mond en strompel verder.

Roger wacht ons op bij de open plek. Hij is gekleed in een dik, driekwart jack en een stevige broek, en hij staat vlak bij de dollekervel. Hij heeft zijn handen in zijn zakken. Zijn haar zit door de war.

'Paul,' zegt hij.

Naast zijn voet staat een kampeerlamp op batterijen. Het gelige schijnsel komt net tot de rand van de open plek, en tussen ons in worden vreemde schaduwen geworpen.

Ik schraap mijn keel. 'Hoi, Roger.'

Onze stemmen klinken onnatuurlijk in de stilte. Opeens besef ik dat de laatste keer dat ik Roger heb gesproken, Brittany Seward nog in leven was.

Van Stockman maakt mijn hand los van de zijne en duwt me de open plek op. Achter me hoor ik het geluid van een rits, en dan weer dat van metaal op metaal. En ik hoor nog andere geluiden.

Na een poosje komt er iets zwaars neer bij mijn voeten. Ik kijk naar beneden en zie een opklapbare spade tussen de met sneeuw bestoven bladeren. De spade is uitgeklapt.

'Ik vind dit niet fijn,' zegt Roger. Wanneer hij zijn handen uit zijn zakken haalt, zie ik dat hij latex handschoenen draagt. 'Dit vind ik helemaal niet fijn.'

'Zeg dat maar tegen Pete.' Omdat mijn keel zo droog is en mijn neus gebroken, herken ik mijn stem nauwelijks als de mijne. Op de open plek valt de sneeuw ongehinderd naar beneden, en de vlokken zijn groter geworden. Ik voel ze op mijn gezicht, ik zie ze in Rogers haar, op zijn schouders, in zijn wenkbrauwen, steeds meer en meer. Als het zo blijft sneeuwen, zal deze open plek tegen de ochtend bedekt gaan onder een heel pak. 'En tegen Melody. Na Brits begrafenis kun je hen misschien even apart nemen en zeggen dat je het niet fijn vindt dat Brit zich van de brug heeft gestort.'

Roger vertrekt zijn gezicht bij het horen van Brits naam. Ik heb hem nooit eerder zo gezien, zo onverzorgd, zo afwezig. Hij zegt: 'Ik heb niet de hand gehad in deze situatie.'

Om de een of andere reden ben ik niet meer bang. Nu ik niet meer vastzit aan Rogers zwager met de losse handjes, voel ik helemaal niets meer. 'Jullie hebben James Webster ook hiernaartoe gebracht,' zeg ik. 'Zo is het toch?'

Roger blijft zwijgen.

'Heb je hem eerst laten opbiechten? Of hebben jullie hem meteen om zeep gebracht?'

Achter me zegt Van Stockman: 'Hou je kop.'

'Hoe ben je erachter gekomen, Roger? Je kon toch niet zomaar iemand vermoorden vanwege iets wat je in zijn vuilnisbak had aangetroffen?' Terwijl ik dat zeg, verschijnt er een duistere uitdrukking op Rogers gezicht. 'Brandon logeerde daar toch vaak? Hij kon er spullen hebben laten liggen.'

'Spullen?' Roger staat daar als een golem in de sneeuw, zijn ogen verborgen onder zijn wenkbrauwen. Na een poosje recht hij zijn rug en herhaalt verbaasd: 'Spullen.'

'Ik weet het niet, Roger.' Ik denk aan wat Gaylon Stockman me nog slechts een uur geleden in zijn ziekenhuisbed heeft verteld. Een schoen.

Ondergoed. Een proefwerk. 'Niemand weet het nu. Behalve jij en je maten. Toch?'

Roger kijkt me aan alsof ik een volslagen onbekende ben.

Na een hele poos zegt hij: 'Hij zei dat hij zijn eigen jongens niets wilde aandoen.'

'Laat maar,' zeg ik. 'Het maakt nu toch allemaal niets meer…'

'Een drang. Zo zei hij dat.' Roger heeft zichzelf hersteld. 'Weet je, hij wilde dat ik er begrip voor kon opbrengen. Hij zei dat hij het had gedaan omdat hij niet per ongeluk een van zijn eigen jongens iets wilde aandoen. Hij dacht dat ik, als vader, daar wel begrip voor zou hebben.'

Wanneer ik dat hoor, weet ik niet meer wat mijn gevoelens ten opzichte van Roger zijn. Walging? Medelijden?

Mededogen?

Ik ben me ervan bewust dat Van Stockman pal achter me staat.

'Na afloop kon hij het niet verdragen dat míjn zoon moest leven met wat hem was aangedaan. Dat zei hij.' Roger richt zijn blik op de dollekervel. 'Onvoorstelbaar.'

'Dat geld kwam van jou, hè?' Ik hoor Myrna Webster nog zeggen dat er een soort alimentatie voor de kinderen was. 'Tienduizend per kind. Dat heeft Myrna me verteld. Een studiefonds. Ze zei dat Webster dat had achtergelaten op hun hoofdkussen, vlak voordat hij ervantussen ging. Maar hij ging er niet van tussen, hè?'

Achter me klinkt Van Stockmans stem kil. 'Ik zei dat je verdomme je kop moest houden.'

Maar ik heb het niet tegen Van Stockman, ik heb het tegen Roger. Ik zou alleen willen dat ik kon zeggen dat ik niet meer bang ben.

'Is dat wat ze over mij gaan zeggen? Dat ik 'm ben gesmeerd?' Er ligt al een hoop sneeuw in de spade aan mijn voeten. 'Twee mensen die uit hetzelfde huis verdwijnen? Binnen acht jaar? Ik weet het niet, hoor Roger, maar dat zou wel eens verkeerd kunnen worden opgevat.'

'Hij heeft gelijk.' Een nieuwe stem.

We schrikken er allebei van. Roger knippert met zijn ogen en draait zich met een ruk om. Samen kijken we in de richting van de rand van de open plek.

Een kale man in met camouflagemotief bedrukte jas stapt tussen de bomen vandaan. Ik herken hem meteen.

'John?' zegt Roger.

John Gardner blaast in zijn handen en wrijft er eens stevig in. 'Ik was bang dat jullie zonder mij zouden beginnen.'

Met een verwonderde blik kijkt Roger het bos in, zo van: waarom heb ik je niet horen aankomen? 'John, wat doe jij nou verdomme hier?'

'Van heeft me gebeld.'

Roger kijkt langs me heen. 'Klopt dat, Van?'

Achter me hoor ik alleen stilte.

'Kom op, Roger.' De eigenaar van Sentinel One Incorporated schudt zijn hoofd. 'Dit is niet iets voor in je eentje.'

'Ga naar huis, John. Je bent hier niet nodig.'

De spade aan mijn voeten is bijna helemaal bedekt met een witte laag. Ik stel me voor dat ik hem van de grond gris en als wapen gebruik. Bij die gedachte gaat mijn hart sneller kloppen. Hoe ver achter me staat Van Stockman? Kan ik langs hem komen?

Hoe ver kan ik komen voordat ze me inhalen?

Gardner loopt de open plek op. 'Bill Bell zit toch op de zaak?'

'Dat weet je heel goed, John.'

'Nou, ik weet ook dat hij niet stom is. Als de professor spoorloos verdwijnt, zal Bill zeker nieuwsgierig worden.'

'Dit zijn mijn zaken,' zegt Roger. 'Ik regel het wel.'

'Het zijn niet alleen jouw zaken, Roger.' Gardner stopt zijn handen in zijn zakken. 'Vergeet niet dat het Nancy en mij ook raakt. En Van en de ouwe, en Valerie. Tommy Harmon, en hun kleine meid, Carol. Een hoop lui.'

'Ik zei toch dat ik het wel zou regelen.' Deze keer verheft Roger zijn stem, een soort blaf die wordt opgeslokt door de bomen. Zachter gaat hij verder. 'Net zoals ik het hier al die jaren al heb geregeld.'

'Roger…'

'Ik regel het wel, John. En daarna zorg ik voor deze plek zoals ik dat al die tijd al heb gedaan. Voor ons allemaal.' Hij laat zijn blik naar de dollekervel dwalen. 'Ik vergeet nooit.'

'Rodge.' Gardner blijft geduldig. 'We kennen elkaar al heel lang.'

'Ooit wordt dit bos verkocht.' Roger maakt een weids gebaar. 'En dan rooien ze deze bomen zodat ze hier huizen kunnen neerzetten. En dan komt alles boven water.'

'Ik vraag je om naar een goede vriend te luisteren.'

'Als God genade kent,' zegt Roger, 'hoeven we ons daar tegen die tijd geen zorgen over te maken.'

Zelfs onder deze omstandigheden krijg ik toch iets wat op medelijden lijkt met Roger. Ik doe mijn best me voor te stellen wat ons huis voor hem moet betekenen. En verder denk ik aan die spade.

Wanneer ik opkijk, merk ik dat John Gardner naar me kijkt. Dan kijkt hij even naar iets achter me. Ik ben me ervan bewust dat Van Stockman daar staat. Hij staat te wachten.

'Ga nu maar naar huis,' zegt Roger.

Gardner schudt zijn hoofd. Nadenkend kijkt hij zijn goede vriend nog eens aan, dan zegt hij zuchtend: 'Ik heb mijn best gedaan.'

'Goed dan.'

'Rodge?'

'Ja?'

'Het spijt me.'

Roger knikt kortaf. 'Ik kom morgen wel even langs.'

Wanneer Roger zich omdraait, steekt Gardner zijn hand uit. Als bij toverslag zit die hand in een handschoen, en houdt die een pistool vast. Ik weet niet hoe hij dat voor elkaar heeft gekregen. Hij had blote handen toen hij ze in zijn zak stopte, en daar bleven ze aldoor in.

Het pistool maakt een achterwaartse beweging. Een flits.

Ik schrik van de knal, een scherp geluid dat weergalmt door het kille bos.

Er spuit iets uit Rogers hoofd. Zijn hoofd wankelt op zijn nek, en de uitdrukking op zijn gezicht verstart. Hij valt op de grond als een marionet waarvan de touwtjes zijn doorgesneden.

Tegen de tijd dat tot me doordringt wat ik zie, is het al voorbij.

'Jezus...' zegt Van Stockman.

Ik draai me om. Daar staat hij met open mond en zijn hand tegen zijn voorhoofd geslagen te kijken naar Rogers lijk in de sneeuw.

'Rustig, Van,' zegt Gardner.

Langzaam schudt Stockman zijn hoofd. Hij kijkt langs me heen naar Gardner. 'Inspecteur?'

'Het raakt heel veel mensen.' Gardner bukt en raapt de huls op die in een holletje in de sneeuw ligt, tussen zijn laarzen. 'Mensen met gezinnen.

Echt, je hebt juist gehandeld. Tommy is het ermee eens.'

Het duurt even voordat het allemaal tot Stockman doordringt. 'Harmon? Wil je daarmee zeggen dat die klootzak wíst dat dit...'

'We hebben juist gehandeld.'

'Ik dacht dat je met hem zou praten.'

'Ik heb met hem gepraat. Roger luistert niet.' Er lijkt een verdrietige blik in Gardners ogen te staan. 'Niet meer.'

Stockman wrijft over zijn voorhoofd. 'Naar jou luisterde hij wel.'

'Hij wilde niet luisteren toen ik zei dat hij beter Bill Bell kon inschakelen, toen met die verdomde leraar. Toch? Ik vertrouwde op zijn gezonde verstand. Dat deden we allemaal.' Gardner doet iets met een pal op zijn pistool en laat het wapen zakken. 'Na die leraar is het verdomme het een na het ander.'

'Jawel, maar...'

'Hij had ze niet meer allemaal op een rijtje, Van. Geen van ons wilde dat inzien. En nu...'

'Godsamme.' Stockman snuift door zijn neus. 'Ja, en nu, verdomme...'

Ik hoor een geluidje bij Rogers lijk. Eerst denk ik dat hij heeft bewogen, maar dan zie ik een stroperige plas rond zijn hoofd tussen de besneeuwde bladeren. In het schijnsel van de maan lijkt zijn bloed wel zwart.

Gardner trekt me aan de loshangende handboei naar opzij. 'Kom op, Van. Werk aan de winkel.'

Stockman loopt op Roger toe en buigt zich over hem heen, met zijn handen op zijn knieën. Hoofdschuddend kijkt hij naar Rogers levenloze gezicht, alsof hij zich afvraagt of hij hem moet laten slapen of wakker maken. 'Godallemachtig.'

Ik kijk naar beneden. Gardner heeft de lege handboei vast tussen twee vingers. Twee vingers, meer niet. De spade ligt een halve meter van me af, een onregelmatige vorm in de sneeuw.

Ik ga sneller ademen.

Eén flinke ruk en ik ben vrij. Ik zou de spade kunnen oppakken. Of ik zou kunnen wegrennen alsof de duivel me op de hielen zit. Als ik geluk heb, dan misschien...

Een flits, en even kan ik niet meer denken. Een tijdje kan ik niets meer zien. Onwillekeurig heb ik mijn ogen dichtgeknepen.

Wanneer ik ze open, zie ik Gardner zijn pistool weghalen bij Van Stockmans hoofd.

'Jij hielp ook niet erg mee,' zegt hij.

Stockman valt om. Als een zoutzak stort hij ter aarde. Ik blijf als versteend staan.

Met een lach draait Gardner zich naar me om. 'Hopelijk heeft de buurtwacht dat niet gehoord.'

Hij laat de handboei los, trekt zijn jas op en stopt zijn pistool weg op zijn rug.

Ik handel zonder te denken. Ik laat me op mijn knieën vallen, grijp de steel van de spade vast en trek die naar me toe.

'Diep ademhalen, professor. Laat je niet gaan.' Gardner klinkt achteloos. Het lijkt hem totaal niet te interesseren dat ik buiten zijn bereik ben. Waarom zou hij ook? Hij heeft een pistool en ik een kleine, opklapbare spade. Hij zegt: 'Niet flauwvallen.'

Ik besef dat hij denkt dat ik moet overgeven. Heeft hij eigenlijk wel gemerkt dat ik de spade heb gepakt?

'Rustig ademen. Tel maar tot tien.'

Mijn hart bonst. Ik heb mijn rug naar Gardner toe. Opeens word ik bang dat ik inderdaad ga flauwvallen.

Ik volg Gardners raad op.

Een, twee, drie, vier…

'Oké.' Er komt een hand stevig neer op mijn schouder. 'Kom maar overeind.'

Vijf, zes… Ik krabbel overeind.

'Goed zo.' De hand verdwijnt van mijn schouder. 'Toe maar.'

Ik sta rechtop. Zeven…

'Laat me nou maar eens kijken naar je…'

Met een ruk draai ik me om en haal met de spade uit in de richting waar Gardners stem vandaan komt. Blijkbaar vindt hij me zo'n minimale bedreiging dat hij niet eens naar me kijkt terwijl hij me toespreekt. Hij kijkt naar de lijken een halve meter verderop.

Halverwege de zin raakt het blad van de spade hem, net boven zijn oor. Er klinkt een hol, metalig geluid, als van een koekenpan waarmee op een onrijpe meloen wordt geslagen. Schokgolven verplaatsen zich door het staal naar mijn handen.

Gardner ziet het niet aankomen. Zijn ogen lijken te draaien in hun kassen, dan worden ze glazig.

Valt hij? Ik zou het niet weten.

Ik ren al weg.

42

Sara…

Terwijl ik blindelings tussen de bomen door ren, weg van de open plek, dieper het bos in, denk ik alleen maar aan Sara. Ik smeek God haar te beschermen, ook al heb ik niet meer gebeden sinds ik een jongetje was. Ik weet niet eens of ik het nog wel kan. Ik weet niet eens of ik wel de goede richting uit ren.

Ik weet alleen maar dat ik eerder bij Sara moet zijn dan 'Tommy'. Rechercheur Harmon. Hij heeft al een bezoekje gebracht aan Darius Calvin. Dat weet ik omdat Harmon het zelf heeft gezegd. Hij zei dat hij goed nieuws had, omdat ze de kerel hadden gevonden die bij ons had ingebroken. En Harmon loopt nog ergens rond.

Een tak slaat in mijn gezicht, en daardoor vermindert de paniek en heb ik weer oog voor het bos waardoor ik ren. Sneeuwvlokken dwarrelen tussen de kale bomen naar beneden. Ik luister, maar hoor alleen mijn eigen, hijgende ademhaling.

Ik storm verder. Wanneer takken me slaan, ren ik door. Wanneer ik struikel, herstel ik me. Wanneer ik val, krabbel ik op en ren door.

Wanneer ik niet meer kan, rust ik uit tegen een boomstam en luister. Het bloed gonst in mijn oren, en mijn adem komt in wolkjes uit mijn mond.

Achter me is het stil.

Hijgend, met mijn rug tegen de ruwe schors, denk ik aan de dag dat ik bij rechercheur Harmon was, in het politiebureau. John Gardner was erbij. Ik weet nog dat ze naar elkaar keken toen ik binnenkwam, ik weet nog dat ik me afvroeg waarover ze het hadden gehad.

Nu denk ik dat ik dat wel weet.

Geen van hen wilde het inzien…

John Gardner, rechercheur Tom Harmon, Van Stockman en zijn vader, Roger Mallory. Vijf mannen, verbonden door een gruwelijk geheim. Er zijn er nog slechts twee van over.

Wanneer waren Gardner en Harmon tot de conclusie gekomen dat de grondlegger een gevaar was geworden? Toen met Timothy Brand? Met Darius Calvin? Met Brit Seward? Met mij?

Door de inspanning van het rennen is mijn neus weer gaan bloeden. Ik proef de metalige smaak op mijn lippen. Ik krijg het koud, ik moet weer in beweging komen. Ik ben op adem gekomen, en ik kan weer helder denken.

Het dringt tot me door dat ik niet naar Sara hoef te gaan. Ik moet alleen maar uit het bos zien te komen, terug in de bewoonde wereld, waar andere mensen me kunnen zien. Als ik dat voor elkaar kan krijgen…

Ik verstar wanneer ik een tak hoor knappen. Mijn hart bonkt en mijn mond wordt droog. Een paar meter verderop tikken takken in het donker tegen elkaar. Ik sprint weg.

Na ongeveer vijf stappen tackelt Gardner me.

'Ik moet het je nageven,' zegt hij terwijl hij me optrekt. 'Dat was een uitstekende slag.'

Er vallen druppels bloed van mijn neus in de sneeuw. Ik kijk naar de grond en zie de voetafdrukken die ik heb gemaakt. Ik besef, en alle hoop vervliegt, dat hij me vanaf de open plek is gevolgd, als aangeschoten wild. Ik had hem niet eens gehoord.

Gardner verliest ook bloed uit de hoofdwond die ik hem heb bezorgd, maar zo te zien gaat hij daar niet aan dood. Zijn oor en zijn hals zitten onder het bloed, en de kraag van zijn camouflagejas is donker geworden. Terwijl hij de losse handboei met zijn ene hand vasthoudt, pakt hij een handje sneeuw en drukt dat tegen de wond die ik hem met de spade heb toegebracht. Hij glimlacht. 'Ik kon me even niet meer herinneren hoe ik heette.'

'Je heet John Gardner,' zeg ik. 'Je hebt Roger Mallory vermoord, en Van Stockman en James Webster.'

Hij kijkt me aan en lacht.

'Dat is een theorie.' Gardner werpt de restanten van de bebloede sneeuwbal op de grond, trekt zijn jas omhoog en klikt de lege handboei vast aan zijn riem. 'Kiezen op elkaar, professor.'

Voordat ik mijn kiezen op elkaar kan klemmen, draait Gardner met beide handen de handboei zo strak mogelijk om mijn pols. Een pijnscheut, alsof er een bijl is neergekomen op mijn arm. Ik kan me heel even niet herinneren hoe ik heet.

'Als je meewerkt,' zegt Gardner, 'maak ik hem iets losser. Wanneer we klaar zijn.'

Ook al had ik de wil gehad om me te verzetten, ik kan nu niets anders dan meewerken. De pijn van de te strakke handboei is gruwelijk. Bij elke beweging snijdt het staal dieper in mijn pols. Het verzet is in de kiem gesmoord. Ik werk volledig mee.

Terug op de open plek gaat Gardner verrassend efficiënt te werk voor iemand die een hoogleraar Engelse letterkunde aan zich vast heeft zitten. Hij knielt bij Roger neer, trekt de latex handschoenen van diens handen en trekt ze zelf aan. Met gehandschoende handen haalt hij het magazijn uit zijn pistool en stopt er glanzende nieuwe patronen in. Dan schuift hij het magazijn terug en klikt het vast.

Vervolgens pakt hij Rogers slappe linkerhand en legt daar het pistool in. Terwijl hij Rogers hand om het pistool gedrukt houdt, lost hij twee schoten in de richting van de bomen. Ik ruik buskruit.

We staan op. Gardner overziet de situatie. Hij kijkt naar de lijken op de grond. Hij steekt een linkervinger uit en doet alsof hij een pistool op Van Stockman richt. Daarna zet hij dat 'pistool' tegen zijn eigen hoofd.

Kennelijk tevredengesteld haalt hij een zaklamp tevoorschijn en speurt de grond af. Wanneer hij iets van koper in de sneeuw ziet glanzen, raapt hij de huls op van de kogel waarmee hij Stockman heeft neergeschoten, vlak voordat ik de benen nam.

En ik blijf hem gezelschap houden.

'Je mag ervan denken wat je wilt,' zegt Gardner terwijl we tussen de bomen door lopen. Hij heeft nu thermohandschoenen aan zijn handen, en een wollen muts op zijn hoofd. De zaklamp heeft hij verruild voor de krachtige kampeerlamp die op de open plek stond. 'Maar de lui die daar liggen, waren mijn vrienden.'

Ik luister maar half. Hij heeft het dan wel tegen mij, maar ook tegen niemand. Het voelt alsof ik droom, maar dit is geen droom.

'Rodge en ik zaten tegelijkertijd op de politieacademie.' Gardner duwt een kale tak weg met zijn arm en laat die achter ons terugschieten. 'En Vanny... Jezus, zijn vader heeft me nog opgeleid. Ik kende dat joch al toen hij zich aftrok op een foto van een juffrouw in badpak.'

Ik klappertand. Ik ril aan één stuk door. Mijn pols is weer gaan bloeden.

'Denk je dat ík het fijn vind? Om hen daar zo achter te laten?' Gardner zou het net zo goed tegen de bomen kunnen hebben. 'Ik zal je eens iets vertellen: als je dat denkt, zit je er verdomme helemaal naast.'

We blijven maar lopen. Een hele poos lijkt het erop dat Gardner heeft gezegd wat hem van het hart moest. Dan schudt hij zijn hoofd. 'Ik heb niet de hand gehad in deze situatie.'

Hij laat de krachtige lichtbundel voor ons uit gaan, over de grond, zodat ik goed kan zien waar ik loop. Het is bijna alsof hij deze wandeling gemakkelijk voor me wil maken. Hoewel het me is opgevallen dat hij me niet heeft aangeboden zijn handschoenen een poosje te lenen.

'Ik bedoel, godsamme, al die jaren...' zegt hij. 'En ineens wist je totaal niet wat Roger nu weer zou uithalen. Tenzij je hem verdomme naar rede kon laten luisteren. Maar daar voelde hij weinig voor.'

De verse sneeuw knispert onder onze voeten. Ik hoor het, maar ik voel het niet meer.

'En Vanny... Jezus, het leek wel of Roger hem aan de leiband had.'

De bomen lijken uit te dunnen. De sneeuwvlokken worden weer groter.

'En dan heb je nog Tommy Harmon en mij. Godallemachtig, ik heb hém nog opgeleid. Nu heeft hij een leuke vrouw en een kleine meid die haar vader nodig heeft. En ik heb mijn eerste kleinzoon gekregen.' Gardner zucht eens diep. 'Zeg jij maar wat we anders hadden moeten doen.'

Ik zie een opening tussen de bomen in de verte.

'Als je het over James Webster wilt hebben, kan ik je verdomme één ding vertellen,' zegt Gardner. 'Bijna tien jaar geleden hebben we die hufter hier begraven. En nog niemand heeft hem gevonden.'

Eindelijk lopen we het bos uit, ongeveer anderhalve kilometer bij de open plek vandaan. De maan is allang weg. De grond is wit.

Wanneer we uit het bos zijn, blijft Gardner staan en kijkt me aan. 'Hoor eens, professor, dit doet er waarschijnlijk weinig toe, maar om de waarheid te zeggen, als ik je kon laten gaan, dan zou ik…'

Er spettert iets warms in mijn gezicht. Vagelijk ben ik me ervan bewust dat ik een knal heb gehoord.

Zonder iets te zeggen trekt Gardner me plotseling met zich mee naar achteren. Hij laat de lamp vallen, en de lichtbundel priemt in de lucht. Even denk ik dat we teruggaan het bos in. Maar dan trekt Gardner me naar de grond, boven op zich.

Door de schok trekt er een pijnscheut door mijn neus, en de tranen springen in mijn ogen. Ik kan niets zien. Ik voel de stoppeltjes op Gardners kaken in mijn hals prikken.

Ik knipper de tranen weg, en beetje bij beetje kan ik weer iets zien. Gardner en ik liggen samen op de grond, met onze gezichten naar elkaar toe. Zijn ogen zijn open.

In zijn wang zit een gat.

Ik voel handen over mijn rug gaan. Ik voel iets op mijn arm, gevolgd door een heftige pijn. Dan opluchting. De handboeien zijn los.

Ik schuif mezelf van Gardner af en sta op. In het schijnsel van de lichtbundel, door de dwarrelende sneeuw heen, zie ik rechercheur Harmon die een pistool op mijn hoofd gericht houdt.

'Stil,' zegt hij.

Ik zeg niets. Ik denk niets. De sneeuw valt. Ik sta.

Met nog steeds dat pistool op me gericht drukt Harmon een knop van zijn portofoon in en zegt: 'David 42, centrale, assistentie op Branch Road, drie kilometer ten noorden van de twintigkilometerpaal aan Route 20. Gewapende verdachte, te voet in natuurpark Wilderness. Alle beschikbare patrouillewagens, en de hondenbrigade. Over.'

Nu zie ik donkere vormen in de verte, achter Harmon: twee patrouillewagens langs de ondergesneeuwde weg. Alleen bij de voorste ligt er sneeuw op de voorruit. Ik kijk naar beneden, naar de vermoedelijke bestuurder.

De ogen van John Gardner staan nog steeds open. Hij heeft zijn wollen muts niet meer op. Hij ziet eruit als een sneeuwengel met een halo.

Piep. Kraak. 'Centrale, David 42. Bevestig positie, Tom.'

Ik kijk naar rechercheur Harmon. Zijn haar is wit van de sneeuw. Hij houdt nog steeds dat pistool op me gericht.

Hij drukt de knop op de portofoon weer in en zegt op dringende toon, terwijl hij zijn blik niet van mij af wendt: 'Schietincident. Een één achtenzeventig, Branch Road, drie kilometer ten noorden van de twintigkilometerpaal, Route 20. Eén slachtoffer. Ik herhaal: schietincident, één slachtoffer.'

Piep. Kraak. 'Begrepen, David 42. Assistentie onderweg. Hou je taai.'

Harmon laat zijn wapen zakken.

Voor de tweede keer die avond zegt hij: 'Dit gaan we doen.'

Beschermd natuurgebied

43

Wat is de beste manier om overtuigend te liegen?
Zo dicht mogelijk bij de waarheid blijven.
Dit zijn de feiten:

* Op de avond van 20 december vermoordde gepensioneerd inspecteur John G. Gardner brigadier Van Stockman en gepensioneerd brigadier Roger Mallory op de plek die Maya Lamb zo bloemrijk 'Dollekervelhoogte' heeft genoemd.
* Op diezelfde plek werd in de weken na de slachtpartij door een forensisch team het stoffelijk overschot ontdekt en opgegraven van James Martin Webster, voormalig bewoner van Sycamore Court 34.
* Nadat John Gardner Roger Mallory en Van Stockman had geëxecuteerd, bracht hij veranderingen aan op de plaats delict om het erop te laten lijken dat Mallory Stockman van dichtbij door het achterhoofd had geschoten en vervolgens zelfmoord had gepleegd.
* Nadat ik een bekentenis had ontfutseld aan de op zijn sterfbed liggende gepensioneerd districtscommandant Gaylon Stockman, had Van Stockman me gevangengenomen.
* Vervolgens was ik de gevangene geworden van Gardner.
* Later werd Gardner neergeschoten door inspecteur Thomas J. Harmon, die me voor mijn eigen veiligheid in hechtenis nam en vervolgens afleverde bij Clark Falls Mercy General Hospital.

Dit zijn de feiten, en niet één daarvan wordt in twijfel getrokken. Als je ze zou printen op archiefkaarten en die op een vergadertafel zou leggen, zouden ze de waarheid onthullen, die er ongeveer als volgt uitziet:

Meer dan twee jaar nadat Brandon Mallory's stoffelijk overschot werd ontdekt in een ondiep graf in de Loess Hill State Wilderness, hadden vier personen – Gaylon Stockman, Van Stockman, John Gardner en Roger Mallory – James Webster naar dezelfde plek in het bos gebracht en hem een heel stuk dieper begraven.

Maar de feiten vertellen niet het hele verhaal.

Ik deed mijn best.

Misschien had ik bij het begin moeten beginnen. In plaats daarvan begon ik rechercheur William Bell en een ziekenhuiskamer vol andere functionarissen te vertellen dat inspecteur Thomas J. Harmon, die tevens de vijfde man was geweest tijdens de wraakactie op James Webster van acht jaar geleden, persoonlijk verantwoordelijk was voor de dood van Gaylon Stockman, en die van ene Darius Calvin, over wie ze in het personeelsbestand van Missouri Valley Medical Shipping & Warehousing Incorporated meer informatie konden vinden.

Ik werd daarvoor beloond met een dwangbuis en een verdovend middel met langdurige werking.

Later legde rechercheur Bell uit dat Darius Calvin en gepensioneerd commandant Gaylon Stockman allebei nog in leven waren. Hij legde uit dat inspecteur Harmon Darius Calvin hoogstpersoonlijk in hechtenis had genomen nadat hij zelf informatie had vergaard tijdens een onderzoek. Verder had Calvin alles bevestigd wat ik had beweerd over de inbraak op 12 juli in Sycamore Court 34.

Gaylon Stockman was rustig gestorven in zijn ziekenhuisbed, twee dagen na het bloedbad op Dollekervelhoogte.

Hebben jullie al door dat dit mijn betrouwbaarheid als verteller ondermijnt?

Ik moet toegeven dat dit een ingewikkeld verhaal is, met veel personages, en het omspant bijna tien jaar. En toch is er één feit dat niet overeenkomt met de waarheid zoals die in het proces-verbaal kwam te staan.

Inspecteur Thomas J. Harmon heeft eerst geschoten en daarna pas de portofoon gebruikt. Zo is het in werkelijkheid gegaan, niet andersom.

Er is een gat van drie minuten in een verhaal dat tien jaar omspant. Natuurlijk valt het te verwachten dat een man die onder zo veel stress gebukt gaat misschien de werkelijke volgorde van de gebeurtenissen door elkaar heeft gehaald. En dan is er ook nog inspecteur Harmon, die beweert dat hij de zaak heeft opgelost door verband te leggen tussen de inbraak bij ons, en een proces-verbaal van acht jaar geleden over een vermissing. Er is niemand meer die daar iets tegen in kan brengen.

Zo iemand zou zichzelf afvragen: als de leugen zo dicht bij de waarheid ligt, is er dan wel een betekenisvol verschil?

Uiteindelijk blijft de dood van Brit Seward niet ongestraft. Een wolf in leraarskleding blijft niet ongestraft. James Webster, waarschijnlijk een monster in opleiding, blijft niet in leven om in herhaling te vervallen, zoals de deskundigen beweren dat zulke monsters altijd doen.

Harmon krijgt alle lof toegezwaaid.

De aanklacht tegen mij komt te vervallen.

De wasbeertjes zitten nog steeds in de vuilnisbakken te wroeten.

Toch?

De begrafenis van Brit Seward vond plaats in de ochtend, de dag na Kerstmis. Sara en ik hadden erbij willen zijn, maar we wilden onszelf niet opdringen.

Ik ging naar huis en pakte een doos in met Brits lievelingsboeken. Die doos zette ik bij Pete en Melody op de stoep, met een brief erbij voor ieder van hen. Als ik Pete was geweest, zou ik een brief van Paul Callaway ongeopend weggooien. Maar toch liet ik een brief voor hem achter.

Die dag bleven Sara en ik bij elkaar, gedeeltelijk in het kantoor van Douglas Bennett, en grotendeels in het gastenverblijf. De hele ochtend praatten we. Over Britt, over Melody, over Darius Calvin.

's Middags werd het frisjes, en maakten we vuur in de open haard. Bennett had een abonnement op de zondagseditie van *The New York Times*, en die legde hij bij ons voor de deur. Sara nam het economiekatern, en ik de boekenbijlage.

Op een gegeven moment dommelde ik weg, en toen ik wakker werd, zat ze op de bank aan de andere kant van de kamer naar me te kijken. Het vuur knapperde nog in de haard. Het was warm, en in het schijnsel zag ze er mooi uit.

Na een poosje te hebben gezwegen, zei ze: 'Ik vraag me af of ik je ooit weer zal kunnen vertrouwen.'

Ik wist niet wat ik daarop moest zeggen.

'Uiteraard zul je de ironie hiervan inzien,' zei Douglas Bennett een maand nadat de landelijke media waren vertrokken. Iedereen had een vraaggesprek met me gewild, maar ik had woord gehouden. Alleen Maya Lamb had een exclusief interview gekregen. Ze zou wel niet lang in Clark Falls blijven hangen.

'Ik ben hoogleraar Engelse letterkunde,' zei ik. 'Vertel me maar eens over welke ironie we het hier hebben.'

'Die camera's van Mallory zijn je redding geweest,' zei Bennett. 'Rechtskundig beschouwd.'

Dat was waar. Het in bezit hebben van Timothy Brands porno was lastig uit te leggen. Tenminste, totdat op opnames gemaakt met Rogers beveiligingscamera's te zien was dat Roger wel tien keer in ons huis was geweest terwijl wij er niet waren. En niet alleen in ons huis, maar in alle huizen van het hofje.

Toen de technicus van de universiteit alles in orde maakte zodat ik van huis uit kon inloggen op het universiteitsnetwerk, wat eeuwen geleden leek, had hij meteen een soort beveiligingssoftware op mijn computer geïnstalleerd die elke activiteit bijhield. Omdat hij me een wachtwoord had gegeven, zou alle activiteit in theorie alleen van mij afkomstig moeten zijn. Maar de experts van Douglas Bennett konden via de data in Rogers videoarchief vaststellen dat Roger in ons huis was geweest op het tijdstip dat zekere digitale afbeeldingen op mijn harde schijf werden gezet.

Bennett schopte de boel aardig in de war met deze bevindingen, vooral in combinatie met mijn slordige gewoonte om wachtwoorden op memobriefjes te krabbelen, en die had de politie allemaal als bewijsstuk in beslag genomen toen ze mijn werkkamer doorzochten. De openbaar aanklager had moeite de zaak tegen mij rond te krijgen, en uiteindelijk werd de aanklacht ingetrokken.

'Ha,' zei Bennett. 'Oké, we kunnen beginnen. Kijk goed.'

Ik boog me naar voren en keek aandachtig naar het open videovenster op het scherm van Bennetts laptop. Toen hij de video startte, herkende ik meteen het huis van Trish en Barry Firth. Ik keek.

Bennett had de verschillende opnamen allemaal achter elkaar geplakt, iedere opname van een andere nacht. En iedere nacht gebeurde precies hetzelfde.

'Je meent het!'

'Ik dacht wel dat dit je zou bevallen.' Bennett leek blij te zijn. 'En ik heb er nog veel en veel meer.'

Ik kon alleen maar hoofdschuddend zeggen: 'Ongelooflijk.'

'Zo zie je maar weer.'

'Wat zie ik maar weer?'

'Weet ik veel,' antwoordde Bennett.

Ik wees. 'Speel nog eens af?'

Blijmoedig willigde Bennett mijn verzoek in. Nogmaals keek ik naar opnamen waarin Barry Firth zijn voordeur uit glipte en rechts uit beeld verdween, in de richting van Michael Spragues huis, om even later terug te komen met een bord over het homohuwelijk onder zijn arm. Ben Holland bleek achteraf toch niet in een strijd met Roger verwikkeld te zijn geweest.

'Echt ongelooflijk.'

'Ik zal Debbie vragen de hoogtepunten op een dvd te branden,' zei Bennett.

Dat schijfje van Debbie heb ik wel honderd keer bekeken voordat ik het doorstuurde naar Michael. Hij belde en zei: 'Je meent het.' En ik zei: 'Zo zie je maar weer.'

In april konden we het huis eindelijk met verlies verkopen.

Op een zaterdagmiddag, toen ik mijn boeken aan het inpakken was, zag ik een spotje van de politie van Clark Falls op de tv in mijn werkkamer. 'Zorg dat uw kinderen weten hoe ze voluit heten, en dat ze ook weten wat hun adres en hun telefoonnummer is,' zei een geüniformeerde agent. 'En vergeet niet,' zei zijn vrouwelijke, ook geüniformeerde collega, 'dat zelfs jonge kinderen kan worden geleerd hoe ze moeten telefoneren en in geval van nood het alarmnummer bellen.' Het spotje werd aangeboden door het nieuwe Verbond van Buurtwachten van Clark Falls.

Ik hield meteen op met waarmee ik bezig was, vond het adres dat ik maanden geleden op een papiertje had gekrabbeld en op het prikbord had bevestigd. Ik kon me niet herinneren hoe vaak ik al naar dat adres had gekeken. Nog een laatste keer overwoog ik of ik dit wel zou doen, maar kwam tot de conclusie dat ik het niet langer meer kon uithouden. Ik nam het papiertje met het adres mee naar de garage, stapte in mijn auto en reed weg.

Inspecteur Harmon woonde in een doodlopende straat, overschaduwd door bomen, in een van de oudere wijken aan de oostkant van het plaatsje. Een aardig huis, groot maar niet opzichtig, met luiken voor de ramen, een basketbalring op de inrit, en een goedverzorgde tuin. Een mooie blonde vrouw deed de deur open. De kleur trok weg uit haar gezicht toen ze me herkende.

'Ik ben Paul,' zei ik, hoewel het wel duidelijk was dat ze dat wist. 'Is Tommy thuis?'

Voordat ze antwoord kon geven, hoorde ik een mannenstem. 'Het is in orde, lieverd. Ga maar iets doen met Becky.'

De vrouw keek bezorgd, maar ging toch weg. Inspecteur Harmon nam haar plaats bij de deur in. Hij had een bleek geworden spijkerbroek aan, een oud t-shirt van de Iowa Hawkes, en instappers aan zijn voeten. Hij wachtte totdat zijn vrouw buiten gehoorsafstand was, nam me toen van top tot teen op alsof ik een zwerfhond was en zei: 'Ga naar huis, Paul.'

Ik bleef staan waar ik stond.

Harmon leek te denken dat ik niet snugger genoeg was om instructies op te volgen. Hij nam me mee naar binnen en een beklede trap op naar zijn werkkamer op de bovenverdieping, en daar sloot hij de deur achter ons. Vervolgens draaide hij me om, schopte mijn voeten uit elkaar en fouilleerde me. Daarna ging hij op de rand van zijn bureau zitten en sloeg zijn armen over elkaar. 'Je zou hier niet zijn als je er niet van overtuigd was dat er een reden bestond om hiernaartoe te komen,' zei hij.

'Er is één ding dat ik wil weten,' zei ik.

Harmon keek me uitdrukkingsloos aan. Hij kon me niets beloven.

'Die nacht dat we elkaar leerden kennen. Toen je bij ons was en je ons al die vragen stelde, en je zei dat we ons geen zorgen moesten maken en je je politieriedel afstak en…'

'Dat weet ik nog,' zei Harmon.

'Wist je het?'

'Wist ik wat?'

'Van Darius Calvin.'

Harmon keek me aan.

Ik keek terug. 'Toen je daar zat in onze woonkamer, wist je het toen?'

Harmon staarde naar beneden. Toen keek hij op en zei: 'Ik verwacht niet van je dat je me gelooft, maar nee, ik wist het niet. Toen niet.' 'Je hebt gelijk.' Ik schudde mijn hoofd. 'Ik geloof je niet.'

'Ik wist het van die leraar,' zei hij. 'En ik wist hoe Roger dat had aangepakt. En toen ik de nacht van de inbraak aan Sycamore Court die oproep hoorde, voelde ik me daar niet lekker bij.' Hij zei het rustig, informeel. We hadden wel buren kunnen zijn. 'Later, toen je golfstok wegraakte en ik Vans handtekening op het innamebewijs zag staan, hebben Van en ik even een babbeltje gemaakt.' Hij zuchtte eens diep. 'Toen kwam ik erachter, van Darius Calvin.'

'Dat was de dag dat ik bij je langs ging op het politiebureau,' zei ik. 'John Gardner was er ook.'

'Dat weet ik nog.'

'En toen wist je het al van Calvin?'

Harmon knikte. 'Toen wisten we het.'

'Maar jullie grepen niet in.'

'We hebben met Roger gepraat. John en ik. We dachten dat hij naar ons wel zou luisteren.' Harmon haalde zijn schouders op. 'Een paar maanden later werd ik weer naar Sycamore Court 34 gestuurd.'

Ik dacht aan Rogers camera's. Die dag had ik met de politie op zijn inrit gestaan.

'En toen hebben we weer met Roger gepraat.' Harmon knikte heftig, voor het geval ik niet aandachtig luisterde. 'Een paar weken daarna werd je gearresteerd. Gardner hoorde dat eerder dan ik. Niet dat dat wat uitmaakt. Hij had thuis de politiescanner aanstaan.' Weer haalde hij zijn schouders op. 'In elk geval, rechercheur Bell was al onderweg naar jullie huis toen ik ervan hoorde. En twee dagen later visten we dat meisje uit de rivier.'

Ik stond daar maar. Uitdrukkingsloos zat Harmon te wachten. Ik wilde meer horen, al wist ik niet precies waarop ik hoopte.

'Eigenlijk zou ik je moeten bedanken,' zei ik uiteindelijk.

Harmon trok zijn wenkbrauwen op. 'Waarvoor?'

Ik kon het haast niet over mijn lippen krijgen. 'Dat je mijn leven hebt gered.'

Na een hele poos van stilte begon Harmon te grinniken, al klonk het niet bepaald geamuseerd. 'Als je daarmee zit, vergeet het dan maar,' zei hij. 'Ik moest om mijn gezin denken. En jij had daar toevallig baat bij.'

Ik zei dat ik het niet begreep.

'John Gardner was een vriend van me,' zei hij. 'Maar ik kende hem goed genoeg om te weten dat als deze hele zaak zou uitkomen, nu, over een jaar of over tien jaar, hij de schuld niet alleen op zich zou willen nemen.'

Ik keek in Harmons ogen terwijl hij dat zei. Ik kon er niets bijzonders in lezen. 'Dus heb je hem vermoord,' zei ik.

'Ik moest om mijn gezin denken.' Harmon haalde zijn armen van elkaar en zette ze op het bureaublad. 'Als ik echt een moordenaar was, zou je hier niet zijn, Paul. Hier in mijn huis.'

Moest ik dat als een bedreiging opvatten? Of was het gewoon een constatering? Ik wist het niet, en het kon me ook niet schelen.

'Die avond in het bos,' zei ik. 'Gardner zei dat hij je had opgeleid.'

'Dat klopt,' zei Harmon.

'Hoorde James Webster bij de opleiding?'

Ik meende dat ik een spiertje in zijn gezicht zag vertrekken, maar zeker wist ik dat niet. Nu ik eraan terugdenk, besef ik dat het best verbeelding kan zijn geweest.

'Je zei dat je één ding wilde weten,' bracht Harmon me in herinnering. Hij ging staan en sloeg zijn armen weer over elkaar. 'De tijd is om.'

Ik keek uit het raam. Beneden, op de plavuizen van het terras, zag ik Harmons vrouw bloemetjes plukken, samen met een klein meisje. Het kind was iets van zeven jaar oud. Afgezien van de rolstoel leek ze sterk op haar moeder.

Harmon kwam erbij staan en sloot de luiken.

Zonder erbij na te denken vroeg ik: 'Heeft je dochter een ongeluk gehad?'

'Nee.'

Toen hij me voor ging zijn werkkamer uit, viel mijn blik op een bordje aan de muur, van de Spina Bifida Association of America.

Later zocht ik op internet spina bifida op. Het is een afschuwelijke aandoening die in allerlei vormen voorkomt, in verschillende gradaties, en hoewel elk geval verband houdt met een misvorming van het ruggenmerg, zijn geen twee gevallen hetzelfde.

In de Verenigde Staten worden zeven van de tienduizend kinderen geboren met een open ruggetje. Er zijn maatregelen om het risico te verminderen, maar er is geen genezing mogelijk. Blijkbaar valt er geen klap aan te doen.

Voordat we verhuisden, bracht ik een bezoek aan Brits graf. Sara was er al geweest, maar ik nog niet. Op haar grafsteen stond:

UNABLE ARE THE LOVED TO DIE
FOR LOVE IS IMMORTALITY

Geliefden zijn niet in staat te sterven, want liefde is onsterfelijk…

Ik herkende het citaat niet, maar volgens de gegevens die ik had bijgehouden over Brits leesgedrag, was het uit een gedicht van Emily Dickinson. Ik heb altijd al meer met proza dan met poëzie gehad, en ik had al in geen jaren meer iets van Dickinson gelezen.

Ik bleef daar een hele poos staan.

Maandag 31 december, 22.35 uur

Twee jaar later

44

Mijn vrouw Sara en ik zijn op de nieuwjaarsborrel bij het faculteitshoofd thuis wanneer het Charlie Bernard opvalt dat Sara de hele avond nog niets heeft gedronken.

Hij laat het hapje zakken dat hij in zijn mond wilde steken en kijkt van de een naar de ander. Dan zegt hij: 'Jullie houden me zeker voor de gek.'

Ik kijk Sara aan. Die lacht en zegt niets.

Charlie is wel goed van innemen geweest. Ik ben bezig met een whisky en water, en ben gespitst op de krabballetjes. 'Niet verder vertellen, Charlie. We zijn erg bijgelovig.'

'Nou, mij een biet.' Hij heft het glas. 'Ik heb op de radio gehoord dat er in Boston over vijf jaar zeshonderd mensen per vierkante kilometer wonen. Maar jullie weten vast wel wat jullie doen.'

'Bedankt. Dit waarderen we zeer.'

Later betrap ik hem erop dat hij iets in Sara's oor fluistert. Ik zie haar lachen en even haar hand naar zijn wang brengen, zo van: dank je wel, Charlie, we zijn heel erg gelukkig.

Nog later roken Charlie en ik buiten een sigaar. Het is een mooie avond. Helder en niet te koud.

'Op een dag zal ik je over veilig vrijen vertellen,' zegt hij.

Ik zeg dat je lang niet altijd en overal veilig bent.

De volgende keer dat ik Charlie zie, ligt hij snurkend in een stoel. Iemand zet de tv aan, en we zien de bal op Times Square vallen. Michael en Ben bellen Sara vanuit Clark Falls en wensen ons een gelukkig nieuwjaar.

Wij wensen hun insgelijks, zoenen elkaar en brengen onze oude vriend Charlie naar huis.

Woord van dank

Ik wil graag de First Annual Box of Wine Writer's Summit Invitational bedanken voor hun hulp bij de totstandkoming van dit boek. Dank jullie wel, David Hale Smith en Shauyi Tai, voor de vluchtleiding.

Ik wil ook graag rechercheur Craig Enloe van de politie van Overland bedanken omdat hij op mijn domme vragen altijd met een gepast en vriendelijk antwoord wist te komen. Elke overeenkomst met het dagelijkse werk van de politie is aan hem te danken, en alle missers zijn aan mij toe te schrijven.

En ten laatste mijn bijzondere dank aan Danielle Perez, Nita Taublib en het hele, geweldige team van Bantam Dell omdat ze in me zijn blijven geloven en me onvoorwaardelijk hebben gesteund. Nogmaals dank aan Danielle Perez omdat ze mijn voeten bij het redactionele haardvuur heeft gehouden (en uiterst gul is omgegaan met redactioneel smeermiddel).